COLMEIA

GILL HORNBY

COLMEIA

Tradução de
ANA CAROLINA MESQUITA

1ª edição

EDITORA RECORD
RIO DE JANEIRO • SÃO PAULO
2014

CIP-BRASIL. CATALOGAÇÃO NA FONTE
SINDICATO NACIONAL DOS EDITORES DE LIVROS, RJ

Hornby, Gill

H79c   Colmeia / Gill Hornby; tradução de Ana Carolina Mesquita. – 1. ed. –
Rio de Janeiro: Record, 2014.

Tradução de: The hive
ISBN 978-85-01-40178-6

1. Ficção inglesa. I. Mesquita, Ana Carolina de Carvalho. II. Título.

CDD: 823
13-05007   CDU: 821.111-3

Título original em inglês:
THE HIVE

Copyright © Gill Hornby 2013

Publicado originalmente na Grã-Bretanha em 2013 pela Little, Brown.

Texto revisado segundo o novo Acordo Ortográfico da Língua Portuguesa.

Todos os direitos reservados. Proibida a reprodução, no todo ou em parte,
através de quaisquer meios. Os direitos morais da autora foram assegurados.

Direitos exclusivos de publicação em língua portuguesa somente para o Brasil
adquiridos pela
EDITORA RECORD LTDA.
Rua Argentina, 171 – Rio de Janeiro, RJ – 20921-380 – Tel.: 2585-2000,
que se reserva a propriedade literária desta tradução.

Impresso no Brasil

ISBN 978-85-01-40178-6

Seja um leitor preferencial Record.
Cadastre-se e receba informações sobre nossos
lançamentos e nossas promoções.

Atendimento e venda direta ao leitor:
mdireto@record.com.br ou (21) 2585-2002.

EDITORA AFILIADA

Para Robert

Una apis, nulla apis
Uma abelha não é abelha

(provérbio)

TRIMESTRE DO OUTONO

O primeiro dia de aula

8H45. ENTRADA

Lá estava Bea, de pé do outro lado, à sombra da grande árvore. Rachel, que, é óbvio, esperava no lugar errado como de costume, fez menção de ir até lá para encontrá-la, mas depois parou. Oh-oh. Mesmo àquela distância conseguiu ler os sinais: tensa, atenta, sorridente... Bea estava preparando um de seus Grandes Avisos. O pátio estava tão barulhento e frenético — aquela era sempre a manhã mais agitada de todo o ano escolar — que uma pessoa normal teria de gritar, berrar até, para atrair a atenção de todo mundo. Mas não Bea. Ela jamais levantaria a voz na escola, principalmente após o sinal tocar. E, para falar a verdade, não seria necessário. Ela simplesmente escolheu o momento certo, afastou os cabelos compridos de cada lado do rosto como se estivesse abrindo as cortinas de um palco, pigarreou de leve e começou:

— Bem-vindas de volta, muito bem-vindas. Espero que o verão de todas vocês tenha sido sensacional.

Pronto: na mesma hora o barulho caótico da volta às aulas diminuiu para um zumbido plácido e constante.

Os grupos que estavam espalhados por ali, trocando novidades depois das longas férias, pararam e se viraram para ouvir. Quem estava sozinha, ansiosa com o primeiro dia numa turma nova, esqueceu o nervosismo e olhou para ela.

— Agora, todas vocês, escutem. Por favor. — Bea ergueu seu gigantesco molho de chaves, chacoalhou-o com força e sorriu um pouco mais. — Fui solicitada... — ela fez uma pausa — ... pelo *novo diretor...* — as palavras sobrevoaram a multidão reunida — para escolher uma equipe. — Ela estava na ponta dos pés, mas na verdade não havia nenhuma necessidade. Beatrice Stuart era a mais alta ali, disparado.

Rachel, apoiando as costas contra a parede ensolarada da sala de aula pré-fabricada, olhou ao redor e sorriu. Lá vamos nós de novo, pensou. Ano novo, projeto novo. Em qual roubada Bea iria metê-la dessa vez? Observou as puxa-sacos enxamearem até a árvore e formarem um círculo. Aquela exibição de entusiasmo coletivo não deixava muita escolha para Rachel a não ser ficar bem ali, onde estava, mantendo distância. Poderia pular aquela parte, com certeza. Sem dúvida ouviria toda a história da boca da própria Bea depois. Por isso, esperaria ali. Elas iriam embora juntas dali a pouco. Sempre iam.

O pavimento do pátio necessitava de reforma e já estava grudento por causa do calor incomum daquela manhã. Rachel precisava ficar levantando a sola do sapato a todo momento para evitar que se grudasse no chão. Agosto tinha sido um mês úmido e sombrio, mas o verão havia voltado para o início do novo ano letivo, tinindo e cheio de gás. Era engraçado, pensou ela, o jeito como as estações pareciam tirar férias também. Os últimos Natais foram quentes e úmidos: somente no trimestre da Páscoa o inverno eventualmente dava as caras, enterrando todo mundo embaixo da neve e fazendo a escola fechar as portas. E agora lá estavam eles, após um mês de *fleeces*, jaquetas impermeáveis e mais *Simpsons* do que o recomendado, morrendo de calor na volta às aulas de outono. Talvez não fossem apenas as escolas que voltavam à vida segundo o calendário escolar: era um padrão que valia para o mundo natural como um todo.

Rachel tentou ouvir o comiciozinho de Bea sem se mexer, mas só conseguiu escutar trechos. Algo sobre o "fabuloso" novo diretor. E os últimos cortes "desumanos". Ah, e adivinhe só: arrecadação de verba. Claro. Um pouco mais de arrecadação. Ela transferiu o peso do corpo para o outro quadril e tornou a se desligar.

Observou distraída um trator tirando as medidas de um campo atrás da quadra esportiva, olhou um avião desenhando uma curva perfeita em um céu da cor de tinta Quink azul anil. Minha nossa, que calor. O que ela estava fazendo de jeans? O clima não estava ajudando em nada a aliviar a sensação generalizada de torpor. Ao contrário do resto da natureza, aparentemente, Rachel não sentia nenhum ânimo com a volta às aulas. Não estava tinindo. Não estava cheia de gás. Praticamente havia se arrastado morro acima para chegar ali naquela manhã: Sísifo e sua rocha destroçada embolados numa coisa só. Seja como for, depois de férias como aquelas, até Rachel estava, se não feliz, pelo menos aliviada por estar de volta.

Sempre gostou daquela escola, e, mesmo da lama do fundo de seu pequeno poço de desgraças, podia perceber que hoje o lugar mais parecia um paraíso. A Escola Primária St. Ambrose ficava encarapitada no alto de um morro, bem ao lado dos limites da cidadezinha, desfrutando a vista do exuberante cinturão verde enquanto podia, antes que o inevitável shopping a céu aberto chegasse para arruiná-la. Rachel adorava sua arquitetura pseudoeclesiástica, seu portão de entrada em arco e seu teto inclinado — tão parecidos com os esplêndidos valores sociais do século XIX que os criaram. Seria capaz de ficar horas entretida com as diferentes formas acima do playground, desenhadas pelos galhos entrelaçados da velha faia, sob a qual as crianças brincavam de dia e onde suas mães estavam agora reunidas.

E é claro que gostava das pessoas. Certo: da maioria. St. Ambrose, afinal de contas, era famosa pelas pessoas. Era conhecida em todo o país pelo seu número do "somos uma grande família feliz". Todos apoiavam uns aos outros em St. Ambrose; sentiam orgulho disso. Bem, pelo menos alguns. E Rachel instintivamente sempre fizera questão de se envolver com aquela gente o mínimo possível que a boa educação permitia, muito obrigada. Ainda mantendo distância, observou-as todas ao redor de Bea, com aquele jeito de "grande família feliz", erguendo as mãos para se oferecerem a fazer isso ou aquilo, trêmulas de empolgação. Rachel balançou a cabeça: francamente, às vezes ela se desesperava, de verdade. Mas, por outro lado, achava Bea sensacional, achava mesmo; era verdadeiramente impressionante o jeito como conseguia delegar tarefas ingratas, tediosas a ponto de extinguir toda e qualquer felicidade, e ainda fazer as pessoas se sentirem genuinamente gratas por isso. Vê-la rodeada de mulheres — fazendo planos, dando ordens, pensando grande, mudando uma montanha ou outra de lugar — era ver uma criatura em seu próprio habitat. Isso era exatamente o que ela era. Rachel só conseguia ficar olhando, com amor e gigantesca admiração. Sério, ela e Bea bem podiam ser de espécies diferentes, mas isso não tinha importância: eram grandes amigas — melhores amigas, na verdade — desde o dia em que se conheceram, quando suas filhas entraram na pré-escola, havia cinco anos.

A trilha sonora do primeiro dia de aula — os bons-dias cantarolantes, as cadeirinhas sendo arrastadas para as mesas baixas, as bandejas de plástico batendo contra as paredes das salas de aula — saiu flutuando pelas janelas abertas. Então, de repente, Rachel percebeu com o canto do olho alguém que nunca tinha visto antes: alta, morena, um verdadeiro tratado de elegância, do corte chanel reto e oscilante até as belas sapatilhas. E, ora, ora, ora, pensou consigo mesma ao se virar para olhar melhor. Ora, ora, ora. Aquela era uma visão rara e maravilhosa: uma verdadeira novata cheia de empolgação. Em sua longa e cansativa experiência naquele pátio, as pessoas que chegavam em setembro eram tão espantosamente parecidas com as que iam embora no período letivo anterior a ponto de ser virtualmente impossível distingui-las — como se ela tivesse ficado no cinema escuro até depois da exibição dos créditos e então o mesmo velho filme chato simplesmente começasse a passar de novo. Será possível que este ano poderia ser diferente? A mesma história, porém refilmada, com um elenco novinho em folha?

A novata se aproximou do grupinho reunido ao redor de Bea e pairou ao redor, circulando-o. Pareceu indecisa quanto a se juntar a elas ou não, pesando os prós e os contras, então rumou para o portão e seguiu na direção do estacionamento. Por mais que Rachel desejasse que a outra tivesse ficado, ao menos por um minuto para que pudessem se conhecer, precisava tirar o chapéu para a sabedoria dela em dar o fora antes de ser tirada do páreo com trapaças. Mesmo assim, surgiu dentro dela a relutância de admitir que precisava fazer sua parte, e essa relutância aumentou até parecer uma criancinha insistente arrastando-a até um lugar aonde ela não queria ir. Não havia nada que pudesse fazer a não ser ceder. Rachel suspirou e se forçou a ir até a árvore para receber alguma incumbência insignificante, pequena, irrelevante — alguma pequena prova de pertencimento.

— Ah, isso é *maravilhoso*. Obrigada, querida — dizia Bea para a nem um pouco querida Clover, que estava sempre pairando ao redor de tudo como uma nuvem negra num piquenique. — Tenho então Colette, Jasmine e Sharon a bordo. Todas ajudantes velhas de guerra.

Como Bea conseguia fazer isso, lembrar-se de todo mundo? Rachel as via todos os dias há séculos, mas ainda achava difícil saber quem era quem. Bem, não era exatamente verdade: desde que o casamento de Colette acabou no ano anterior e ela libertou a adolescente interior, Rachel sabia quem ela era. Era difícil não dar ouvidos às fofocas, por mais que se quisesse, e as fofocas pareciam sugerir que todos os caras solteiros em um raio bastante significativo agora também conheciam Colette. Mas Jasmine e Sharon... ela desafiava qualquer um a distinguir quem era quem. As duas podiam trocar de vida uma com a outra que nenhum dos maridos ou filhos conseguiria perceber. E, mesmo se conseguissem, será que dariam importância? As duas faziam ginástica juntas, iam às compras juntas, pensavam — e até falavam — juntas. Rachel não sabia se haviam tirado férias juntas também; o que sabia é que ambas exageraram no sol: pareciam mais com um saquinho de uvas-passas.

O mais impressionante do primeiro dia de aula era sempre isso: o fato de as crianças entrarem trotando alegres e contentes nas salas de aula todas impecáveis e luzidias, enquanto as mães pareciam tão arrumadas quanto Robinson Crusoé. Rachel mal conseguiu reconhecer metade delas. Dali a algumas semanas, após elas terem a chance de pisar num salão ou numa clínica, a situação estaria invertida: as crianças estariam um lixo, e as mulheres, renascidas. Menos Heather, claro. Heather não fazia as unhas, não cortava o cabelo, não se embelezava. Pelos últimos cinco anos, sempre fora a mesma figura fácil de reconhecer, sempre metida nas mesmas roupas. Naquele exato momento estava na ponta dos pés — e de fato precisava estar — usando a mão esquerda para erguer a direita ainda mais alto e agitá-la freneticamente. E, ao fazê-lo, seus óculos começaram a deslizar perigosamente pelo nariz.

— Certo, hã... Heather, não é? Talvez você possa... — Bea pareceu desnorteada por um instante, depois inspirada. — Já sei! Você pode ser a secretária do comitê! Vamos tentar. Não prometo nada, tudo bem? Mas veremos como você se sai.

Heather corou de triunfo. Era uma pena, pensou Rachel com empatia genuína, que Heather não se sentisse triunfante com mais frequência. Rosada assim, ela não parecia tão trágica e apagada.

— Ah. — Uma nota de algo parecido com malícia retiniu na voz de Bea. — Georgina. Joanna.

Georgie — que, justiça seja feita, sempre estava tão arrumada quanto um náufrago, não importava a época do ano — tentava escapar de fininho. Seu cabelo estava ainda mais desgrenhado do que de costume depois das longas semanas de férias, no entanto Rachel mesmo assim ainda a considerava bastante bonita. Por mais que Georgie tentasse, era incapaz de esconder sua beleza natural, clássica e magra. Jo, atarracada e forte, postou-se ao lado dela como uma babá.

— O que foi... — Georgie suspirou ao estacar e se virou para Bea. — ... dessa vez?

— O novo diretor está determinado a consertar, de alguma maneira, os ataques absolutamente *terríveis* ao orçamento da St. Ambrose este ano. O que está acontecendo é um *escândalo* e temos *muita sorte* de ter alguém com a *riqueza* de conhecimentos financeiros dele. Então ele *me* pediu, hã, para formar um comitê para arrecadação de verba. Pensei que seria legal se vocês duas participassem. Para variar.

— Eu? Não. Desculpa. De verdade. Adoraria. Mas não vai dar. — Ela apanhou o menininho que dava passos desengonçados ao seu lado e o levantou nos braços como se fosse seu passaporte de desembarque. — Preciso cuidar do Hamish...

— Georgie, ele não é mais um bebê! E você há de convir que tem mais filhos nessa escola do que qualquer outra família. — Bea sorriu para o grupo ao falar aquilo.

— Mas você não precisa de mim. Sério. Eu seria imprestável. — Ela se aproximou de Jo. — Nós duas seríamos imprestáveis.

— É — concordou Jo. — Um desperdício.

— Bem, agradeço muito. É ótimo ter você no grupo. — Bea anotou o nome de Georgie. — E você também, Jo. — Outro pequeno tique na folha de papel. — Excelente.

As duas se retiraram murmurando baixinho, indignadas.

Dificilmente Rachel levantaria a mão como todo mundo. Ela não era uma fracassada total. Estava justamente se preparando para chamar a atenção de Bea com algum sinal pequeno e sutil, porém irônico, de que poderia colaborar de algum modo vago e tangencial, quando outra pessoa que ela nunca tinha visto antes deu um passo à frente e se dirigiu ao grupo inteiro. Hein? O que estava acontecendo ali? Outra novata querendo chamar atenção? Essas novatas estavam atingindo níveis de empolgação realmente sem precedentes aqui, gente... Rachel deu uma risadinha consigo mesma. Torcia para St. Ambrose estar à altura daquilo.

— Ah, sim — disse a exótica estranha, que era tão alta quanto Bea, tão loira quanto Bea e, para falar a verdade (minha nossa), tão bonita quanto Bea. — Eu me rendo! Não tenho desculpa. Estou em período sabático. Uma sensação *extradordinária*! Não tem jeito. Fazer sua parte. Credo! Lá vai: *eu* vou ajudar vocês.

Bea levantou a sobrancelha. Ai, ai, pensou Rachel. Bea não levantava a sobrancelha com muita frequência — risco de danos à pele da testa —, mas, quando levantava... caramba. Era o equivalente a um neles mortal, digamos, atirar uma cadeira pela janela ou enfiar um carro no poste. Deus do céu. A sobrancelha. Rachel soltou um assovio baixinho.

— Perdão. — O tom de Bea era tão simpático quanto seu sorriso, mas aquela sobrancelha continuava lá no alto. — Creio que ainda não fomos apresentadas...

— Sou nova. Primeiro dia. Estou *a-do-ran-do*. — Com a mesma mão ela retirou os óculos escuros gigantescos e depois correu os dedos pelo cabelo comprido. — Conheço essa sensação: *ter feito a coisa certa*. Estamos tão satisfeitos por termos escolhido a St. Ambrose! É *perfeita*. Meu Deus. Escola particular! Fugas, *nunca* mais. Meu nome

é Deborah. — Ela parou para ofuscar todo mundo com os dentes.
— Deborah Green. Mas todos me chamam de Bubba.

Opa, pensou Rachel. Temos uma pessoa certa aí. Agora chega; estou dentro. Isso vai ser divertidíssimo. Rachel levantou a mão justamente na hora em que Bea atirou o cabelo para trás e declarou que seu trabalho ali estava terminado.

— Obrigada a todas vocês. — Bea prendeu a alça de sua maxibolsa na dobra do cotovelo, agitou seu gigantesco molho de chaves. — Realmente acho que este será um ano muito interessante. — E saiu pelos portões da escola em direção ao carro.

Rachel ficou observando-a partir. Mal tivera um único pensamento claro em semanas, graças a toda a lama, o poço, as profundezas etc., mas, naquele momento, enquanto olhava as mechas loiras bem-desenhadas sobre os cabelos escuros de Bea se afastando, teve vários. Um depois do outro. Claros como o dia.

O primeiro foi: hum. Que estranho. Ela não falou comigo. E a gente não se fala há séculos.

O segundo: ei. Será que a gente nem sequer se viu depois que Chris deu o fora?

E o terceiro, este muito, muito nítido: espera aí. Puta que o pariu. Ela não me escolheu.

COMITÊ EXTRAORDINÁRIO DE ARRECADAÇÃO DE VERBA DA ESCOLA ST. AMBROSE

Ata da primeira reunião
Local: Residência do diretor
Presentes: Tom Orchard (diretor), Beatrice Stuart, Georgie, Jo, Deborah Green, Sharon, Jasmine, Colette, Clover
Secretária: Heather Carpenter

A REUNIÃO começou às 20h.

O SR. ORCHARD agradeceu a todas por terem comparecido naquela noite e desejou...

BEA reforçou aquilo e também informou ao comitê que HEATHER atuaria como SECRETÁRIA pela primeira vez e informou a HEATHER que ela só precisaria anotar exatamente o que as pessoas dissessem e dar um tom, sabe como é, mais oficial à coisa, se possível. Também desejava acrescentar que havia adorado seus sapatos novos.

O SR. ORCHARD continuou, dizendo que estava comovido com a dedicação de tantos pais da comunidade. Explicou que este era seu primeiro cargo como diretor de escola depois de vários anos na City, que a situação financeira era tão sombria quanto sugeriam os boatos, mas que ele tinha diversas propostas que, em sua visão, conduziriam a escola a um mais iluminado...

BEA agradeceu ao DIRETOR em nome do comitê e enfatizou que todos estavam empolgados para ouvir todos os planos dele, os quais ela já sabia serem sensacionais e que, prometeu, logo, logo se tornariam realidade.

COLETTE informou a todos na reunião que havia preparado alguns belisquetes, nada de mais, só alguns petisquinhos de queijo nos quais o comitê deveria simplesmente se jogar.

O SR. ORCHARD pediu que o comitê aguardasse apenas um pouco para ouvir que...

BEA agradeceu ao DIRETOR mais uma vez e propôs que antes de mais nada tratassem do mais importante. Este comitê necessitava de um presidente.

O SR. ORCHARD informou aos presentes que supunha que ele era o...

CLOVER desejou acrescentar que havia trazido salgadinhos de queijo.

SHARON solicitou informar a todos os presentes que BEA seria a escolha óbvia para presidente do...

JASMINE explicou que isso era porque BEA era sempre a presidente.

BEA sugeriu que não desejava ser indicada à presidência só porque sempre era a presidente. E que talvez fosse a hora de outra pessoa cumprir esse papel.

DEBORAH solicitou que o comitê a chamasse de BUBBA, como todos a chamavam, declarou que adoraria ser a presidente e que gostaria de aproveitar o momento para relatar em detalhes sua experiência profissional no mundo do RH, carreira da qual ela estava dando um tempo.

BEA deixou claro que, nossa, claro que não competiria com BUBBA, de jeito nenhum. Também precisava acrescentar como todos se sentiam felicíssimos em ter alguém com tanto status entre eles e que um dia adoraria ouvir cada detalhezinho da impressionante carreira de BUBBA, enquanto elas resolviam todos os problemas do mundo tomando uma garrafa de qualquer bebida deliciosa. Nesse meio-tempo, a única coisa que poderia acrescentar é que possuía cinco anos de experiência e trabalho incansável em prol da comunidade da St. Ambrose, um conhecimento profundo de cada um dos membros da família feliz que era aquela escola e um histórico de êxitos no quesito arrecadação de verba. Só isso. Ela não tinha mais nada a declarar.

O SR. ORCHARD propôs que também desejava ser considerado como opção à...

COLETTE pediu para que quem estivesse a favor de BEA levantasse a mão. E que todos que estivessem a favor de BUBBA levantassem a mão.

JO informou aos presentes que houve uma surpresa.

BEA agradeceu seus muitos apoiadores pelo voto generoso de confiança e manifestou o quanto estava estupefata por ter sido escolhida diante de competição tão intimidadora.

SHARON solicitou que sua ausência fosse registrada por um minutinho e perguntou ao DIRETOR se aquilo, sabe?, ficava lá em cima.

O SR. ORCHARD disse que sim e acrescentou que era a segunda porta à direita.

JASMINE informou a SHARON que a acompanharia.

BEA começou a delinear seus planos. Sua prioridade número um para arrecadar verbas era iniciar um RODÍZIO DE ALMOÇOS, algo que já vinha sendo implementado na St. Francis. Resumidamente: uma pessoa organiza um almoço, cobra 15 libras por cabeça, depois cada um dos convivas organiza outro almoço, e por aí vai. E ainda mais dinheiro poderia ser arrecadado com essa empreitada se anotássemos todas as receitas preparadas e depois as publicássemos em um livro, o LIVRO DE RECEITAS DA ST. AMBROSE. Por acaso ela sabia que isso era algo que o pessoal da St. Francis não havia pensado em fazer e que, portanto, elas já estavam à frente no jogo. Ela também lembrou que O QUIZ aconteceria nas férias de verão e propôs que organizassem um MERCADO DE PULGAS o mais rápido possível, antes que o tempo ficasse chuvoso demais.

CLOVER pediu desculpas, mas queria perguntar: GEORGIE estava bem...?

JO informou aos presentes que a amiga só estava tirando uma soneca e perguntou se alguém tinha algum problema com aquilo.

COLETTE propôs a criação de um CASSINO GOURMET trimestral, em que cada um prepara um prato para o jantar, apresenta-o em uma sala e compra um bilhete de rifa. Desse modo, ganhariam um prato completamente diferente para o jantar. Além de arrecadar dinheiro, isso encorajaria toda a comunidade a experimentar coisas novas e também promoveria uma mudança de hábitos.

JO acordou GEORGIE e instruiu que a ata registrasse a ausência de ambas da reunião para fumarem um cigarro.

SHARON pediu permissão para perguntar ao DIRETOR sobre um detalhezinho no qual ela estava pensando. É que ela não pôde deixar de notar que só havia uma escova de dentes no banheiro, e perguntou ao DIRETOR se a SRA. ORCHARD seria transferida para a cidade em breve.

JASMINE reforçou a pergunta e acrescentou que o comitê estava ansioso para conhecê-la.

O SR. ORCHARD sugeriu que o comitê não ficasse muito ansioso, uma vez que não havia nenhuma SRA. ORCHARD para ser apresentada às participantes deste encontro, e acrescentou que, agora que tinha a palavra, talvez fosse o momento de levantar o assunto do...

BEA informou a urgência da pauta e solicitou voluntários para que se desse o início da arrecadação. Claro, a própria BEA se encarregaria do QUIZ, como sempre. Mas desejava saber: quem gostaria de dar o pontapé inicial no RODÍZIO DE ALMOÇOS?

OS PRESENTES ficaram em silêncio.

HEATHER disse que, se ninguém mais se dispunha, ela ficaria feliz em ser a primeira, mas não desejava ficar no caminho de ninguém nem ofender ninguém.

BEA disse que hummm, bem, na opinião dela, GEORGIE deveria ser a primeira, e OS PRESENTES deveriam informá-la dessa decisão em tempo hábil, assim que ela decidisse voltar. Então pediu voluntários para o CASSINO GOURMET.

OS PRESENTES ficaram em silêncio, mas a ata registra que HEATHER levantou a mão.

BEA informou a CLOVER que aquela era a última chance dela de brilhar. Só restava o MERCADO DE PULGAS para organizar, o que, em sua opinião, não era nem um pouco difícil.

OS PRESENTES ficaram em silêncio. HEATHER levantou a mão novamente.

BEA informou a HEATHER que ela poderia organizar o MERCADO DE PULGAS mas também informou a COLETTE que esta deveria supervisionar tudo.

COLETTE disse que tudo bem, ela só precisava trabalhar para ganhar a vida, e seria legal às vezes se as pessoas...

BEA perguntou aos PRESENTES se alguém fazia ideia de como ela poderia existir sem COLETTE e seu apoio incrível. E também se alguém havia reparado no blazer dela, que era tão maravilhoso. Além disso, desejava elogiar o comitê pelo excelente pontapé inicial.

O SR. ORCHARD concordou, mas expressou certo desapontamento por nenhum outro membro do sexo masculino da comunidade ter comparecido naquela noite.

BEA declarou que era porque ela não havia convidado nenhum deles e perguntou se existia mais algum outro assunto a tratar.

JASMINE disse que gostaria de perguntar ao DIRETOR se ele já havia pensado em derrubar a parede da sala para integrá-la à cozinha.

SHARON pessoalmente garantia que isso proporcionaria tanto uma sala mais espaçosa quanto uma melhor iluminação.

A ata indica que nesse momento GEORGIE e JO retornaram à reunião.

GEORGIE quis saber se elas haviam perdido algo de importante.

HEATHER disse que sim, que ela iniciaria o RODÍZIO DE ALMOÇOS.

GEORGIE retrucou que o comitê devia estar brincando.

JO informou a GEORGIE que ela bem havia imaginado algo desse tipo e que eles a enrolaram diretinho.

COLETTE então se dirigiu ao COMITÊ: gente? Tipo, desculpem, mas como vai se chamar o COMITÊ, e vamos escolher camisetas ou pulseirinhas?

SHARON pediu mais esclarecimentos; o comitê seria mesmo um ramo da ASPA?

BEA sugeriu aos presentes que era necessário fazer uma pequena distinção entre a ASPA e este comitê. O problema da Associação de Pais, que era maravilhosa e supermotivada aliás, era o fato de ser aberta a simplesmente todo mundo, e de ser tão adorável e simpática que transbordava de gente. Mas, como aquele comitê era restrito a convidados, seria útil erigir alguns limites para evitar que surgisse alguma confusão e ofensa. Talvez algo como COMITÊ DA ST. AMBROSE, a ser abreviado para COSTA?

COLETTE concordou e propôs pulseirinhas, pois camisetas não valorizam ninguém e que as pessoas com brilho não deviam escondê-lo embaixo de um monte de pano.

GEORGIE declarou que agora chega, já era o bastante, e que além do mais ela já estava de saída.

A REUNIÃO se encerrou às 20h32.

15H15. SAÍDA

Rachel tinha conseguido chegar bem a tempo nos portões da escola, com apenas alguns minutos de antecedência. Georgie e Jo já estavam em seus lugares de costume ao lado da cerca metálica verde, sob uma micronuvem azul acinzentada, cada uma com um cigarro na mão. Estavam sozinhas, é claro — tendiam a ficar sozinhas. Rachel nunca conseguiu saber se todos mantinham distância por medo da fumaça ou por medo de Jo, cuja tolerância zero em relação a qualquer gentileza social do mundo exterior estava sujeita a ser malcompreendida.

— Oi, querida! — Georgie a cumprimentou, toda simpática. Jo nem se deu ao trabalho. — Teve um bom dia?

— Hã. Hum. É, você sabe. Normal. Acho.

— Ceeerto. Vou interpretar isso como um não.

O sinal da escola tocou. Georgie e Jo começaram a apagar os cigarros e a guardar as bitucas com ritualismo solene, como padres no fim da Eucaristia. De repente Jo interrompeu o que estava fazendo e olhou para Rachel pela primeira vez.

— Então. Chris. Ouvi falar — resmungou ela, abruptamente.

— Oh. Hummm. — Rachel odiava aquelas conversas. Odiava de verdade. A primeira vez que precisava falar sobre a separação com cada pessoa que conhecia era excruciante. Todos só queriam conversar sobre o assunto; e isso era o pior de tudo. Examinar a coisa. Analisar todos os lados do problema. Ela já estava perdendo a conta do número de papos cabeça que tivera de suportar nos últimos tempos, e cada um deles havia sido igualmente desprezível e humilhante.

— Pois é. Bem — começou Jo.

Rachel se preparou para o que estava por vir.

— Ele sempre foi um bunda-mole.

Esperou por mais.

Mas foi só. Jo já estava andando pesadamente na direção da escola. Seus poderes de oratória pelo visto se esgotaram. O assunto fora, aparentemente, dispensado. E, enquanto a acompanhava portão adentro, Rachel viu que ela estava quase — não exatamente, veja bem, mas *quase* — sorrindo. Jo havia alcançado o nível certo de profundidade para um papo cabeça naquela conversa. Rachel genuinamente se sentiu um pouquinho melhor.

— Tá meio frio hoje. Brrr... — Heather veio andando desengonçada ao lado delas.

— É? — Rachel nem havia notado. Trabalhara o dia inteiro, praticamente à força, e essa era a primeira vez que colocava o pé na rua. — Aliás, como foi na outra noite? A reunião do comitê?

— Horrenda! — vociferou Georgie.

— A pior noite da minha vida! — acrescentou Jo.

— Eu, na verdade, gostei muito — comentou Heather, sonhadoramente. — Todos foram tão simpáticos, e adivinhe só? Vou organizar o Mercado de Pulgas!

Rachel não sabia direito como responder.

— Hã... Parabéns?

— Obrigada. — A julgar pela expressão de Heather, ainda havia mais boas notícias de onde veio aquela. — E... — agora ela estava corada de novo — Bea pediu para eu acompanhá-las na ginástica de manhã.

Tinha dado certo uma vez. Rachel poderia muito bem tentar de novo:

— Parabéns.

Pareceu funcionar. Então a porta da escola se abriu e uma maré de crianças varreu o pátio, rodopiando em torno das pernas de quem estava por ali.

Poppy atirou os braços ao redor da cintura de Rachel. Estava corada também.

— O diretor quer falar com você, mamãe. Mas eu não fiz nada, eu juro.

Rachel virou o corredor em direção à sala do diretor bem na hora em que outra mulher surgiu. Ela passou apressada por Rachel, murmurando a palavra "lindo", revirando os olhos e abanando o rosto vigorosamente com as duas mãos para expressar alguma espécie de êxtase sexual. Caramba, pensou Rachel. Basta entrar um homem no quadro de funcionários para que isso aqui de repente vire *Cinquenta tons de St. Ambrose*. A secretária rabugenta da escola lhe lançou um olhar intimidador e inclinou a cabeça no que em geral era a direção da sala.

Rachel bateu à porta e entrou.

— Ah — disse o diretor, erguendo os olhos de uma planilha. — Sra. Mason?

— Hã, não tenho certeza — foi o que Rachel quis dizer. Após o desagradável e repentino pé na bunda do Sr. Mason, não sei mais se sou a Sra. Mason. Principalmente porque, aparentemente, já existe uma segunda Sra. Mason à espera nas coxias...

Mas o que ela realmente disse foi:

— Sim. — E então: — Olá.

Bem. Ela não conseguia entender que bicho mordera aquela outra mulher. Ele era ok, esse tal de Sr. Orchard, mas com certeza não seria a definição de "lindo" para ninguém. Ali, sentado à mesa, estava um cara de meia-idade perfeitamente normal, vestindo um terno de um cara perfeitamente normal, e seu cabelo tinha, bem, o tom perfeitamente normal de qualquer cara branco — aquela tonalidade meio castanho-esverdeada, ligeiramente repulsiva.

— Obrigado pela atenção.

Rachel sempre achou aquilo um enigma: caras e cabelos. Aos 35 anos, ou eles não têm nenhum ou têm um cabelo idêntico ao do cara ao lado. Imagine todas nós por aí com a mesma cor de cabelo: Bea sem suas mechas de louro platinado, todas as amigas de Bea sem suas imitações pálidas do cabelo de Bea — metálicas, na verdade —, Georgie sem sua ocasional coloração temporária castanho-avermelhada, Rachel sem o ruivo claro que era sua marca registrada. Não saberíamos nada umas das outras. Então, como é que esses homens, com seus ternos cinza padronizados e seus cabelos castanho-esverdeados... como eles conseguem? Que marcas os distinguem? Aliás, como eles conseguem saber quem são eles mesmos?

— Está tudo bem com a Poppy — garantiu-lhe o Sr. Orchard. — Não há nada para se preocupar nesse departamento.

Bem, isso era o que ele achava.

— Ah, que alívio — declarou ela. — Eu estava mesmo me perguntando por que...

— Sim, evidente. Na verdade, eu estava esperando encontrá-la na reunião do comitê de arrecadação de fundos, no início da semana...

— Ooops. Desculpa. Babá. — Rachel ficou satisfeita com aquilo. Babá: muito sutil. Muito melhor do que "não fui convidada".

— Tudo bem. Sem problemas. — Ele riu com nervosismo. — Não vou colocá-la de castigo por isso.

Ela sorriu com educação e pensou: nossa, como ele é sem noção.

— Mas ouvi dizer que você é artista plástica.

— Bem, é... ultimamente, ilustradora de livros infantis.

— Ótimo. Melhor ainda. O comitê fez uma... hã... decolagem promissora na reunião, mas não tenho certeza se consegui transmitir exatamente o objetivo do trabalho de arrecadação. Com os novos cortes, infelizmente, não conseguiremos fazer a ampliação que desejávamos. O que, receio, significa também que...

— Oh, não! Nada de biblioteca nova? — Até então ela não havia se tocado.

— Exato. — Ele parecia verdadeiramente arrasado.

— Mas isso é terrível.

— Eu sei. E fico muito feliz por saber que nós dois temos a mesma opinião quanto a isso. Mas acho que ainda é possível fazer alguma coisa. — O Sr. Orchard se remexeu na cadeira e a encarou diretamente. — Não tão chique, talvez, mas também não tão dispendiosa. E podemos fazê-la nós mesmos. — Os olhos dele, notou Rachel, começaram a brilhar. Naquele exato momento, por um breve instante, ela pensou que talvez ele não fosse assim tão sem noção, no fim das contas. — Olha, sabe todos os edifícios que fazem parte da escola, ali? — Ele apontou para a extremidade do pátio, onde, do outro lado, ficava um pequeno conjunto de barracões e depósitos com janelas altas e acabamento de cimento e pedra. — Poderíamos arrecadar a verba necessária para uni-los e transformá-los na biblioteca.

— Ah, sim... — Ele tinha razão. Rachel logo percebeu que seria possível.

— Simplesmente não é aceitável que todos os livros fiquem entulhados pelos cantos da escola. Eles merecem ter um espaço próprio, onde os alunos possam se recolher em silêncio. Onde seja possível estimular novos leitores e respeitar os livros.

— Concordo plenamente. — Aquilo era encorajador. Ela havia ouvido dizer que o novo diretor só pensava em dinheiro. Era um bônus saber que, na verdade, ele também pensava nos livros.

— E eu adoraria que fosse um lugar mais inspirador do que o restante da escola. Sem paredes nuas. No andar acima das estantes, poderíamos fazer uma galeria. Para expor os trabalhos das crianças e, quem sabe, dos adultos. E de outros artistas além dos limites da comunidade escolar. Você não concorda?

— Absolutamente. — Agora ela poderia chegar a ponto de descrevê-lo como uma lufada de ar fresco...

— E seria ótimo se a senhora, Sra. Mason, projetasse uma linha do tempo que retratasse a história da escola para circundar as cornijas. Gostaria de fazer isso?

Hã? O quê? Espera um pouco aí. De onde surgiu aquilo, de repente? Mais trabalho? Para ela? De graça? Nãããããão!, teve vontade de gritar. Não gostaria, não. Ela não tinha mais nem o tempo nem a segurança financeira para ficar perdendo tempo com trabalho voluntário a fim de fornecer às crianças ornamentos que não fariam a mínima diferença em sua experiência educacional. Elas vinham aqui para aprender a ler, escrever e fazer suas benditas tabuadas — e para deixar os pais respirarem um pouco também, sejamos honestos —, e era para isso que todo mundo pagava seus impostos. E naquele momento estava falida. Estava exausta. Rabiscar uns malditos desenhos bonitinhos era a única maneira de, no futuro à frente, conseguir trazer algum conforto para os próprios filhos. Então por que diabos ela deveria desperdiçar um único minuto precioso de seu precioso tempo livre com coisas sem sentido, que seriam ignoradas ou desvalorizadas pelos filhos dos outros?

Mas o que ela disse em vez disso foi:

— Sim, é claro. — Depois acrescentou, de um jeito casual estilo tanto-faz-como-tanto-fez: — Isso quer, hã; quer dizer que... — Rachel fez uma pausa, enfiou o cabelo atrás das orelhas, olhou pela janela para as crianças que atiravam uma bola em uma cesta de basquete. — Isso quer dizer que o senhor quer que eu participe do comitê?

Ao ouvir a palavra "comitê", o corpo dele pareceu afundar levemente na cadeira.

— A senhora seria mais do que bem-vinda, Sra. Mason. Mais do que bem-vinda. Mas, de certo modo, o que estou lhe pedindo é um pouco diferente de ser apenas um membro do comitê.

— Ah?

— Enxergo a senhora muito mais em um papel de consultora. Uma espécie de consultora artística, esse tipo de coisa. O comitê arrecadará a verba para que a senhora possa realizar o trabalho que realmente importa.

— Aaaah. Então, quer dizer que isso é... tipo, mais importante do que estar no comitê? — guinchou ela. Merda; aquilo não era apenas sem noção. Era *ultra* sem noção.

— Bem. — Ele olhou para baixo, remexeu alguns papéis sobre a mesa. — Não posso garantir que o comitê enxergará as coisas desse modo, mas este seria o meu ponto de vista. Sim. Sra. Mason. — O Sr. Orchard balbuciou de modo confuso e pareceu estar lutando para se controlar de certa maneira. — A senhora é mais importante do que o comitê.

Ele estava fazendo piada dela? Quem sabe — e quem se importa? Eles agradeceram a atenção um do outro, e Rachel saiu da sala. Dessa vez, o olhar de ódio da secretária rabugenta não foi capaz de afetá-la.

Ela seguiu gingando pelo corredor, com as narinas fechadas para não respirar o ar parado da escola à tarde, e saiu para a luz do dia. Lá estava Georgie, com as mãos enfiadas nas mangas do seu moletom extragrande, as pernas magras cruzadas dentro dos jeans folgados, observando os filhos e Poppy brincando no trepa-trepa. Rachel se apressou na direção deles, socando o ar em um sinal irônico de triunfo, e já estava prestes a gritar um debochado *"Yesss!"* quando notou a expressão de Georgie e o clima ao redor.

Bea havia voltado para baixo da árvore, e hoje o grupo ao redor dela era maior: mães, pais, boa parte das crianças também. E todos estavam em silêncio.

— É Laura. Você sabe, a mãe das gêmeas do terceiro ano. Câncer de mama — sussurrou Georgie no ouvido de Rachel. — Morreu ontem à noite. Bea acabou de receber a notícia. E Dave tirou todo o tempo das férias quando ela estava doente, coitadinho, por isso vai precisar voltar para a loja. Bea está montando um esquema para os próximos meses: gente para pegar e levar as meninas à escola, para ajudar a preparar as refeições, para dar carona para as reuniões das escoteiras. Esse tipo de coisa.

O braço de Rachel ainda estava no ar, ainda no meio do soco. Ela o recolheu de volta e olhou ao redor depressa, para ver se alguém havia percebido alguma coisa. Não. Abraçou o próprio corpo. Ninguém estava olhando para ela. Estavam todos unidos em sua tristeza comunitária, olhando para Bea. Georgie enlaçou Rachel com um dos braços e disse baixinho:

— Vamos.

Apoiando-se uma na outra, cabeça inclinada contra cabeça, as duas caminharam juntas até a árvore e escolheram um lugar às margens do grupo lúgubre.

O dia do almoço de Georgie

8H50. ENTRADA

Era uma manhã fria e ensolarada de outubro. As latas para o festival da colheita tilintavam na bolsa de lona e o ar gelado batia em seus rostos enquanto elas subiam o morro. Rachel sentia a cabeça pesada de tanto cansaço, mas precisava dar um jeito de encontrar em algum lugar a energia para dizer alguma coisa. O silêncio a estava deixando louca.

— O que foi, cara de boi? Você está quietinha demais. — Ela bateu o punho de leve no topo da cabeça da filha e fez toc, toc. — Tem alguém aí?

— Só estava pensando na Scarlett — disse Poppy.

Aposto que não estava, pensou Rachel.

— Scarlett? O que ela fez? Continua sendo sua melhor amiga nesse trimestre?

— Ela anda meio esquisita. Entraram dois meninos novos na sala e ela acha que é a dona deles. Um ela adora e diz que a gente não pode brincar com ele. Do outro ela não gosta nem um pouco e diz que também não podemos brincar com ele. Diz que ele é bizarro.

— Calma aí. Por acaso nós usamos essa palavra encantadora para falar dos nossos colegas? Acho que não...

— Não fui eu que usei! — O rabo de cavalo de Poppy girou com a força da sua negação. — Foi Scarlett!

— Tudo bem. Quem é esse garoto? Como ele é?

— Ele se chama Milo. E, certo, ele... — Poppy enfiou o rabo de cavalo na boca e mordiscou o cabelo. — Ele não chega a ser bizarro, mas é que... ele é meio estranho, mamãe.

Rachel suspirou. O verdadeiro problema aqui era mesmo Scarlett e o menino bizarro? Era isso o que de fato estava incomodando Poppy? Ou, na verdade, era Chris, e o que aconteceu na noite anterior, e todo tipo de outras coisas sobre as quais era muito mais difícil conversar...

Três da tarde do dia anterior: Chris, do nada, avisa que conseguiu dois ingressos para o jogo de futebol daquela noite e veio arrastar Josh para ir com ele, assim, de repente, com menos de meia hora de antecedência. A noite inteira se tornou caótica, insatisfatória e malconduzida. Josh ficou claramente incomodado por de repente precisar sair de novo com o pai, enquanto Poppy ficou claramente lutando contra a sensação de ter sido excluída. E o silêncio opressor, medonho, ficou presente até o início do café da manhã. Aquele silêncio medonho estava começando a se tornar cada vez mais familiar para Rachel. Ela parecia ouvi-lo em média duas vezes ao dia, ultimamente, e agora ele estava começando a ficar um tanto ensurdecedor. Ela sabia o que era: o silêncio involuntário da frustração inarticulada; o silêncio dos jovens desapontados que não conseguem conversar sobre o motivo do próprio desapontamento. Bravo, Christopher, pensou Rachel com amargura. Um brinde a outro triunfo paterno.

— Bom dia, meninas!

Pfff. Heather apareceu com uma cesta de legumes e frutas enrolada em papel celofane e presa por um laço de fita. Era sempre naquele lugar, quando ela e Poppy viravam a esquina da Beechfield Close, que Heather e Maisie vinham se juntar a elas. Heather ficava sentada atrás das cortinas de casa todas as manhãs, inquieta, observando, esperando o instante de perseguir as Masons em sua caminhada morro acima? Ou era mera coincidência? Rachel preferia não pensar no assunto. E, seja como for, não tinha importância. Ela gostava do modo como todas se juntavam, trocavam de parceiras e depois seguiam caminho em duplas. Parecia uma quadrilha. Ou uma propaganda de mingau. E faria bem a Poppy mudar de assunto.

— Ei, olha só para você, Sporty Spice. E essas calças de ginástica, hein?

Heather corou.

— Ah, é que vou malhar com Bea e a turma de novo. Hoje vamos correr. É quarta-feira. Sempre corremos às quartas-feiras.

Poppy, que estava andando mais à frente com Maisie, naquele momento virou para trás.

— E aí, a gente fala alguma coisa?

— Fala o quê? — Heather estacou, alerta, quase à beira do pânico. — O que aconteceu?

Ai, meu Deus, pensou Rachel. A última coisa que queremos é que Heather fique sabendo dessa coisinha boba; ela vai transformá-la em algo que precisa de uma resolução da ONU.

— Nada. Nada mesmo. Ah, é? Quer dizer então que sempre corremos às quartas-feiras?

— Em geral, sim. Mas Bea nos manda uma mensagem de texto todas as noites, só para confirmar, informando o que iremos fazer na manhã seguinte. Onde vai ser o ponto de encontro, o que devemos vestir e por aí vai...

— Nossa. Que coisa. — Rachel se virou para Poppy: — Pode ir na frente. Depressa. Alcance Maisie.

— E, depois — Heather estava tão satisfeita consigo mesma hoje —, só temos tempo para trocar de roupa rapidinho, ir até a casa de Bea para lavar as coisas para o Mercado de Pulgas e aí já é hora do almoço! Não sobra nem um minuto para entrar na internet!

Um Range Rover passou voando por elas. Pelas janelas escurecidas conseguiram enxergar apenas o vulto embaçado do motorista, que agitava a mão loucamente.

— Quem é?

— Não faço a menor ideia.

Elas chegaram ao estacionamento. Rachel viu de relance a novata promissora, de sapatilhas, dirigindo-se ao seu carro. Droga. Perdi-a de novo. Ao lado da minivan de Bea, quatro ou cinco mulheres com roupa de corrida já estavam se aquecendo. Uma delas segurava o pé direito com a mão esquerda, outra alongava o cotovelo esquerdo sobre o ombro direito. As outras trotavam calmamente sem sair do lugar.

— Já estou indo! — gritou Heather para elas. Ninguém a olhou. — Não vão embora sem mim! — Ninguém respondeu.

— Ei. Querida. — O trajeto até a escola tinha terminado; as meninas aguardavam próximo ao portão. Rachel parou e se agachou, de modo que sua cabeça ficasse à altura da de Poppy. — Não liga para isso. Deixa pra lá. Logo passa. Está bem? Agora. — Ela se levantou de novo. — Já. Para. Dentro. E por favor. Uma vez na vida. Você poderia simplesmente. Tentar. E dar um jeito. De ser boazinha?

Rachel observou Poppy se afastar trotando. Ela era oficialmente a Menina Mais Boazinha do Mundo, sua filha. A campeã da Liga das Garotas Boazinhas, medalha de ouro nas Olimpíadas das Garotas Boazinhas, e sabia disso. Porém, não havia rido ao ouvir a mãe, nem sequer dado um sorriso.

O portão da escola tragou Poppy e cuspiu Georgie para fora, que saiu com um olhar assustado e arrastando uma criancinha atrás de si

— Certo. Isso aqui está estranho. Gente que nunca vi na vida está vindo me dizer "Até mais". Estou ficando de cabelo em pé.

Uma mulher trajando algo que mais parecia ser seu pijama trombou com as duas e se virou.

— Oh! Oi! Até mais.

— Que m...?

— É o seu almoço, Georgie! — Heather riu. — É hoje! Você não pode ter se esquecido de uma coisa dessas, né?

— Ah, posso sim, se posso! E nem venha me culpar por isso. Deus do céu. — Ela revirou a boca para baixo e imitou a voz de um adolescente rabugento de uma sitcom: — A que horas vai ser o meu almoço, então?

— Drinques ao meio-dia e meia, refeição à uma. Todo mundo está superansioso...

— Está, é? E você, onde é que pensa que vai? — Rachel estava saindo de fininho com o máximo de sutileza possível. Georgie agarrou-a pela gola e a puxou de volta. — Nem pensar! Você vai. Se vou precisar suportar isso, você também consegue.

— Ah, Georgie, não vou suportar. Não estou pronta para...

— Vai te fazer bem — interrompeu Georgie, ríspida. — Agora...

Impressionante: estava na cara que ela já havia esquecido o almoço de novo. Era uma das coisas que Rachel adorava em Georgie. Era possível perceber claramente no que ela estava pensando. Dava para olhar naqueles olhos azul-claros e ver o almoço voando pela janela da mente dela, como uma mosca azul saindo de um vidro de geleia recém-aberto. E obviamente havia algo a mais — maior, mais importante — preocupando-as naquele momento.

— Heth — começou a dizer Georgie. — Sem querer ofender, mas... Você tem noção de que está vestida como uma completa idiota, né?

11H. INTERVALO DA MANHÃ.

Parecia, refletiu Georgie, com luto. Lembrou-se daqueles primeiros estranhos e enevoados meses após a morte da mãe. Ela levava a vida com pouca energia, e aí, justamente quando estava fazendo alguma tarefa rotineira simples — colocando o bebê no berço, ou arrancando as batatas do chão enlameado —, a verdade surgia e a atingia bem ali, em cheio, na barriga.

Foi assim naquela manhã. Voltou para casa depois de deixar as crianças na escola, descarregou o bebê atual no cercadinho, pôs a chaleira no fogo, raspou os restos de comida para dentro de tigelas — uma para os porcos, outra para as galinhas — e então veio o impacto: de uma verdade diferente, mas mesmo assim difícil, mesmo assim presente bem ali, a ponto de quase deixá-la sem ar: aquele bando maldito de mulheres viria visitá-la. E ela deveria lhes servir um maldito almoço.

De pé, com o bumbum encostado na pia da cozinha, inspecionou o estrago daquela manhã. Ela tinha perfeita consciência de que seus padrões de higiene doméstica não correspondiam ao que geralmente se considerava a norma e, falando abertamente, ela não estava nem aí. Georgie sabia o quanto se esforçava. Sabia que nunca parava de trabalhar desde o primeiro instante em que abria os olhos de manhã. Sabia muito bem que as coisas importantes, as coisas que contavam, sempre eram feitas. As crianças eram alimentadas, vestidas, os animais viviam seu tempo de vida esperado. Tudo bem, dava para ver uma diferença entre a Fazenda dos Martins e a residência de Martha Stewart, mas Martha Stewart não tinha um monte de filhos nem um marido enorme e bagunçado que trabalhava no ramo da agricultura, tinha? É muito mais fácil ser uma dona de casa exemplar, Martha, quando não mora ninguém dentro dela.

Mesmo assim, ela precisava admitir que hoje a casa estava bem longe de aceitável. Sempre havia — Georgie já havia percebido há algum tempo — alguma coisa. Seu lar era como uma daquelas terras bíblicas que jamais conheciam a paz e a ordem; que estava sempre lutando contra alguma praga ou desastre natural que o Todo-Poderoso enviava para testá-la.

Hoje, Ele havia mandado sapatos. Havia tantos sapatos — e botas, e sapatos de borracha, e tênis, e galochas com lama dura e seca incrustada — espalhados ao redor que nem dava para enxergar a sujeira no piso de pedra.

— Prova de que sempre existe um lado bom nas coisas — disse ela para Hamish.

Hamish apoiou as costas contra as barras do cercadinho e chupou sua torrada.

— É claro que, o que nós precisamos, Hammy querido, é de um sistema.

Hamish gorgolejou.

— Precisamos de um lugar para guardar os sapatos. É isso o que essa tal de Bea faria, sabe: aposto que ela tem um Lugar Especialmente Projetado para Guardar Calçados. E nós também poderíamos ter. O que nos impede? Veja, isso ainda traria uma vantagem adicional... — Hamish estava fascinado. Deixou a torrada parada no ar, a meio caminho da boca. — Porque aí, quando nós saíssemos de casa, saberíamos onde estariam nossos sapatos. E aí ninguém mais precisaria ficar me perguntando onde estão seus sapatos, pois todo mundo saberia que os sapatos estariam no lugar dos sapatos.

Tanto Georgie quanto Hamish adquiriram um olhar distante — os olhos estavam focados em um universo paralelo longínquo, onde havia um lar paralelo longínquo que funcionava em perfeita ordem. Então Georgie tomou um gole de seu café, sacudiu o corpo e voltou a si.

— É claro, isso nunca vai acontecer.

E Hamish voltou para a torrada.

Ela, porém, precisava encontrar uma solução agora, nem que fosse apenas para aquele almoço. E, embora Georgie não soubesse nada sobre estratégias de longo prazo, era a rainha inatacável dos jeitinhos domésticos de curto prazo. Onde poderia enfiar aquilo tudo? Uma solução aguardava embaixo da poeira do rodapé da sua mente, ela só precisava de uma vassoura para varrê-la para fora... E pronto, ali estava. Ahá! O lava-louça! O lava-louça que estivera quebrado há semanas, mas que ela não havia feito nada a respeito. As cestinhas sumiram no quarto de Henry dias atrás, sob ordens dos Comandos em Ação graças aos esforços de guerra. Isso transformava o lava-louça num espaçoso armário. Mais ou menos. Serviria. Por enquanto...

— Venha, meu amor. Temos trabalho a fazer.

Hamish pegou o jeito da coisa rapidinho e começou a engatinhar depressa pelo chão da cozinha, atirando com força coisas para dentro do lava-louça até ficar completamente lotado. Georgie precisou empurrar, com força, para fechar a máquina. E, então, percebeu que o chão estava imundo, mesmo para seus padrões espetacularmente baixos.

Bubba seguiu caminhando de volta para casa, levando em uma das mãos duas canecas tilintando e na outra um ramalhete de lavanda seca, sorrindo feliz consigo mesma. Não tem nada de errado nisso, pensou. Não havia por que se desculpar. Simplesmente amava a vida doméstica. Pronto, era simples assim. Mark tivera um surto de riso na noite passada durante o jantar, quando ela tinha dito que o ponto alto do dia fora a pausa para o café no meio da manhã, mas era verdade. A rotina — o ritual — daquele café era tão reconfortante... Todos os dias, às onze em ponto — era necessário, dissera ela a Mark, comandar o navio com mão firme, senão a coisa *desandava* completamente —, ela preparava três cafés. Deixava dois no Aga para que permanecessem quentes e levava o terceiro para Kazia, na lavanderia. Jurava de coração, dissera a Mark, que algumas das conversas mais gostosas que já tivera desde que eles se mudaram para lá foram naquela lavanderia, com Kazia, enquanto esta passava a roupa. "Você não acreditaria", dissera ela, "em quantas horas já passei ali, conversando sobre as roupas das crianças e o que precisamos comprar na próxima vez que as levarmos ao Waitrose". Mark disse que não acreditaria mesmo. E, Bubba ainda acrescentara, ela simplesmente não se entediava em momento algum...

Enfim, depois era voltar ao Aga, pegar as outras duas xícaras e sair para o jardim. Tomasz estava tendo um desempenho sensacional ali. Os canteiros ficariam gloriosos, e os planos dela de ajeitar um terreninho para a mini-horta já estavam sendo executados. Ele se apoiou no forcado enquanto conversavam — sobre poda, ervas daninhas, blá-blá-blá, era *engraçadíssimo* ouvir aquilo — e então Bubba se virou de leve, sorvendo o ar, e a beleza, daquele seu cantinho da Inglaterra. Era, tinha dito a Mark mais de uma vez, o paraíso.

A conversa daquela manhã foi sobre o lago — ou, para ser mais precisa, o que Tomasz chamava de "o lago", mas que ela preferia chamar de "a lagoa". É bem verdade que o corretor o chamara de lago, quando lhes mostrou a casa pela primeira vez no início do verão. E os donos anteriores... era lago para cá, lago para lá, lago acolá. Mas Bubba conhecia um lago quando via um — tipo, quando passou a lua de mel em Como, ou quando ficou em Windermere com a avó. Ela não era nenhuma geógrafa — nem de longe, era a primeira a admitir —, mas, em seu entendimento, um lago era algo grande. E aquilo, aquele corpo d'água no seu quintal, não era grande coisa. Nem um pouco. Ela e todos os geógrafos juntos poderiam se unir para chamá-lo, em uníssono, de lagoa.

— Sra. Green — dissera Tomasz. — Sobre o lago.

— A lagoa, Tomasz. Não queremos parecer pretensiosos, não é?

— Sra. Green. Sobre a lagoa...

Como aprendia rápido, aquele Tomasz, pensou Bubba. O que não era uma grande surpresa. Ele tinha uns dez Ph.D. ou algo do tipo. Ela já não estava mais escutando o que ele dizia. Algo sobre margens ou bancos de areia ou coisa assim. *Tanto faz!*

— Bem pensado, Tomasz. — Ela havia retirado a caneca da mão enluvada dele. — Obrigada pela sugestão. — Aquela era sempre uma frase útil nas reuniões, quando sua mente se desviava. — Vou falar com Mark hoje à noite. — E voltara para casa. Como regra geral, Bubba estava começando a perceber que, embora fosse impossível se cansar de Kazia, Deus, aquela garota era uma joia!, era possível se cansar de Tomasz; e ela havia se cansado, mais uma vez.

— Certo. — Georgie estava conversando com Hamish sobre o que fazer. — Agora a gente pode, pelo menos, trafegar pelo chão. Estamos adiantados no jogo, amorzinho. — Tornou a encostar o bumbum na pia, apanhou o café novamente e pensou que na verdade estava na hora de começar a imaginar o que as pessoas comeriam naquele maldito almoço... e então notou a mesa da cozinha. A seu jeito, era quase uma obra de arte. Natureza-morta: *Café da manhã familiar*. Somente um verdadeiro artista poderia misturar a história em quadrinhos *Beano*, a revista *Girl Talk* e o livro *The Enchanted Wood* com Biff e Chip — droga. Aquilo tudo devia ter ido para a escola — com gema de ovo, cereal Frosties e suco de maçã; todos esses objetos inanimados unidos a fim de criar um discurso inspirador sobre a Nutrição Infantil. Era uma obra-prima, na verdade...

Mas ela também era capaz de enxergar que, aos olhos dos outros, representava, ao contrário, uma bagunça gritante. E o problema, Georgie sabia, ia mais fundo do que era capaz de analisar a olho nu. Um verdadeiro especialista em História da Arte poderia raspar aquela natureza-morta matinal e encontrar outra ali embaixo, mais antiga: o *Jantar da noite passada*. E, embaixo desta, havia traços de outras obras-primas o *Almoço de domingo* e o *Chá da tarde*, remontando — como Georgie por acaso sabia — a uma superfície de brilho inerente chamada *O Natal de seis anos atrás*.

O negócio era que, quando o chão estava naquele estado, ninguém notava a mesa da cozinha. Agora que o chão estava, bem, pelo menos livre de objetos, a mesa da cozinha meio que saltava aos olhos. Zombeteira. Com os polegares enfiados nos ouvidos. Agitando os dedos. De pé, olhando para ela, com sua língua metafórica para fora.

— Ai, meu amor — disse ela a Hamish, que estava de volta ao cercadinho, enchendo a fralda silenciosa e decididamente —, o que foi que começamos, pelo amor dos céus?

Claro que ela poderia simplesmente atirar tudo aquilo na lata do lixo, mas havia coisas necessárias ali no meio. Ela só conseguiria distingui-las sentando-se ali e separando-as como um patologista, declarando vida ou morte para cada livrinho de colorir e canetinha e tudo mais, porém simplesmente não havia tempo. Ela ainda nem tinha decidido o que iria oferecer para as pessoas comerem. Olhou para o relógio. Ótimo. Ainda não era meio-dia. Não havia necessidade de pânico. Ainda restava um tempinho. Tempo suficiente para mais uma solução criativa...

Bubba limpou os pés no capacho, abriu a porta dos fundos com a panturrilha e deu-lhe um impulso com o pé para tornar a fechá-la. E, de repente, do nada, teve o que chamava de um de seus momentos da lâmpada. *Plim!*, pensou. Depois duvidou de si mesma. Será que as lâmpadas faziam mesmo *plim*? O que ela queria dizer com isso? *Flash!* Ou apenas *tcha-ram*! Enfim, não importa; a questão é que ela teve uma ideia surpreendentemente iluminada. Seu jardim era, de verdade, muito paradisíaco. Ela não queria parecer presunçosa nem nada, mas achava que provavelmente era muito mais paradisíaco que o jardim de qualquer outra família da St. Ambrose — aquilo que o Sr. Orchard, abençoado seja, não parava de chamar de "nossa comunidade". Credo! Enfim... Por que não compartilhá-lo com todos de algum modo pequeno mas especial? Dava para fazer algo magnífico ali, que deixaria todos fascinados e arrecadaria uma enorme quantia de dinheiro para aquelas pobres crianças. Bubba sentira tanta pena de Bea naquela noite, na reunião. Todas aquelas ideiazinhas ridículas de como ganhar uns centavos aqui e outros ali. Nesse ritmo, elas continuarão fazendo isso até o dia em que estiverem com o pé na cova — vendendo bilhetes de rifa nos próprios funerais, organizando uma venda de bolos beneficente nos fundos do crematório...

Os Greens deveriam dar alguma contribuição substancial, e podia ser essa. Um baile de verão. Em prol da St. Ambrose. O Baile de Verão da St. Ambrose. Ela até podia ver: uma tenda perto da lagoa... Não, do lago. Por uma noite apenas, ela deixaria que a lagoa virasse lago. Um Baile de Verão à Beira do Lago. *Sen-sa-cio-nal!*

— Kazia! — Kazia deu um pulo, deixando o ferro de passar cair no chão com um estrondo. Culpa de Bubba: ela não costumava aparecer na lavanderia *duas vezes* numa única manhã.

— Desculpa; você se queimou?, mas escuta: tive uma ideia incrível. — Kazia escutou atentamente enquanto Bubba descrevia seu grande plano. A coisa foi aumentando à medida que ela falava: já tinha virado um jantar formal para duzentas pessoas, com fogos de artifício, baile e uma banda de jazz à beira do lago. Ela estava tão empolgada que foi um choque quando Kazia jogou um balde de água fria do Leste Europeu em cima dela.

— Sra. Green, não sei não...

Meu Deus, qual era o problema dessa gente? Kazia era tão malvada quanto Tomasz. Sinceramente. Apresento-lhes nossos caseiros, o Sr. e a Sra. Strindberg — Melancolia e Rabugice. Isso se Strindberg fosse *mesmo* do Leste Europeu. Coisa que ela precisava verificar...

— Não vai dar trabalho demais? — Kazia estava observando uma bolha que crescia em seu dedo.

— Ah, Kazia — disse Bubba, pousando a mão na tábua de passar num gesto afetuoso. — Você sabe muito bem que não tenho medo de trabalho duro.

A amizade se restabeleceu. Ela trotou para a cozinha e colocou as canecas sujas no secador de pratos, feliz novamente. *Agora sim* havia algo para se enfiar de cabeça. Céus, será que o horário estava mesmo certo? Meio-dia. Para onde iam as manhãs? Ela precisava comparecer àquele almoço tenebroso na Cold Comfort Sei-lá-o-quê o mais rápido possível. Poderia dar a ideia do baile lá mesmo — isso animaria todas, abençoadas sejam. *Meu Deus!* Ela só tinha 25 minutos para dar um trato no visual. Melhor correr.

12H30. INTERVALO DO ALMOÇO

Georgie estava com o corpo dobrado sobre a mesa, reunindo pilhas de coisas e atirando tudo em uma lata na qual se lia COMPOSTAGEM — que pela primeira vez na vida estava vazia, e, surpreendentemente, sem fedor; bem, na verdade, só um cheirinho esquisito de folha de couve-flor e casca de batata — quando Will entrou correndo, vindo do jardim.

— Ooooiiiiiiêêêê!

Ele realmente fazia Georgie rir, esse seu marido. Passava o dia inteiro ali mesmo na fazenda, mas, sempre que entrava na cozinha — o que acontecia umas dez vezes por dia —, era um espartano voltando das Termópilas, um herói retornando da guerra.

— Dois dos mais belos seres da face da Terra estão ao mesmo tempo na minha cozinha. Diga lá se não sou um sortudo, hã? — Ele tirou as botas, atirou-as esparramadas no chão e apanhou Hamish do cercadinho. — Gostosão. Tchutchutchu querido. — E tornou a colocá-lo no cercadinho.

— Desculpa, amor. Estou arrumando um pouco as coisas...

Will observou o cenário de devastação ao redor e gargalhou.

— Indo bem, pelo jeito!

Para Georgie, um dos milagres beatíficos do casamento dos dois era o marido adorar tanto o caos doméstico. Aquilo sempre o fazia cair na risada.

Ele veio por trás de Georgie, deu um tapa ligeiro no bumbum dela e a puxou para seus braços.

— Pra que se incomodar com isso? Vim atrás do almoço, mas agora pensei que a gente podia usar esse tempinho de um jeito mais inteligente... — Ele afagou o pescoço dela com seu nariz, e ela reclinou o corpo contra o dele.

— Hummm... — Mas então veio aquela pontada de tristeza de novo. — Não posso! — disse Georgie, num lamento. — Isso aqui está "O Naufrágio do Deutschland", a fralda de Hamish é lixo infectante e um bando de mulheres malditas vai aparecer daqui a meia hora para um almoço no qual ainda nem comecei a pensar e pelo qual vou ter de cobrar 15 mangos por cabeça...

— Dãã. Só isso? Então com certeza uma rapidinha não está fora de ques...

O que era aquele barulho? Os dois se viraram de uma só vez, assustados. Parecia — seria possível? — um saltinho agudo ou coisa parecida pisando no calçamento de pedra do jardim...

— Minha nossa. Deus do céu. Hã. Oi. Tudo bem com vocês?

O primeiro pensamento de Bubba ao entrar na casa dos Martins foi que na verdade tinha entrado na cena de reconstituição de um crime. Todos os sinais estavam presentes. Ela os reconheceu imediatamente. Afinal, assistia a *um monte* de programas policiais na televisão — tudo, desde *Midsomer Murders* a *CSI*. Era louca por eles; não enjoava nunca. Como disse a Mark outra noite, ela era praticamente uma *policial*, conhecia muito bem todos os procedimentos de investigação.

Então ali estava ela, na porta de uma cozinha que fora obviamente revirada do jeito mais inacreditavelmente *brutal* possível — meu Deus, ela odiaria se sua casa fosse violada daquele jeito; eles nunca haviam sido roubados, *que sorte*, bate na madeira. E lá estava a coitada da Georgie, presa numa chave de braço por um *grandalhão bruto*, literalmente o *Gruffalo*, com a barba por fazer, sobrancelhas espessas parecendo uns emaranhados de lã e pelos *explodindo* pelo nariz, e — ela estava tentando absorver o máximo possível para relatar no boletim de ocorrência depois — mãos imundas, praticamente cobertas de *crostas*. E lá estava o bebezinho, sendo forçado a assistir — oh, meu Deus! — preso em uma *jaula*...

Ela estava prestes a entrar, disparando tiros para todo lado, mas algo a impediu. Algo na atmosfera do local... Era meio... qual seria a palavra? Ela não tinha certeza. Feliz. Alegre. Ou coisa do tipo. Portanto, pigarreou com educação — ainda seria possível, relembrou a si mesma, proceder para o ataque, se isso fosse necessário — para fazer notar sua presença.

— Ah — disse Georgie. — Que bom. Você está adiantada — continuou, mas sem parecer muito animada. — Esta é... — começou a dizer ao marido, mas o resto da frase ficou no ar.

— Pode me chamar de Bubba. — Bubba estendeu a mão em um gesto de paz para aquele homem gigantesco, peludo e assombroso, que gargalhou uma gargalhada monumental.

— É um prazer enorme. — Rugiu de novo. — Sou Will. Suponho que você vai pagar pra almoçar aqui. Vai ser a estreia da nossa família nesse tipo de coisa. Espero que você não seja do tipo que gosta de processar os outros.

Sabe do que mais?, pensou Bubba. Ele é estranhamente atraente, esse Will — de um jeito meio nobre-selvagem. Mas, minha nossa, coitado. Eles precisam mesmo viver assim? Deveríamos tentar arrecadar fundos para *eles*?

Georgie havia se afastado da mesa, de onde parecia estar atirando as coisas mais esquisitas do mundo dentro da lata de compostagem. Canetinhas coloridas? Buba só estava começando a entender toda aquela história de compostagem — ela e Tomasz conversaram sobre isso mais vezes do que ela gostaria de se lembrar —, mas tinha *certeza* de que *não era possível* transformar uma canetinha colorida em composto. Mas, enfim, todo mundo era fazendeiro por ali. Deviam ser superecológicos, *supostamente*. Porém, que estranho: canetinhas coloridas? Com *toxinas*?

— Ah, desculpa — disse Bubba para as costas de Georgie. — Fui a primeira a chegar? Em que posso ajudar? Posso picar alguma coisa!

Deixe que pico alguma coisa! — Ela olhou ao redor. Era engraçado, mas o local parecia, estranhamente, assim meio... *sem comida*. — Não é adorável? — Naquele estágio dos procedimentos, ela e Kazia já tinham colocado tudo em cima da mesa.

— Picar? — Georgie se virou. Estava rosada pelo esforço de colocar para compostar todos aqueles brinquedos e coisa e tal, o cabelo estava em pé; (parecia, na opinião de Bubba, ao vê-la em seu ambiente familiar pela primeira vez, de fato um tanto quanto enlouquecida. — Ainda não chegamos ao estágio de picar nada, mas obrigada mesmo assim. Estamos mais na etapa de... hã... apanhar coisas. Will, você poderia fazer sala para... — a boca de Georgie abriu, como a de um bacalhau, mas nada saiu dela — por mim, enquanto dou um pulinho na estufa?

Havia duas coisas nessa vida que transmitiam a Georgina Martin uma profunda sensação de satisfação existencial. Uma era andar por aí com uma criança — um de seus filhos, é óbvio — enganchada em seu quadril. Outra era plantar e colher as próprias frutas e legumes, em seu próprio terreno, para serem imediatamente preparados por ela e servidos aos seus entes queridos em sua própria cozinha na própria fazenda. Ela não sabia direito por quê. Mas ultimamente não tinha lá muito tempo para pensar nesse tipo de coisa. Supunha ter algo a ver com o fato de isso ancorá-la — na vertical à terra sob seus pés, nas laterais às gerações que a circundavam —, estabelecendo sua posição no cosmos, suas conexões com o passado e com o futuro.

Cantarolando baixinho, atravessou o jardim de volta para casa carregando uma cesta cheia do futuro almoço. Estava completamente entretida fazendo um inventário dos elementos que tinha nas mãos — tomatinhos-cereja perfeitos, manjericão roxo, figos, e mais beterrabas miúdas, tomilho, echalotas e alho —, pensando em como combiná-los a fim de formar um todo coerente. Quem sabe cozinhar, cozinha; quem não tem a menor esperança recorre a um livro de receitas: essa era sua filosofia. Lembrou-se das amoras que seus filhos apanharam e do mascarpone na geladeira. Simples, chique e delicioso. Hamish poderia comer as sobras. Perfeito.

Assim, Georgie estava verdadeiramente sorrindo, conscientemente sorrindo, quando olhou para cima e viu os cascos de um bando de éguas velhas querendo parecer jovenzinhas caminhando na direção dela. Sharon, Jasmine, Heather... bem, para ser sincera, Heather estava mais para velha vestida de velha.... Mas quem era aquela ali ao lado dela? Colette? Colette, em seu jardim, emperequetada como se estivesse indo a um maldito coquetel...

Certo. Agora chega. Ela estava sendo vítima de alguma brincadeirinha de mau gosto hilária armada por Bea, e não iria tolerar aquilo nem mais um segundo. Se achavam que iria receber cada fracassada e maluca que tinha um filho matriculado na St. Ambrose, era melhor esperar sentadas.

— Ei! — estava prestes a lhes dizer. — Sai! Fora daqui agora!

Mas Will, infelizmente, chegou na frente.

— Oi, Heather. — Beijinho, beijinho. — Saia bonita. — Ele estava se divertindo horrores. E: — Acho que não nos conhecemos. Sou Will Martin. — Ele girou o braço com um gesto de receptividade, indicando a porta dos fundos. — E você é muito, muito bem-vinda.

Georgie pensou estar a ponto de bater nele de verdade.

Drinques

A bunda de Jo — que não tinha nada de insignificante, todos concordavam, mas, como pelo visto isso não a incomodava, não parecia certo que outra pessoa acrescentasse aquilo ao seu rol geral de preocupações — assomava do armário embaixo da pia. A bundinha pequenina de Hamish estava ao lado da dela. Os dois procuravam alguma coisa.

— Vamos, Hamish! — Apesar de a voz de Jo sair abafada atrás do sifão da pia, dava para perceber claramente que ela estava irritada com o bebê. — Tem que ter um cinzeiro em algum lugar. Senão, onde é que sua mãe apagaria as bitucas de cigarro dela, hein?

Bubba se recostou na geladeira, imaginando se em algum momento iriam lhe oferecer uma bebida. Heather estava colocando a mesa — alguém precisava fazer isso — enquanto conversava alegremente com Georgie por cima do ombro.

— Quantas somos? — Ela abriu a gaveta da gigantesca mesa de cozinha em busca de guardanapos de papel, mas depois a fechou depressa e engoliu em seco.

— Como eu vou saber? — Georgie estava picando echalotas freneticamente. Abriu a geladeira num movimento brusco (Bubba pulou para fora do caminho bem a tempo), apanhou a manteiga, entornou um monte de azeite de oliva em uma panela de fundo largo e acendeu o fogo. Apanhou um almofariz, pulverizou três dentes de alho (crunch, crunch crunch) — e os atirou na panela. — Por que alguém se daria ao trabalho de me avisar?

Bubba assumiu uma nova posição encostada no lava-louça e deu um sorriso esperançoso e simpático para ninguém em particular.

— Essa que está chegando é Melissa? — Heather voltou a atenção para os copos, tamborilou os dedos contra os lábios. Por onde começar? — Bea achou mesmo que ela viria. — Andou em direção ao lava-louça (Bubba caminhou em direção à cômoda) e o abriu. — Ela está linda. — Fechou a porta depressa, fez uma careta. — Sabem de quem estou falando, né? Aquela alta, de cabelo chanel, morena... Que usa sapatilha.

Jo saiu de baixo do armário, foi até a cômoda e apanhou um pratinho de porcelana fina, e, ao retirá-lo, bateu de raspão na lateral da cabeça de Bubba.

— Desculpa — pediu Bubba, pois lhe pareceu que alguém precisava dizer isso.

Colette e Clover já estavam sentadas coladas uma à outra numa das cabeceiras da mesa imunda; pareciam estar em algum outro evento social particular.

— O pior mesmo — dizia Colette — vai ser no sábado...

— Ai, meu Deus — gemeu Clover. — Que pesadelo. — Balançou a cabeça, de olhos fechados. — Nem sei como podem esperar que a gente...

— ... pois é, de manhã tem o jogo de futebol e todo o corre-corre de apanhar as crianças que dormiram na casa dos amigos, à tarde tem o espetáculo de dança...

Um som esquisito começou a sair das profundezas de Clover. Com as palavras fora de seu alcance agora, ela passou a murmurar uma espécie de ululado funéreo: "Tut, ooooou", assim era, "tut, oooouuuu".

— ... então eu disse a ele: "Rúgbi? Domingo de manhã? Você deve estar brincando..."

Os lamentos de Clover e o itinerário detalhado de Colette subiram até as empenas enegrecidas do teto da cozinha. E ali se encontraram com a tagarelice maníaca de Bubba, que estava fazendo amizade com Heather:

— ... a única coisa que a gente queria era uma vida tranquila, e inteligência mediana, mas ganhamos um garoto *extraordinário*. Martinha é ótima, um amor, graças aos *céus*, mas Milo... Ah, sei lá. A sensação que temos é de uma grande responsabilidade para, sabe, fazer a coisa certa... Bom. Enfim. E você?

— Ah, eu, hã, é, bem. Só uma. Pena. Eu diria que ela tem, hã, inteligência mediana, quem sabe. Em um — aqui Heather tentou dar uma risada simpática — rarará, dia bom...

E então o chiado e o barulho de coisas sendo cortadas e cozidas apressadamente para um grande almoço. E todos esses barulhos se juntavam formando um enorme guarda-chuva de sons, embaixo do qual Georgie e Jo se sentiam à vontade para conversar.

— E aí? As coisas com Steve melhoraram?

Ainda não era de conhecimento geral que Jo estava tendo problemas em casa. Só Georgie sabia. E, conhecendo Jo, ela preferiria que continuasse assim: se alguma outra pessoa ousasse lhe perguntar, provavelmente receberia uma bordoada. Georgie olhou de relance enquanto esticava a mão para apanhar a colher de pau. Jo nunca foi de usar maquiagem nem nada do tipo, nem mesmo na melhor das ocasiões — era uma das muitas coisas admiráveis a seu respeito — mas hoje estava parecendo especialmente um trapo: rosto pálido, olheiras, uma ruga profunda na testa que não estava ali no ano anterior. Algo no âmago de Georgie estremeceu de compaixão repentina.

Ela gostava muito de Jo. Qualquer um que a conhecesse bem gostaria dela; aos simples conhecidos, porém, ela seria capaz de meter medo. Parecia uma garota que Georgie adorava nos tempos de escola, a quem seus pais chamavam de "má amizade" naquele tom de voz reservado para uma dose de vacina contra sarampo.

— Uma droga. — Jo começou a remexer as echalotas na manteiga, dando portanto as costas para o resto da cozinha. — Ele não arrumou o emprego daquela entrevista da semana passada, e não tem mais nada em vista. Sabe? — Ela estava falando diretamente para os azulejos da parede agora. Georgie precisou se aproximar para ouvir. — Voltei do meu turno da noite às seis e meia hoje de manhã e as coisas do jantar ainda estavam sobre a mesa da cozinha desde as seis e meia da noite passada. Uns fios de macarrão meio fossilizados grudados nos pratos. E ele lá, todo estirado no sofá, dormindo na frente da televisão. Nem sequer se levantou pra se deitar na droga da cama.

Georgie deslizou as ervas picadas para a manteiga fervendo. Claro, era isso que as pessoas por ali não conseguiam entender: que Jo não só era perfeitamente inofensiva, como também no fundo era tão vulnerável quanto todas elas. A diferença é que ela não ficava escancarando isso para quem quisesse ouvir, o que também era um alívio.

— Ele precisa de um médico, Jo. Precisa de ajuda especializada.

— Tá. Muito bem. Ele não quer. Hoje de manhã não consegui me controlar. Eu estava tão exausta que simplesmente voei para cima dele.

— E?

— Aquela cena. Um ótimo jeito de acordar, para os meninos...

— Ah, minha querida. Mas eles estão bem.

— Ah ,sim, estão bem. Eu também, na verdade. — Jo se sacudiu. — Só que estou começando a achar que todos nós vamos ficar um pouquinho melhor sem ele por perto...

Ela soltou uma risada seca e se virou para a cozinha:

— Que palhaçada é essa, hein? — Jo inclinou a cabeça na direção da mesa enquanto enfiava um tomate-cereja na boca. — Colette e Clover? Essa é nova, não é não? Uma aliança nada santa, se quer saber o que acho...

— Coitada da Colette. — Georgie olhou de relance para as duas. Agora estava pincelando azeite de oliva em fatias de pão. — Era tudo o que ela precisava. Assim que conseguiu o divórcio provisório, acabou ganhando Clover como melhor amiga. — Ela salpicou um pouco de sal grosso. — Parece aqueles germes que as crianças pegam na escola. Se a pessoa está forte, não se contamina. — Depois moeu pimenta-do-reino preta sobre o pão. — Mas, se está meio derrubada, já era: eles tomam conta. Dominam seu sistema imunológico, acabam com seu corpo...

— Ela me dá calafrios, sério. — Jo estremeceu involuntariamente. — E aposto como está felicíssima. Nunca conseguiu andar com as bacanas antes, conseguiu? Também, com aquela verruga na cara e as pernas iguais às de um minipônei...

— Shhh. — Georgie cutucou a amiga nas costelas. As duas estavam dando risinhos maldosos disfarçados quando viram duas mulheres de pé na sua frente, oferecendo cada uma seus 15 mangos, e pararam na mesma hora.

— Oi — saudou a mais corajosa das recém-chegadas. — Bea sugeriu que nós...

Georgie afastou a franja do cabelo com a parte de trás do braço.

— Ah, é claro. Tenho certeza absoluta de que sugeriu mesmo. — Jo olhou as duas de cima a baixo e assumiu sua posição ao lado de Georgie, perto da tábua de picar. — Entrem, entrem. Ah, sim. Fiquem à vontade. Todas as outras já estavam. — Gesticulou para a cozinha lotada de mulheres, a quem não havia sido oferecido nem um simples copo d'água.

As duas pareceram perplexas. Uma já estava quase enfiando o dinheiro de volta na bolsa quando Rachel meteu a cabeça pela porta.

— Muito bem! — Georgie deu um passo à frente e a cumprimentou com um beijo no rosto, calorosamente. — Eu já estava começando a achar que você ia me dar o cano.

Rachel entrou toda alegre na cozinha.

— Desculpa. Eu tinha uma tonelada de trabalho e precisava esperar pela entrega da nova máquina de lavar. De quem é aquele Range Rover? Está estacionado de um jeito completamente insano. Seja boazinha e sirva um copo enorme de qualquer coisa para a gente, sim? Bem que estou precisando de um fortalecimentozinho.

Entrada

Bruschetta de tomate-cereja, alho fresco e manjericão roxo, acompanhados de figos assados e queijo de cabra inglês

Tempo de preparo: 15 minutos

Cozimento: 10 minutos

— Hummm, icho echtá uma delíchia — elogiou Rachel de boca cheia. — Eu echtava morrendo de fome...

— A gente também! — cantarolou Heather, olhando para Colette de rabo de olho. — A gente fez uma hora de corrida esta manhã. — Clover olhou feio para ela, mas Heather estava contente demais para perceber. — E, depois, mais uma bela sessão de Mercado de Pulgas.

Clover pousou a mão sobre a de Colette.

— Você deve estar arrasada...

Jo lançou um olhar carrancudo para as duas:

— Pelamordedeus...

— Ah — disse uma das recém-chegadas, poupando Heather do olhar crítico das amigas. — O Mercado de Pulgas. — A mulher estava desesperada para interagir de algum modo. — Vai ser no domingo, sem ser este o outro, não é?

Rachel pousou a ciabatta no prato. De repente, perdera o apetite mais uma vez.

— Chris finalmente declarou que será o primeiro fim de semana que vai ficar com as crianças.

— Que ótimo para você, então! — exclamou Heather, empolgadíssima. — É tudo de que você precisava, um mercado de pulgas. Isso vai tirar sua cabeça desses problemas!

— Duvido que isso seja possível. Afinal de contas, vai ser o primeiro domingo que terei só pra mim em, sei lá, 14 anos...

— Mas é tão importante ter um tempinho só para si mesma — comentou Clover, fazendo coro.

— Heather, meu amor — disse Georgie lá do fogão, com uma voz de Mary Poppins. — Se me permite dizer, você está desenvolvendo, digamos assim, uma visão de mundo centrada no mercado de pulgas...

— Bem, só espero que todas vocês participem, só isso — retrucou Heather com a testa franzida. — Vai trazer muita verba para a escola.

Jo soltou um risinho de escárnio.

— E mercados de pulga são sempre tão divertidos.

Jo soltou outro risinho de escárnio, dessa vez mais alto.

— E, além disso — agora era hora de um grande grito de coalizão, citando Bea, como sempre acontecia —, uma ótima oportunidade para se livrar de todas as tranqueiras.

A mesa ficou momentaneamente em silêncio.

— Ah — disse Bubba. — Não estou certa se eu tenho alguma "tranqueira".

— Eu tenho — anunciou Jo num tom melancólico. Agora não estava soltando risinhos de escárnio. — É só o que tenho: tranqueira. — Parecia bastante arrasada.

— Aaaah, bem, na verdade... — interrompeu Bubba. — Lampadinha! Agora lembrei que tenho um *armário* cheiinho de coisas antigas do Alexander McQueen e coisas do tipo...

— Ah, Bubba, sério? Seria sensacional! — Heather falou para todas na mesa, siderada. — Sabem, pode ser um evento e tanto, esse mercado de pulgas. Com um pouquinho de energia positiva e boa vontade, a gente poderia fazer algo inesquecível.

— Falando em arrecadação de verba — interrompeu Bubba, aproveitando a deixa. — Tive uma ideia. O que vocês acham de... um baile de verão?!

— Um o quê? — perguntou Jo.

— Um baile de verão! À beira do nosso lago!

— Peraí, peraí. Calma aí um segundo. Seu *lago*?

— Uma vez tive uma amiga que tinha um lago — entoou Clover. — Era um inferno completo...

— Bem. Lagoa. Mais ou menos. — Ela agitou a mão, num gesto ligeiro. — Temos muita sorte. Enfim. Um jantar. Dançante. Tipo uns cem pilas por cabeça.

— *Cem pilas???*

— Ah, tudo bem — cedeu Bubba, na maior alegria. — Cento e cinquenta, então!

— Mas isso é mais do que um turno da noite! — gaguejou Jo. — Você faz ideia de quantas fraldas geriátricas preciso trocar pra faturar 150 pilas?

Bubba não tinha a menor ideia e não parecia fazer a mínima questão de saber.

— Ah, querida! — exclamou Clover. — Parece que seria um incômodo enorme. Isso não vai acabar sendo uma dessas coisas que dá tanto trabalho que não vale nem a pena?

— Bubba. — Heather estava praticamente desmaiando de êxtase. — Acho que essa é a ideia mais brilhante que já ouvi em toda a minha vida.

— Bea já está sabendo disso? Você já contou a ela que pensou nisso? — perguntou Colette, num tom irritado. — Porque, quero dizer, acho que Bea deveria saber que...

— Bem, certamente parece interessante. — Todas se viraram ao mesmo tempo na direção da porta aberta. Empertigaram-se nos assentos, por reflexo. Todos os rostos, exceto os de Georgie e Jo, iluminaram-se instantaneamente. De repente, o almoço parecia promissor.

— Por favor, me digam. O que exatamente eu deveria saber?

Prato principal

Risoto de ervas frescas com lascas de trufa, acompanhado de minibeterrabas assadas

Preparo: 10 minutos

Cozimento: 25 minutos

Rachel se afastou para abrir espaço ao seu lado no longo banco de madeira de pinho, porém Bea se encarapitou — como se não tivesse a mínima curiosidade sobre o assunto — ao lado de Colette, em vez disso.

— Um baile. Uau. Demais. Que heroico da sua parte, Bubba, devo admitir. Heroico.

Bubba foi modesta:

— Ah, você sabe. Cada um faz o que pode...

Bea inclinou a cabeça.

— É? Mas não, acho que não sei mesmo. Enfim. Uma coisa precisa ficar clara: não poderá ser um baile *de verão*, receio.

— Ah?

— Não. No verão sempre organizo o Quiz. — Ela verificou o celular rapidamente. — O Quiz é o verão...

— Mas...

— ... e o verão é o Quiz. — Ela apanhou um tomate-cereja da bruschetta de Colette.

— Eu pego um prato para você — ofereceu Heather.

— Não, muito obrigada. — Bea apanhou um naco de queijo de cabra do prato de Clover. — Não vou ficar.

Bubba insistiu, em tom desafiador:

— Mas e o clima? Para um quiz não importa o clima, mas para um baile isso é crucial. O bacana é que seja no jardim, um coquetel ao redor do lago...

Rachel e Jo retiraram os pratos da entrada. Bea apanhou uma bruschetta inteira de um deles quando as duas passaram por ela e continuou, como se Bubba não tivesse falado nada.

— Acho que o ideal seria um Baile de Natal. Parece maravilhoso. O inverno inglês adora nos desapontar mesmo; não vamos dar esse gostinho a ele. Um Baile de Natal. Está decidido. Bubba, você é um gênio. — E tornou a verificar o celular.

Georgie pousou pesadamente uma panela gigantesca de fundo largo no meio da mesa com um brusco "Podem se servir".

— Meu prato preferido — disse Colette.

— Coitada de você — cantarolou Clover. — Fazer risoto é um pesadelo.

— É mesmo. — Georgie enfiou uma concha no arroz. Estendeu para a mesa o parmesão e o ralador. — Coitadinha de mim.

— Não é fabuloso? — Bubba abriu os braços para mostrar o cenário: a refeição simples servida diretamente da panela na mesa de fazenda rústica. — Parece uma cena de... sei lá... *O Morro dos Ventos Uivantes*, ou *Judas, o obscuro,* ou algo assim.

— Meu Deus do céu! — murmurou Jo, fazendo sua pose familiar de grosseria entediada. Estava numa luta solitária contra a pretensão.

Heather se esforçava para lembrar.

— Eu já li algum desses livros, Georgie? O que acontece neles?

— Ah. Você sabe: o de sempre. Todo mundo é digno de pena e maluco de pedra e no fim bate as botas — disse Georgie, irritada. Jo soltou um risinho zombeteiro. — Um brinde, *Blubber.* Ei, essa não é minha ideia de diversão também, mas a gente se esforça ao máximo...

— Desculpa. E na verdade é, hum, *Bubba* — Ela soltou uma risadinha nervosa. — Eu me expressei mal. Quero dizer, quando falei do charme *rústico* de tudo isso.

Bea estava usando a colher de sobremesa de Colette para pegar risoto do prato de Clover, enquanto verificava de tempos em tempos o celular, que insistia em permanecer desobedientemente mudo.

Clover falou com a boca cheia de arroz:

— Por que diabos você perguntou a Georgie que livros você já leu na vida, Heather? Todo mundo sabe que você não tem nada na cabeça — ela levantou as sobrancelhas para o restante da mesa —, mas mesmo assim...

— Bem, na verdade... — Heather se empertigou e deu um sorrisinho convencido. — Nós duas estudamos juntas.

— Ã-hã. — Georgie acomodou Hamish no cadeirão ao lado dela. — E ela já era um saco naquela época, assim como é um saco hoje.

Will caminhou de um lado para o outro pela cozinha, só de meias.

— Ora, ora, vejam só. O Grande Almoço de Lazer das Damas. — Bagunçou o cabelo do filho. — Isso aqui é outro mundo pra vocês. Outro mundo.

— É mesmo. Outro mundo. Então dê o fora — disse Georgie, alegremente.

— Certo, assim que eu encontrar minhas galochas. — Ele se inclinou e roubou uma minibeterraba. — Você as viu por aí?

— Mssflsh. — Ela estava com um garfo na boca e enfiando uma colher na boca de Hamish. Inclinou a cabeça. — Dentro do lava-louça...

Mastigando ruidosamente, Will andou de meias até lá, abriu a porta da máquina de lavar louças e remexeu o interior durante algum tempo.

— Tá meio atulhado aqui dentro, amor... Ah, encontrei. Essa minha esposa! Sempre com a razão. — Will tirou a cabeça de dentro do lava-louça e sorriu orgulhoso para a mesa. — Não dá pra culpá-la.

Bubba olhou para Will, para Georgie, para o lava-louça e de novo para Will. Bea deu um sorriso estranho, o mesmo sorriso que um papa daria ao observar um milagre pela primeira vez, digamos, ou que Stephen Hawking daria ao ver um alienígena. Um sorriso que dizia: ahá! Está vendo? Eu *sabia*!

Então Will bateu as botas com força na porta do lava-louça, esperou pacientemente que a lama caísse ao seu redor e, com um alegre "até mais, minhas senhoras!", caminhou em direção à porta.

Sobremesa

Amoras com açúcar aromatizado com lavanda e creme de mascarpone

Preparo: 5 minutos

Cozimento: nenhum

— Podem enfiar a colher, todas vocês. De um jeito charmoso e rústico.

Bea se inclinou sobre a enorme tigela de amoras e apanhou um punhado.

— Não, mas obrigada, Georgina. Melhor eu ir andando. Meu Deus, não podemos ficar assim sem fazer nada o dia inteiro. Vejo vocês na escola mais tarde. — Apanhou o celular silencioso e saiu.

— Fique aí sentada, Georgie — disse Rachel. — Eu coloco a chaleira no fogo. Quem quer chá? Café?

— Valeu, Rach. — Georgie apanhou Hamish do cadeirão. — Melhor colocar esse aqui pra dormir. — Ela sabia, antes mesmo de dizer isso, que Heather daria um salto da cadeira e arrancaria o menino dos seus braços. Dito e feito:

— Ahhh, deixa que eu faço isso. — Heather pulou da cadeira e arrancou o menino dos braços de Georgie. — Ele vai vir no meu colo, não é, meu lindão? — Os dois rumaram para a pesada porta de carvalho que separava a cozinha ensolarada do congelador que era a casa principal. — Somos unha e carne!

Hamish era unha e carne com toda a humanidade, a verdade era essa. Se Myra Hindley entrasse por aquela porta, ele se aconchegaria em seu colo e dividiria a torrada com ela. Mas que mal tinha em deixar Heather achar que era especial; ela precisava desse incentivo.

E Georgie precisava desse descanso. Sentou-se, fechou os olhos e começou a se desligar. Podia ouvir as outras soltando gritinhos por causa das amoras — eram deliciosas mesmo, essas amoras deles —, e se perguntando o que ela havia colocado no mascarpone. Mas era como ouvir gaivotas gritando à distância quando se está encostado na píer de um porto, ou um trator nos campos na época da colheita: um som longínquo, que vinha de algum outro lugar além.

Era isso o que acontecia com ela ultimamente, sempre que parava e as crianças não estavam por perto e Will não estava por ali para fazê-la rir. Aconteceu na noite daquela reunião horrenda. Não é que ela caísse no sono, não exatamente; entrava numa espécie de suspensão, como um computador em stand-by. Era assim que Georgie imaginava o fenômeno: que ela havia ficado no descanso de tela. Seu corpo simplesmente se negava a desperdiçar energia, guardando-a para as coisas que importavam.

— Cigarrinho, querida? — Jo a estava cutucando, mas ela estava longe demais. Ainda não conseguiria voltar.

— Ops! Parece que perdemos nossa anfitriã.

— Olha só para ela, está exausta. Deixem a coitada em paz.

— Meu Deus, que horrível. Olha só o estado disso aqui. — Georgie conhecia aquela voz: era daquela ridícula Blubber, parecendo estar numa missão investigativa em algum país do Terceiro Mundo. — Será que eles não têm como pagar alguém para vir dar uma mãozinha?

— Ah, não, eles são cheios da grana. — Heather tinha acabado de voltar do primeiro andar. Isso quer dizer que Hamish devia ter dormido sem problemas. Que bom. Georgie poderia se afundar mais um pouquinho agora. Mais, mais, mais... — Só que ela não quer. E ninguém entende por quê.

Não mesmo?, pensou Georgie. Talvez seja porque não sou convencida o bastante para contar o porquê. Pode até ser que ela não soubesse *tudo* a respeito da condição feminina, admitia, mas de uma coisa sabia: do que não se deve conversar com outras mulheres. E o primeiro item da lista era não dar nenhum sinal, nem mesmo o mais discreto de todos, de alegria conjugal ou doméstica. Sabia que não devia dizer que seu marido ainda gostava de transar regularmente com ela. Que não devia sugerir que ela também gostava muito de transar regularmente com ele. Que não deveria nem sonhar em comentar com nenhum ser vivo que Kate faria o exame de piano avançado. Nem que Sophie tinha começado a ler Dickens. Nem que Lucy era ótima na ginástica. E nunca, jamais, admitiria a ninguém, nem em um zilhão de anos, que havia montado seu esqueminha exatamente do modo como desejava.

— Ei. Por que a gente não faz uma boa limpeza enquanto ela cochila um pouquinho? Só temos meia hora até buscarmos as crianças. Se não fizermos isso agora, a limpeza vai ficar para o próximo Natal...

Ela chegou a ter uma *au pair* certa vez, uma garota brilhante. Absolutamente brilhante. A casa inteira era um brinco e não havia necessidade de ninguém fazer nada. Então, ninguém fazia nada. As crianças ou ficavam no jardim ou trancadas em seus quartos, enquanto ela, Georgie, bem... tinha o dia inteiro para fazer o que bem quisesse. E parecia que toda a sua família havia sido despedaçada — como se esse enorme organismo pulsante e cheio de vida simplesmente houvesse se pulverizado em celulazinhas simples e sem sentido, que só eram capazes da mais baixa forma de existência, sem jamais se conectar umas às outras.

— Droga. O lava-louça está fora de questão, isso com certeza...

— Tudo bem. Hora de arregaçar as mangas. Venham, meninas. Clover? Pano de prato. Pegue!

Então, ela despediu Seilácomoeraonomedela. E, sim, desde então Georgie, esteve atolada até as orelhas de trabalho. Precisava admitir que havia uma ou duas coisas que ela nunca dava conta de fazer, embora devesse. Porém, as crianças receberam suas tarefas de volta. E todas as noites eles não se reuniam apenas na hora do jantar, mas também antes — enquanto um descascava as batatas e o outro colocava a mesa — e depois — quando Will plugava um iPod e eles dançavam ao lavarem a louça. Aqueles noventa minutos todas as noites eram a pedra fundamental de sua vida familiar. Mas ela não diria nada daquilo a esse bando.

Ouviu Clover se levantando e dizendo:

— Hoje é minha vez de ir buscar as gêmeas na escola e cuidar das duas antes de Dave chegar do trabalho. Melhor eu ir logo.

Depois o som da porta dos fundos se fechando e passos que se afastavam pesadamente pelo jardim. Foi Jo quem quebrou o silêncio.

— Minha nossa, como são as coisas, hein? Primeiro as duas perdem a mãe maravilhosa por causa do câncer, depois precisam jantar com essa vaca velha miserável.

— Jo. Que coisa mais horrível de se dizer.

— Talvez, mas é o que todas vocês estão pensando...

Georgie reuniu energias para abrir uma das pálpebras. Lá estava Bubba na pia de sua cozinha, tendo um momento Petit Trianon, segurando aquele pano de limpeza verde da forma com Maria Antonieta seguraria um leque.

— Há séculos não faço isso! E sabem que na verdade é *divertido*?

Então alguém plugou o iPod, e a música que eles ouviram na noite passada — "Dancing in the Moonlight" — começou do ponto onde havia parado. Imediatamente, Rachel começou a gingar os quadris e dançar com a panela de risoto. Ela era bacana, uma festeira e tanto, aquela Rachel. Jo começou a bater cabeça. Heather... o que Heather estava fazendo? Parecia uma espécie de balé básico... A bundinha bonita de Bubba se revirava enquanto ela lavava a louça. Colette — bem, aí estava uma surpresa — saiu de fininho porta afora.

E Georgie se lembrou de que ainda tinha uns dez minutos. Dez minutinhos para se entregar a uma bela e tranquila soneca...

15H15. SAÍDA

Bea estava de pé no pátio com Colette, recebendo um relato completo dos acontecimentos do dia. As duas tinham um olho pregado no bando de meninas do quinto ano ali perto. No meio via-se a filha mais velha de Bea, Scarlett. Ela iria emprestar seus esquilinhos Sylvanian só por uma noite e estava decidindo para quem. Os candidatos em potencial estavam reunidos ao redor dela, todos desesperados para serem os escolhidos.

— Georgina! Que sucesso. Você realmente deu um pontapé inicial e tanto.

— Como sempre, todo o trabalho duro sobra pra gente como *moi*. Aqui está. — Ela entregou a Bea um punhado de notas. — Tenho certeza absoluta de que compareceram 12 pessoas, mas só havia 150 mangos no frasco ao final. Alguém deu um calote. Talvez fosse melhor chamarmos o departamento policial de investigação de fraudes.

Colette teve a educação de assumir um ar evasivo. Bea pareceu apenas intrigada, e disse a ninguém em particular:

— Bem, só dei uma passadinha. Não comi nada, é claro... — Então o celular tocou. Ela deu um pulinho, abriu-o rapidamente e sumiu.

Poppy Mason se desgarrou do grupo e se aproximou de Georgie.

— Oi, Pops. Como vai? E minha cambada, cadê?

— Josh saiu com papai na noite passada. Só eles dois. Foram ver o jogo de futebol.

— Ah. Sei...

Então as crianças saíram jorrando da escola, e os pais, do estacionamento. E as duas foram inundadas.

— Georgie! Venha já pra cá! Admita, foi ou não foi divertido?

— Não foi nada divertido. Foi um maldito pesadelo, isso sim.

— E você... aham... percebeu alguma coisa... aham... diferente na sua cozinha, quando acordou?

— Sim. Parecia bem melhor. Porque vocês tinham dado o fora de lá. Com a graça do bom Deus.

O fim de semana do Mercado de Pulgas

8H50. ENTRADA, SEXTA-FEIRA

— Você ficou sabendo da última? — Heather e Maisie estavam de pé num canto, já à espera. Não havia mais nenhum fingimento de que trombavam com Rachel e Poppy por acaso toda manhã. Agora, da porta do chalé de Rachel, estavam perfeitamente visíveis; esperando, ganhando tempo. Estreitando os olhos, Rachel conseguiu enxergar Maisie atirando pauzinhos no castanheiro, os maços de papéis nas mãos de Heather e a ponta dos tênis dela batendo de leve no chão, com impaciência.

— Você nunca vai adivinhar! — As meninas assumiram a posição dianteira; as quatro começaram a caminhar juntas. — Bea. Arrumou. Um. Emprego!

No mesmo instante Rachel sentiu uma pontada aguda de dor em algum ponto da região de seu orgulho. Ou, pelo menos, no lugar onde ela costumava esconder seu orgulho, quando o possuía... Durante anos, Bea não apenas lhe contava tudo, como lhe contava em primeira mão, antes de qualquer outra pessoa. E sempre tinha sido uma fonte de diversão — não passava disso — o fato de, após Bea lhe revelar qualquer coisinha, as pessoas enxamearem ao redor de Rachel na esperança de que ela lhes contasse o que era. Às vezes, Rachel quase podia se enxergar no pátio e achar graça do modo como precisava transmitir a novidade a uma multidão faminta, agindo como um verdadeiro segundo imediato da Cadeia Alimentar de Informações: "Espanha, acho, eles acabaram de fazer as reservas"; "Sim, tarde da noite, ontem. Está muito bronzeada!" E agora, qual seria seu posto? Estava recebendo notícias de Bea da boca de Heather, logo de quem... Isso é que era desqualificação: ultimamente ela não era nem mesmo a criatura na base da cadeia alimentar. Agora era somente algum parasita inferior se alimentando dos restos...

Rachel ainda não fazia a menor ideia do que havia feito para merecer isso, mas uma coisa era certa: ela se recusaria a demonstrar grande interesse.

— Hã. Ah.

Além do mais, no mundo dela, os empregos não eram os exóticos objetos de fascínio que eram no de Heather. Ela mesma, por acaso, tinha um, o que basicamente resumia a total banalidade deles. E, embora Rachel jamais tivesse lhe perguntado, suspeitava fortemente que Heather não costumava parar as pessoas na rua para contar que ela, Rachel, tinha um emprego. Uma coisa era certa, porém: *aquele* emprego era diferente.

— A notícia é quente. Vi no Facebook ontem à noite.

— Bea postou isso no Facebook? — Será que alguém por ali (exceto, claro, as crianças) estava planejando crescer um dia?

— Não, Bea não. Ainda estou esperando que Bea me aceite como amiga no Facebook. Estou "Pendente". — Heather deu de ombros. Aquilo não parecia incomodá-la. Para ela, tudo bem ser uma amiga "pendente". Era melhor, obviamente, do que cair de uma altura monumental. — Mas Colette... Sou amiga dela...

— Ei. Parabéns. — Que engraçado, ela parecia estar sempre parabenizando Heather por alguma coisa. Era um triunfo estupendo atrás do outro. Era como ir para a escola com Alexandre, o Grande. — E pensar que nos conhecemos quando você não era ninguém.

— Ah. Você é tão fofa. Fiquei feliz. Enfim, Colette atualizou seu status para "Colette está muito orgulhosa porque xxxx".

— E o que é isso aí na sua mão? — Rachel indicou os papéis que Heather segurava.

— Pôsteres. Bea quer que as pessoas preparem o máximo possível de bolos para a gente vender no Mercado de Pulgas. Disse que, se a gente colocar uma banquinha vendendo bolo e café, isso poderá se transformar em uma outra fonte de renda muito muito boa para a escola.

Agora chega. Rachel de repente foi tomada por uma necessidade profunda de desfrutar da companhia sofisticada das duas garotas de 10 anos que seguiam mais à frente.

— Ei, meninas. — Ela saltitou de leve para alcançá-las. — E aí, o que contam?

— Olha só o meu joguinho de semente de castanheiro! — disse Maisie, orgulhosa.

— Sabe aquela caixa grande que veio embalando a máquina de lavar? — Os olhos de Poppy brilhavam. — Vou fazer uma roupa de Dalek pra mim!

— E sabe o Sr. Orchard? — cantarolou Maisie. — Destiny, do terceiro ano, contou por que ele veio pra cá.

— Ele se apaixonou por uma pop star!

— Mas a pop star estava saindo com um jogador de futebol!

— O *nosso* Sr. Orchard? Ora, ora, quem diria? — disse Rachel.

— Pois é! Mas a pop star amava o Sr. Orchard.

— Quem poderia culpá-la?

— Por isso, o jogador de futebol espancou ele. Pou. — Poppy pressionou o punho fechado contra a própria bochecha. — Ele falou: "Sr. Orchard, nunca mais quero ver você em Chelsea de novo!"

— E então o Sr. Orchard veio parar na St. Ambrose.

— Ah, sim — suspirou Rachel. — O velho triângulo amoroso pop star/jogador de futebol/diretor de escola primária. Minha nossa, será que não existe nada de novo sob o sol?

— Ah, quer dizer que isso é comum, então? — Heather estava ao lado delas agora, genuinamente interessada. — Nunca li nada a respeito nos jornais...

— Isso me lembrou de uma coisa! Adivinhem só, adivinhem só? Vocês nunca vão adivinhar essa! — gabou-se Maisie. — A mãe da Scarlett arrumou um emprego!

Para a maioria da comunidade da St. Ambrose, que entrava e saía apressada do pátio, era uma manhã como outra qualquer. Mas, para uma pequena fração — fração essa que estava agora reunida, agitada, num canto embaixo da grande faia — parecia o início de um novo mundo, muito diferente: Bea estava trajando roupas sociais.

Bea aparecia na escola metida em uma espécie de traje esportivo desde que Scarlett estava no primeiro ano. Mas hoje lá estava ela, transformada; com blazer fino profissional, saia na altura dos joelhos e meias finas da cor de sua pele, ligeiramente elevada — talvez fossem apenas os saltos altos, ou, quem sabe, alguma espécie de pódio, ou provavelmente apenas a superioridade moral —, girando seu molho de chaves e sorrindo para as mortais de roupa esportiva.

— Gerente de assessoria de imprensa com promessa de relações-públicas. Obrigada.

E:

— Isso mesmo. De uma chef da televisão. Você cortou o cabelo! Via satélite no momento, mas esperamos que...

Scarlett estava num canto, balançando a mochila e acrescentando as notas de rodapé.

— Pois é; muita responsabilidade! Mas ela vai dar conta. Ela sempre dá. — Virou-se para Rachel. — *Adorei* suas botas.

— Obrigada, Scarlett. O que sua mãe está fazendo ali? Parece uma noiva prestes a atirar o buquê.

— Ah, ela só está escolhendo quem vai nos pegar na escola no lugar dela esta noite. É tão legal. Mamãe agora vai estar superocupada, mas disse que *todo mundo* vai querer fazer a parte dela por ela.

Aquilo foi a gota d'água para Heather. Ela saiu em disparada, voando até a faia o mais rápido que seus Nikes permitiam, agitando a mão e com isso fazendo pôsteres voarem por todo o pavimento do pátio, gritando:

— Bea? Bea? Posso ajudar em alguma coisa, Bea?

— Bem — disse Rachel às meninas. —- Parece que é melhor eu fazer a minha parte agora e acompanhar vocês duas à escola.

Rachel ouviu o telefone tocando lá dentro, mas não conseguia encontrar as chaves de casa. Em que bolso estariam? Trrrrim. Trrrim. Uma chavezinha Yale achatada assim: onde foi parar? Trrrrrrrrrrrrim. Triiiiiiiiiiim. O problema é que Rachel havia emagrecido e seus jeans estavam quase caindo, todos enrolados em um bolo, por isso ela não conseguia tatear o fundo dos bolsos. Mas não que ela tivesse emagrecido de tristeza. Bem. Talvez não apenas de tristeza. E sim porque, embora mesmo antes ela já fizesse a maioria das tarefas domésticas, depois que Chris foi embora, todo o sistema de refeições diurnas desmoronou. Trrrrim trrrrrrrrrrrim. Em outras áreas, ela não classificaria sua autoestima como "baixa" — Ahá! Aqui está! —, mas os fatos falavam por si mesmos: numa noite com Chris, eles sempre consumiam entrada e prato principal, punham a mesa e havia certa animação culinária, ainda que módica. Agora que ela estava sozinha, a coisa se resumia a uma tigela de Alpen e um Kit-Kat.

Entrou em disparada pela casa, tropeçou numa caixa de papelão e se atirou sobre o telefone. Bem a tempo.

Oh.

— Sim. Oi, mãe.

Não deveria ser assim tão ruim quando a mãe dela ligava. Ela deveria simplesmente enfiar o fone na dobra do pescoço, continuar fazendo suas coisas e falar a-hã de tempos em tempos. Não precisava mais do que isso. Simples. Porém... Embora Rachel soubesse que era uma mulher de 40 anos e aceitasse isso, quando o telefone começava a tocar, bastava o simples som da voz da mãe — as meras palavras "sou eu" — para que ela fosse teletransportada de volta à sua adolescência difícil, desafiadora e recalcitrante.

— Eu e Mary tomamos café juntas ontem. — Rachel subiu as escadas para juntar a última carga empolgante de roupa suja. — O sobrinho dela... sabe, aquele que foi para o Canadá?; as coisas estão indo *de vento em popa* para eles. — Blá-blá-blá, imitou Rachel, fazendo uma careta. Trotou de volta pelos degraus irregulares de seu chalé...

— As escolas de lá são maravilhosas, parece.

... e tropeçou em outra caixa de papelão ao pé da escada.

— E dizem que a filha dele é uma *maravilha* na patinação no gelo...

Grande coisa. Rachel encheu a máquina de lavar.

— Bem, sinto muito se Josh fraturou o pulso na primeira e única vez que patinou no gelo. E sinto muito por ele não ter voltado a tentar; assim você poderia se gabar dele para Mary. Ou para Torvill. Ou para Dean.

— Nossa, Rachel. Você sabe que eu não disse isso para...

Sei. Agora ela estava passando o pano na pia. Sabia que a mãe não tinha dito aquilo para magoá-la. O problema é que Rachel ainda não sabia ao certo *por que* a mãe estava falando aquilo. Aonde exatamente ela queria chegar? As "conversinhas" das duas sempre assumiam uma rota familiar: a mãe a conduzia por becos conversacionais tortuosos e emaranhados que sempre pareciam levar a lugar nenhum, até Rachel ficar completamente perdida, parcialmente cega, manca, e aí — bang! — a verdadeira questão, o subtexto, o assunto sobre o qual sua mãe de fato desejara falar todo o tempo saltava de trás de alguma porta escura e atingia Rachel com força na cara. O único método de autodefesa de Rachel era lutar desde o princípio.

Ela ainda não fazia a menor ideia de aonde o assunto interessantíssimo do sobrinho canadense de Mary a levaria, mas tinha plena certeza de que a mãe não desejava que eles emigrassem do país. A intenção também não parecia ser de que incluíssem a patinação no gelo em suas vidas, portanto...

— Mas coitadinha da menina, ela precisa estar no rinque às cinco da manhã todos os dias para treinar antes da aula. Acho isso monstruoso...

Certo: então tampouco era uma campanha para que seus filhos assumissem mais atividades extracurriculares.

— Como eu disse a Mary, "Ela tem sorte de ter pai e mãe", foi o que falei. "Rachel não daria conta de uma coisa desse tipo. Agora, que ela está *sozinha*..."

Pronto: emboscada. A conversa era sobre o divórcio.

— Josh e Poppy têm pai e mãe, mamãe. Por acaso. Na verdade, acho que você chegou a conhecer o pai. Lembra? Aquele cara? No meu casamento?

— Bem, antes eu o conhecia, sim. Mas isso foi há muito tempo...

— Ele só foi embora... só decidimos nos separar... há um mês. — Ela começou a gaguejar: — Ou dois... — Deus do céu, já fazia quase três meses.

— E certamente não tem estado muito *presente*, como, tenho certeza, ele disse que estaria.

— Ele está sempre presente! — Genial. Como isso aconteceu? Rachel de repente tinha virado a líder de torcida do Fã-Clube de Chris Mason. "Sempre presente"? Era hilário. — Ontem à noite mesmo levou Josh para assistir a uma partida de futebol. — Aquilo havia sido na semana retrasada, na verdade.

— Que ótimo. E Poppy? Humm? Quando foi a última vez que ele viu a filha?

Boa pergunta.

— Ele vai ficar com os dois o fim de semana inteiro! — Ela mal conseguia acreditar no triunfo em sua própria voz. Escutem só! O pai dos seus filhos finalmente iria levá-los para passar o fim de semana com ele pela primeira vez desde o verão, e só por isso, de repente, virara o maldito do Brad Pitt!

— Bem, não vejo como ele vai fazer isso, se ainda não comprou camas para eles...

— Vai comprar durante a semana! — Viva, viva o Chris! Vamos todos idolatrar o Altíssimo, que providencia camas até mesmo para os próprios filhos.

— Ora, vai mesmo, é? Enfim. Deixa para lá. Eu estava pensando se você não poderia dar um pulinho aqui para me ajudar, uma hora dessas...

— Claro. Ei, afinal, sou só uma mãe solteira em dificuldades. — Odiou-se por dizer isso. — Tenho todo o tempo do mundo. O que posso fazer por você?

A mãe a ignorou.

— São minhas abelhas. Preciso abrir as colmeias e não gosto de fazer isso sozinha...

Ali estava outra coisa que Chris largara para ela cuidar sozinha: a eterna busca de autossuficiência da mãe, que sempre parecia sugar as energias de todo mundo ao seu redor. Rachel deu as costas para a pia e desabou contra ela, derrotada. Era um mistério da física, ainda inexplicado, que, quanto mais ela se acostumasse com a ausência do marido, maior ficasse o buraco que ele deixara para trás. Embora seu cérebro tivesse registrado o abandono do parceiro e amante — e como —, até aquele momento ele não havia computado o que estava acontecendo nas áreas periféricas. Como, por exemplo, o fato de que sua mãe perdera um genro no processo. Um genro que, Rachel precisava admitir, tinha a maior boa vontade do mundo para passar na casa dela sempre que convocado por Sua Majestade Imperial.

A mãe também devia sentir falta dele. Rachel ainda não havia pensado nisso.

— Hã. Tá bem. Mas preciso trabalhar todos os dias esta semana.

— Ah, sim, é claro. Seu "trabalho". — A mãe sempre conseguia expressar aquelas aspas vocalmente: ainda sentia dificuldades em equacionar a ideia de desenhar como ganha-pão.

— Isso mesmo. Meu "trabalho". Está bastante "atarefado". Passo aí no fim de semana.

Desligou, e sua cabeça começou imediatamente a desanuviar. Seu lado agressivo e difícil de 14 anos tremeluziu, desapareceu e foi mais uma vez substituído por uma adulta completamente racional. Poppy, a especialista em *Doctor Who*, ficaria fascinada: era uma transmutação digna de um alienígena bastante convincente.

Rachel daria um pulo na casa da mãe no sábado e, jurou, seria um doce de pessoa. Agora, porém, precisava voltar ao trabalho. Sentou-se à mesa, colocou um lápis na boca com uma das mãos e com a outra alisou a página em branco à sua frente, e então o celular tocou. Ai, ai, pensou. Uma mensagem de texto. Seu estômago se contorceu. Uma maldita mensagem de texto. Era arrasador o fato de que toda a comunicação com o homem com quem ela, tecnicamente, continuava casada estivesse reduzida agora a uma sequência de mensagens eletrônicas. Provavelmente, antes da invenção dos celulares, os casais em processo de divórcio precisavam conversar pessoalmente para decidir o que fariam com os filhos. E provavelmente, de vez em quando, aquilo levasse a algo diferente: paz, harmonia. Um jantarzinho. Cama. Talvez fosse por isso que o índice de divórcios fosse mais baixo antigamente.

Por favor, não permita que esta aqui seja de... Abriu a mensagem. E não deu outra: era do cara sensacional, do sempre presente, do misericordioso provedor, do próprio sósia do Brad Pitt. O que seria dessa vez?

"Preciso trabalhar no sáb. Foi mal. Pego as crianças no dom. de manhã. Ok? Abs."

10H. INTERVALO DA MANHÃ

Heather, empurrando o carrinho de supermercado, caminhou pelo corredor em direção à seção de Farinhas e Artigos de Confeitaria. Tinha acabado de sair da academia, precisava passar dali a pouco na casa de Colette e, embora sua pulsação não estivesse exatamente acelerada, com certeza estava acima do normal. Parou na frente da prateleira de embalagens de farinha com fermento. O problema é que era muito difícil saber quantos bolos ela mesma deveria fazer. Colocou 2 quilos no carrinho. Será que alguém reagiria aos seus pôsteres e faria mais? Colocou mais 2. E quantos carros cheios de artigos usados compareceriam? Ou melhor, quantas "águias", como dizia Bea, fazendo o sinal de aspas com as mãos? Seis quilos, isso deveria ser o bastante. Atirou no carrinho a mesma quantidade de açúcar de confeiteiro e açúcar refinado, apanhou três dúzias de ovos e marchou para a seção de Laticínios.

Antes, ela nunca tivera motivo para comprar aqueles galões gigantescos de leite. Eles pertenciam àquelas geladeiras enormes, em cozinhas diferentes da sua, em outro mundo. A pequena família de Heather teria de tomar banho com leite para dar conta de tanta quantidade. Além do mais, Guy nem gostava muito de laticínios; não chegava a ter alergia, apenas um pouco de intolerância a lactose, na verdade. Intestino sensível. E, como só tinham uma filha...

Um carrinho estacionou ao lado do dela. Uma montanha de comida estava empilhada atrás de duas inofensivas crianças pequenas encarapitadas na cadeirinha. Heather olhou aquilo sem entender. Isso em tamanho jumbo, aquilo outro em tamanho família, cem nuggets de peixe? Como seria possível que alguma família conseguisse consumir cem nuggets de peixe? A mulher esticou a mão para apanhar um galão de leite e olhou de relance para o carrinho de Heather. Apanhou um segundo galão, virou-se, revirou os olhos para cima, com ares de cumplicidade — "nosso pesadelo semanal, não é?" — e foi embora.

Heather olhou para baixo, para as próprias compras, para o volume daquilo tudo. Claro. Aquela estranha não tinha encarado seu carrinho como sendo o de uma mãe com uma filha única que, por acaso, estava organizando um mercado de pulgas. Talvez ela nem soubesse do mercado de pulgas. (Por outro lado, isso era um pensamento preocupante. Esse não deveria ser um evento importante na comunidade? Ela não havia divulgado direito? Talvez fosse melhor correr atrás da mulher e simplesmente avisá-la...) Não. A mulher tinha olhado para o carrinho de Heather e simplesmente imaginou outra coisa. Imaginou um grande e agitado lar cheio de bocas famintas abertas, como passarinhos num ninho na primavera. Imaginou um batalhão de esqueletos infantis que precisavam de cálcio para se desenvolver; que Heather era, tal como ela mesma, ocupadíssima. Na verdade, imaginou que Heather levava a vida que sempre quis viver.

Heather começou a andar um pouco mais empertigada. Outra mulher estava tentando controlar uma criancinha irada, e a nova Heather olhou de relance para seu enorme carrinho e sorriu para ela. Todas nós já passamos por isso, dizia seu olhar, muito embora ela, pessoalmente, nunca tivesse passado. Maisie jamais foi de dar chiliques, de modo geral. Sempre foi quietinha, desde pequena. Fácil demais, pensou Heather, e na mesma hora teve aquela triste sensação de vazio. Colocou quatro pães de fôrma no carrinho, mesmo sem saber direito por quê. Precisa-se de pão em um mercado de pulgas? Bem, a simples imensa quantidade daquilo de certo modo já a fez se sentir melhor, preencheu uma espécie de lacuna.

Ala dos Detergentes, agora. Ela não precisava de nada daquilo em casa e não via motivos para levar algo parecido no domingo. Mas, ah!, pensou. Olhe só para isso: os pacotes jumbo de Flash que ela estaria comprando, se tivesse parido a turma enorme que era seu dever. Viu seu outro eu — arrastando atrás de si um esfregão e um balde duas vezes ao dia, queixando-se da lama no chão da cozinha e das chuteiras penduradas no corredor e do milhão e meio de coisas que precisava fazer, mas que ninguém dava valor por ali e dizendo que ela bem podia estar falando sozinha — e sorriu, melancólica. Ei, por que não? O que havia ali para impedi-la?

Heather não se sentia tão travessa fazendo compras desde que tinha roubado um lápis de olho no balcão de maquiagem aos 13 anos. E isso por culpa de Georgie. Após uma rápida olhada ao redor para ver se alguém estava observando, apanhou o reconfortante pacote jumbo — noooossa, como isso pesa! — e o equilibrou sobre o pote tamanho família de margarina Stork no carrinho. Que mal havia? Não tinha certeza se alguém estava olhando, mas, se estivesse, e daí? Mulher, 42 anos, compra limpador de chão: isso mal pode ser considerado o primeiro sinal de loucura, não é? Não iriam interná-la. E, além do mais, talvez ela atraísse aquele olhar de novo. Outra pessoa poderia olhar para ela e imaginar a existência daqueles meninos e daquela lama e que ninguém a valorizava em sua casa. Alguém que não soubesse que a coisa mais melequenta que acontecia em sua cozinha era quando Maisie passava dos limites ao colorir seus livrinhos, o que não acontecia com muita frequência, porque ela tinha muito orgulho de suas habilidades de colorir.

Às vezes, apenas às vezes, em seus momentos mais obscuros — e eles podiam ser bem obscuros, seus momentos; cada vez mais —, ela se perguntava se, bem, se não teria sido melhor não ter tido filho nenhum, em vez de ter um único. Pronto. Lá estava aquele pensamento horrível, e não havia nada que pudesse fazer a respeito. Ele simplesmente não parava de saltar — *pim!* — de livre e espontânea vontade. Uau. Olhe só para aquilo: uma embalagem de Ribena tão grande que precisava até de uma alça embutida. Ela levaria duas dessas. É claro, Maisie era tudo, tudo, tanto para ela quanto para o marido. Guy idolatrava o próprio chão que...

Apanhou uma embalagem de chocolates Cadbury's Party Selection. Depois outra. Quem está na chuva... Ela e Guy sempre concordaram que, quando tivessem filhos, ela, Heather, a mãe, se dedicaria a eles. Ela os acordaria todas as manhãs, esperaria por eles no portão da escola, leria histórias, conheceria seus amiguinhos, cozinharia macarrão para todos, daria beijinhos de boa-noite no topo de suas cabeças. Era isso o que garantia a sanidade e a segurança de uma criança, na opinião dos dois. E então veio Maisie, e Heather largou o emprego, e então... Apesar dos maiores esforços de ambos e dos profissionais de medicina, ninguém mais viera depois. E Maisie havia se tornado uma criança sã e salva, provando que todas as teorias dos pais eram corretas. O problema é que ela era tão desgraçadamente sã e salva que não restava muita coisa para Heather fazer. Poderia arrumar um emprego qualquer, mas, se o fizesse, bem, aí já não ficaria mais em casa com a única filha que conseguira produzir e não conheceria seus amiguinhos e não cozinharia macarrão para ela. E talvez às vezes precisasse trabalhar até tarde, e então não poderia dar beijinhos de boa-noite no topo de sua cabeça. E portanto a criança — ela, Maisie — já não ficaria mais sã e salva. Heather estava, segundo uma das expressões preferidas de Guy, "numa cilada". Pensou com inveja em Bubba e seu Milo. "Um menino *excepcional*", foi como Bubba o descreveu, e, pelo que ela disse, ele parecia mesmo ser bastante original. Bubba com certeza tinha uma vida muito ocupada com os filhos. Que sorte.

À medida que seu ânimo foi arrefecendo, o passo de Heather começou a diminuir. Ela se arrastou em direção ao caixa, mas foi cortada por aquela mulher com a montanha de comida, que estava praticamente ultrapassando o limite de velocidade. "Hora do rush", foi exatamente assim que Bea descreveu aqueles anos outro dia de manhã, tomando café depois da aula de pilates. Disse que, quando os filhos são pequenos, é a "hora do rush" na vida da mulher. Heather começou a descarregar suas megacompras na esteira rolante. Bem, se essa é a hora do rush da minha vida, pensou, então é uma hora do rush bem esquisita. Tipo aquela que acontece depois de alguma atrocidade hedionda, ou da morte de algum membro da Família Real, ou de uma partida de futebol decisiva que a Inglaterra poderia ter ganhado mas não ganhou: silenciosa, sem ninguém na rua e com um clima estranho.

Era a vez dela de pagar e a atendente do caixa se preparou para o grande ataque.

— Uau, com certeza você gosta mesmo de comprar.

— Ah não, não exatamente. — Heather esfregou os dedos contra a abertura de sua bolsa. — Não é tudo pra mim.

Rachel estava caída sobre a mesa de desenho desde que lera a mensagem de texto. Sua folha de papel em branco estava agora tão encharcada que se tornara imprestável. O som de seus soluços espessos, sufocados e catarrentos ricocheteava pela casa e ecoava pelos quartos vazios do chalé. O gato a observava com um ar de superioridade divertida. Na verdade, agora que parou para pensar, lembrou que aquele gato tecnicamente era de Chris — outra coisa que ele desertara. Levantou a cabeça — "Por isso, você não precisa soar tão convencido" — e voltou a afundá-la de novo.

Ela costumava adorar o silêncio diurno de sua casa. Nos dias em que aquele local fora o núcleo barulhento de uma família feliz, dar conta de tudo parecia um luxo para Rachel. Os últimos e preciosos momentos antes de todos voltarem ruidosamente para casa eram sempre seus preferidos, como uma festa pouco antes de os convidados chegarem. E os primeiros momentos da manhã, depois que Chris acabava de xingar o programa de rádio *Thought for the Day* — "Bishop, como você é *imbecil*!" — e saía para apanhar o trem, e Josh já tinha subido e descido as escadas pela última vez e saído apressado para pegar o ônibus aos 45 do segundo tempo, como sempre. Ao voltar para casa após deixar Poppy na escola, ela ficava parada à porta, simplesmente ouvindo o silêncio, assim como um médico auscultaria a batida de um coração. Então, suspirava cheia de deleite e sentia-se livre para dar prosseguimento ao dia.

Já não era mais assim. Ainda acontecia uma festa todas as noites, com certeza, só que era em outro lugar, e Rachel não tinha sido convidada. Talvez ainda houvesse uma batida de coração, mas o paciente agora estava em coma. Todos eram muito silenciosos agora, principalmente à noite. E especialmente Josh. Seu filho, antes simpático, risonho e amoroso, agora estava sempre trancado no quarto, em outro planeta, e se comunicava apenas por uma sequência de grunhidos. Mas seria porque o pai tinha saído de casa ou porque a adolescência havia chegado? Rachel achava difícil saber. E a única outra pessoa que poderia saber escolhera não estar mais presente.

O pior da... não, o pior não. Vamos combinar: todo esse negócio de separação era uma grande coisa horrenda. Um mundo gigante lotado de dor, onde não era possível escolher um único ponto turístico e declarar que era o mais horrendo de todos. Qualquer escolha era verdadeiramente, miseravelmente, eliminada. Mesmo assim, Rachel poderia dizer que o aspecto da separação que mais ocupava seu espaço mental disponível no momento era aquele: o fato de que o amado pai de seus amados filhos tivesse se revelado um traste completo. Como era possível?

Oito da noite, 13 anos e nove meses atrás: a primeira noite que eles saíam juntos desde o nascimento de Josh. Rachel estava — milagrosamente — pronta para sair, sua mãe estava no sofá analisando a programação da TV, pronta para cuidar do bebê, mas e Chris? Onde estava Chris? O que estaria fazendo dessa vez? Ela o encontrou lá em cima, olhando o rosto do filho à suave luzinha acesa, completamente perdido e absorto. Rachel entrara na ponta dos pés — eles eram tão inexperientes naquela época, não sabiam que seria preciso uma bomba de nitroglicerina para acordar um bebê que quisesse dormir — e tocou o braço do marido. "É esse o sentido de tudo, não é?", dissera-lhe ele, com olhos úmidos. "O sentido de existirmos: é por causa dele; era isso o tempo todo."

Certa manhã de domingo, há nove anos e — não sei — seis meses: Chris e Rachel estavam sentados espremidos no sofá. Josh estava lá fora, no balanço. A porta do jardim estava aberta, eles podiam vê-lo, ele estava bem. Os pés de Chris estavam apoiados na mesa de centro, e, deitada em suas coxas compridas e magras, estava a filha recémnascida. Eles pareciam um único organismo; tipo quando você pega um monte de massinha de modelar e amassa tudo junto para fazer uma única maçaroca. Chris envolvia Rachel com o braço esquerdo e, com o indicador da mão direita, afagava o rosto de Poppy ritmadamente, do topo da testa até a ponta do nariz, enquanto eles tentavam decidir: quando desmamá-la? Os profissionais de saúde mudaram as diretrizes a respeito do assunto em algum momento entre o nascimento de Josh e o de Poppy, e Rachel e Chris estavam desesperados, completamente desesperados, com medo de tomar a decisão errada. Reservaram aquele tempinho para discutir o assunto como se deve: dar ou não cenoura cozida? A questão, na época, parecia aterradora.

Eles haviam embarcado na jornada da vida em família juntos. Então, o que aconteceu? Chris enxergou outra pessoa pelo para-brisa, atirou Rachel para fora do carro em movimento, mudou de rumo e seguiu em outra direção, sozinho. Seria mesmo assim tão fácil? Não era uma história incomum, claro. Nem era incomum que o pai ou a mãe que abandonou o barco achasse que no fim das contas não tinha espaço para os filhos no banco de trás. Não era incomum, mas era deprimente. Definitivamente deprimente. Que o homem que ela escolhera pudesse passar da preocupação com o arroz do bebê a um "Preciso trabalhar no sáb. Foi mal" em menos de uma década. Que ele um dia tivesse se preocupado tanto com o desenvolvimento dos órgãos internos daquela barriguinha, só para que no fim acabasse arrancando fora seu coraçãozinho e, com um enorme porrete, simplesmente o esmagasse, semana após semana... Bem. Era deprimente, só isso. Nada mais.

Pare. Chega de chorar. Rachel tinha chorado tanto que já estava até cansada. Mas não via como seria possível trabalhar agora. Novamente. O engraçado não era apenas ter de fazer ilustrações bonitinhas e simpáticas quando se está à beira da fúria assassina. O atual projeto de Rachel era um livro de histórias — *As botas de Carlota* — em que um par de botinhas vermelhas partia em busca de suas próprias aventuras quando os pés de sua dona pequenina cresciam e eram ocupados por outro sapato. No entanto, a única imagem que não parava de vir à cabeça torturada de Rachel, exigindo ir parar no papel, era de uma certa bota social vivendo suas próprias aventuras dentro da boca com barba por fazer de Chris.

Respirou fundo, apertou os olhos para conter as lágrimas, empurrou a cadeira para trás e bateu em outra caixa de papelão. Já chega. Embora o próprio Chris tivesse saído de casa no fim do verão, aquelas malditas caixinhas com suas adoradas posses continuavam ali, estrategicamente dispostas pelo chalé como fichas numa mesa de roleta: ele não havia partido completamente, ainda estava segurando suas apostas no jogo. Bem, então ela teria de decidir as coisas por ele, nesse caso. Uma coisa que Rachel poderia fazer agora era separar as próprias "tranqueiras" — meu Deus, essa Heather — para vender no mercado de pulgas no domingo, e amontoar todas as coisas de Chris para que ele as levasse embora na mesma ocasião.

Fez uma pilha com as caixas que ele mesmo já havia preenchido, depois apanhou algumas outras. Além das roupas de Chris, de seus "pertences", como se dizia quando alguém morria — coisa que mais ou menos tinha acontecido com ele ou bem que podia acontecer —, ele também poderia levar seus livros. Não que ele continuasse afeito a leituras, nada além do iPad e do BlackBerry, mas Rachel ainda lia e precisava de um espaço extra nas estantes.

Quando eles começaram a sair juntos, ela não conseguia acreditar na quantidade de coisas que aquele homem já tinha lido na vida. Como era culto, como era inteligente, como entendia não apenas de ficção, mas também de praticamente qualquer assunto na face da Terra. Rachel havia parado de ler depois que fora obrigada a deixar Enid Blyton de lado — o resto do mundo da literatura, francamente, não lhe pareceu à altura. Depois, não fez mais nada além de desenhar, pintar e modelar, e apenas vagar por algum lugar dentro da própria cabeça. Assim, passara os primeiros dois anos do namoro meio que apenas sentada aos pés de Chris, bebendo tudo aquilo. Então se levantou, promoveu-se a um cargo próprio e desde então sempre esteve com o nariz enfiado em algum livro. E, pouco tempo depois disso, percebeu que Chris havia parado de ler.

Ela pegou todos os livros que ele um dia leu e amou. Os livros sobre os quais ele — eles dois — costumavam conversar, com tanta paixão, tempos atrás. *A história secreta, Persuasão,* os livros de Anne Tyler e os preferidos de todos os tempos para ambos: as obras de Graham Greene. Era estranhamente consolador pensar nele levando tudo aquilo para uma nova vida, como um rio poluído que carrega destroços de sua fonte pura e limpa. Resíduos de um homem melhor, que antes ele costumava ser.

E, agora, Rachel tinha o sábado livre para ficar com Poppy. Elas poderiam fazer aquela roupa de Dalek juntas. Do que precisariam? Caixas de ovos. Tinta prateada. Utensílios de cozinha. Aquilo seria uma distração dos problemas, para todo mundo. E, na segunda-feira, o chalé já estaria limpo. Organizado. E Rachel poderia começar a viver o resto da própria vida.

12H30. INTERVALO DO ALMOÇO

Heather estava de pé diante da pia da cozinha de Colette, com as mãos dentro da água cheia de sabão, olhando para o jardim quadrado vazio.

— Então é ali que você trabalha, naquele chalezinho de madeira? — Parecia-se um pouco com a casinha de madeira de Maisie. Pensando bem, será que não era exatamente a casinha de madeira de Maisie?

— Aquela é a Suíte Santuário da Terapia de Beleza do Serenity Spa, isso mesmo. — Colette estava agachada na frente da secadora, enfiando ali a última leva de roupa.

Foi ideia de Bea, na última reunião especial sobre o mercado de pulgas, que elas montassem um quiosque para vender roupas velhas — a diferença é que ela preferia chamá-las de "artigos seminovos". Foi ideia de Bea também que elas lavassem todas as roupas ve... desculpe, seminovas, antes do evento, porque era sempre mais fácil vendê-las assim. E foi ideia de Bea que todas fossem até a casa dela lavá-las. Todo mundo havia esperado ansiosamente por isso, mas, que pena!, justamente no grande dia iriam instalar um carpete novo na casa de Bea ou algo do gênero. Não era sempre assim? Portanto, Heather e Colette lhe disseram para não se preocupar, que elas cuidariam de tudo. Mas, sinceramente, Heather não estava gostando tanto daquilo quanto achou que iria.

— Essa mancha não sai de jeito nenhum, mas acho que não precisamos nos incomodar em lavar de novo, né? — Heather não parava de esfregar a mancha teimosa de um macacãozinho puído. Esperava que fosse de ketchup, embora a expressão "matéria orgânica" não parasse de lhe vir à cabeça, sem ser convidada.

— Bom, Bea disse que, quanto mais limpas as roupas, mais alto o preço...

— É... mas... — Elas estavam trabalhando há séculos como escravas, e, embora o entusiasmo e a energia de Heather houvessem diminuído perceptivelmente, a montanha cheia de roupas velhas para doação não havia. Escondeu a peça nojenta no meio de um punhado de outras peças molhadas e levou tudo para a secadora.

— Espere um pouco! Não podemos colocar roupas de lã na secadora! Bea avisou para não deixarmos nada encolher... — Colette encheu o cesto e rumou para o varal, enquanto Heather a seguia a passos lentos. Com as mãos em concha, espiou pela janela da Suíte Santuário da Terapia de Beleza do Serenity Spa. Ela sempre tinha sido uma garota adepta do Veet. Veet ou então do depilador elétrico mesmo. Minha nossa, olhe só toda aquela tralha lá dentro. Que diabos elas fazem ali, hein?

— Quer dizer então que você tem muitas clientes da escola?

— Sim, são o grosso da minha base de clientes. Conheço os segredinhos de todo mundo. — Colette falava com a boca cheia de pregadores de roupa. — Todas as brasileiras da St. Ambrose... — Brasileiras? Heather não conhecia nenhuma brasileira. Em geral elas não eram católicas? — ... tiveram o couro arrrrrrancado em cima daquela mesa.

Brasileiras! Heather já tinha lido a respeito da depilação total das brasileiras, é claro, mas até aquele momento não sabia se acreditava de verdade. Considerava a prática uma das coisas de que obviamente a raça humana era capaz, mas que ninguém em sã consciência desejaria fazer. Tipo guerra nuclear, digamos, ou escravidão infantil... Percebeu que em algum momento havia cruzado as pernas involuntariamente. Descruzou-as, mas manteve as coxas bem unidas ao caminhar, incomodada, de volta para o refúgio que era aquela cozinha.

A montanha de sacos plásticos continuava ali, impávida.

— Colette, a gente não pode fazer uma pausa? Quero dizer, sei que ainda temos um monte de coisa para fazer, mas...

— Tudo bem então. Sente aí. — Ela colocou a chaleira no fogo e apanhou a lata de biscoitos. — Para falar a verdade, estou começando a duvidar se vamos conseguir dar conta de tudo.

— Ou até mesmo — disse Heather sem pensar — se precisamos dar conta de tudo.

Colette congelou.

— Mas Bea disse que...

— Sim, claro. — Ela apanhou uma Hobnob. — Que boba que eu sou... — E a mergulhou no chá. — E aí, alguma fofoca?

— Só sobre mim... — Colette ergueu o ombro esquerdo e espiou por cima dele, adotando a voz de Dolly Parton. — Tenho plena certeza de que encontrei um ótimo homem.

— Ah, uau, Colette! Bem que achei você especialmente linda. Um certo brilho e coisa e tal. É alguém que a gente conhece?

— Bom, prometa que não vai contar a ninguém...

As duas estavam inclinadas sobre a mesa, com as cabeças juntas. Heather achou que poderia explodir de alegria, de tão bacana que era.

— Prometo...

— ... é O TOM!

Hã...

Tom.

Quem é Tom? Ela conhecia algum Tom? Deveria conhecer algum Tom? Pela empolgação de Colette, dava para perceber que ela deveria saber quem era Tom. Tom. Tom... Não adiantava.

— Hum... Tom?

— Orchard! Tom Orchard!

Ela ouviu o mais longínquo repique de um sino...

— O DIRETOR!

— Ah! O *Sr.* Orchard! — Tom? Colette o estava chamando de Tom? — Ei. Você é rápida, hein. — Isso não era certo, era? Diretor de escola com mãe solteira? Ela não classificaria o diretor como alguém desse tipo. Bea talvez tivesse uma ou duas considerações a fazer a respeito do assunto...

— Ah, ainda não aconteceu nada. — Colette torceu o topo do pacote de Hobnobs e o colocou de volta dentro da lata. — Mas... sabe quando você simplesmente sabe?

Heather não tinha muita certeza se sabia quando você simplesmente sabe. Nem muita experiência no quesito simplesmente saber. Seu romance, se é que era essa a palavra, com Guy tinha andado ao que se poderia chamar de passo cuidadoso. Os dois se conheceram numa boate no último ano do ensino médio e se casaram no ano em que ambos completaram 30 anos. Georgie fizera o discurso da madrinha. Disse algo sobre como foi empolgante ver o relacionamento dos dois desabrochar, que havia sido como observar o acasalamento dos pandas. Então fez sua imitação de David Attenborough em cima de um bambu, da qual ela tanto se orgulhava, e todos gargalharam. Foi meio irritante, agora que Heather se lembrava disso...

— Ele antes saía com uma pop star, ouvi dizer. — Heather estava ansiosa para compartilhar tudo o que sabia sobre o Sr... hã, sobre Tom.

— É mesmo? — Colette ficou encantada com isso. — Não me surpreende.

— Mas a pop star namorava um jogador de futebol... — Enquanto falava, Heather começou a ficar cada vez menos certa da veracidade daquela informação.

— Bem, ele é mesmo muito atraente. — Colette estava observando suas cutículas.

— Você já contou para Bea? — Heather desejava saber por vários motivos. Teria Colette se confidenciado com ela em primeira mão? Antes de Bea? Aquela era uma ideia deliciosa, e Heather a apreciou. Porém, ao mesmo tempo, precisava saber se Bea apoiaria uma delas começando um relacionamento com o diretor da escola.

— Bea. — Pela primeira vez, Heather ouviu algo diferente de adoração no tom de Colette. — Não, ainda não. Não contei. Está muito no começo. Quero dizer, ainda não falei com ele, mas temos agendada uma reunião na semana que vem. Para discutir meus "receios em relação ao progresso escolar de John". Apesar de na verdade eu não ter nenhum! — Ela soltou uma risadinha, e depois seu rosto tornou a ficar sombrio. — Se quer saber minha opinião, não teria feito nenhum mal a Bea se ela mesma tivesse pensado nessa combinação amorosa tão óbvia. Mas ela não pensou.

Colette se levantou, apanhou as canecas, virou-se e encarou a montanha de roupas como se a estivesse vendo pela primeira vez.

— E digo mais: você tem razão. Não precisamos mais continuar lavando essas roupas horríveis, fedorentas e nojentas. — Chutou o saco plástico mais próximo.

Heather ficou chocada.

— Mas Bea disse que assim vamos faturar mais!

— Ah, está certo então. Mais quanto? Dez pilas? Vinte? E daí, droga?

— Mas ela...

— Heather! Ela nem sequer está aqui. Ela nunca vai ficar sabendo!

— Oooh — disse Heather. E depois: — Nossa! — E depois: — Mas... — E depois: — Ela arrumou um emprego...

— Nada de "mas". — Aquela era uma nova e autoritária Colette, que Heather ainda não tinha visto. — E digo mais. Vai passar *Lewis* no ITV3 daqui a pouco. Sente-se numa poltrona que vou dar a você uma sessão de manicure e pedicure de graça enquanto a gente assiste.

O dia do mercado de pulgas

7H30

Heather andava de um lado para o outro no campo de esporte, sentindo-se muito enjoada. Durante dois dias havia comido apenas massa de bolo crua com uma espátula, e não estava certa se isso lhe fizera bem. Estava inchada, subnutrida e com o sono atrasado, de tão nervosa com o dia de hoje. Havia se revirado na cama sem parar na noite passada, enquanto as palavras "grande fonte de renda para a escola" não paravam de martelar em seu cérebro, como um gongo.

Sua jaqueta dizia em grandes letras negras sobre a frente e as costas amarelo fosforescente que ela era uma ORGANIZADORA, de modo que pudesse ser instantaneamente localizada caso surgisse alguma confusão. E confusões poderiam surgir em mercados de pulga. Heather tinha feito suas pesquisas. Sabia que os verdadeiros profissionais, os que chegavam cedo com cotovelos afiados e toneladas de dinheiro, podiam ser bem difíceis. Se dois deles quisessem o mesmo artigo, a coisa podia ficar feia. Era tudo tão preocupante...

Aquelas pobres mães e pais normais, que só estavam vindo vender suas coisinhas, provavelmente não faziam a menor ideia do que podia estar à espera. Heather sabia — pela internet — que, assim que a pessoa pisava ali, os tais profissionais, as tais "águias", começavam a rodeá-la como macacos num desses simba safáris. Penduravam-se no teto do carro, abriam as janelas com dedos compridos e sujos e roubavam todas as coisas boas antes mesmo de você conseguir dar a partida no motor.

Guy sugerira que eles fizessem uma lista de coisas a fazer e não fazer — parecida com a que o representante da agência de viagens Thomas Cook havia feito para eles quando viajaram para o souk na Tunísia no ano anterior, estilo "melhor prevenir do que remediar". Ele e Maisie agora estavam na entrada do evento distribuindo folhas impressas com essas listas. E Guy tinha comprado um apito para Heather, embora ela duvidasse que, se uma "águia" carrancuda ficasse realmente irada, um apito pudesse acalmá-la. A polícia local tinha alguma arma de eletrochoque? Ela deveria ter verificado.

7H45

— Hilário, não? — chilreou Bubba, para ninguém em particular. Seu Range Rover estava parado em um ângulo reto em relação aos demais carros da fila. Ela arrumava com todo o cuidado roupas envolvidas em plástico da lavanderia em um cabideiro portátil, divididas em categorias: £20, £40, £60, £80 e assim por diante, aumentando progressivamente o valor. Estava encantada por poder se livrar de tudo aquilo, a verdade era essa. E imaginava o que poderia fazer com o dinheiro que ganhasse naquele dia. Podia ser algo e tanto...

Georgie estava três carros para baixo, sentada no banco da frente do seu Land Rover, com os pés sobre o painel, uma bela xícara de café nas mãos e papéis espalhados pelos joelhos. Não se incomodara em verificar, mas parecia que os meninos estavam aprontando alguma espécie de bagunça lá atrás, com seus brinquedos usados. Que ótima maneira de passar uma manhã de domingo, hein? Uma mudança tão boa quanto um descanso. Na verdade, pensou ela, pousando o café no painel e se enrodilhando no assento, poderia ser a oportunidade perfeita para um descanso de verdade, um descanso como se deve. Tudo parecia ir de vento em popa. Assim, Georgie poderia apenas fechar os...

8H

Heather, segurando o apito e o walkie-talkie com tanta força que os nós dos seus dedos estavam brancos, os olhos saltando das órbitas, inspecionou a cena. O campo de esportes estava ficando bem cheio.

Bea tinha razão quanto ao quiosque de bolos: foi um ótimo diferencial. Elevou o nível do evento. E, quando ela viu a enorme variedade de bolos que Heather fez, ofereceu-se para cuidar do quiosque pessoalmente! Antes ela estava ao lado de Colette para vender as roupas ve.. — desculpe, os artigos seminovos doados —, mas aí exclamou: "Não! *Eu mesma* vendo esses bolos maravilhosos!" Ela era gentil, essa Bea. Realmente um amor. Lá estava ela, do outro lado da cerca, usando um avental no qual estava estampado A CHEFE, pronta para arregaçar as mangas. Também usava — e Heather ficou um pouquinho surpresa com isso — um daqueles *headsets* com um negocinho enfiado no ouvido e um fone para falar. Se ela estava usando um desses, Heather então com certeza também deveria estar usando um, não é? Afinal de contas, com quem mais Bea estaria planejando conversar, se não com a própria organizadora do evento...? Que estranho. Heather lhe deu um tchauzinho de longe. Mas, se estivesse com um *headset* também, poderia ter dito alguma coisa, como "Oi!", ou algo do gênero.

Embora ainda não fosse desistir dele, Heather estava começando a se perguntar se o apito seria de fato necessário.

8H10

Um Volvo estate veio sacolejando pelo gramado na direção de Heather e parou. Rachel saiu, deixando a porta escancarada atrás de si

Dava para ver claramente a lista de coisas a fazer e não fazer sobre o painel do carro. "1", dizia: "NÃO DEIXE a porta de seu carro aberta."

— Bom dia. Que sucesso. Muito bem.

Rachel deu a volta pelo automóvel até o banco do passageiro e abriu a porta dianteira para Poppy e a traseira para um Dalek.

— Eu não vestiria essa roupa agora, meu amor. Por que não espera o papai chegar primeiro e aí...

Mas Poppy já estava enfiando a caixa de papelão gigantesca pela cabeça antes mesmo de Rachel terminar o aviso de cautela.

— Olha, Heather! Olha o que eu fiz! Papai vem me apanhar lá na entrada e disse que seria muito divertido se as pessoas vissem ele chegar todo normal e depois sair com um Dalek a bordo! Todo mundo vai pensar, nossa, uau, que esquisito...! — Ela espiou pelos buracos dos olhos e balançou o desentupidor de pia preso na frente da fantasia em sinal de despedida. — Até mais — disse ela em um monotom dalekiano, depois saiu andando com dificuldade pelo campo.

As duas mulheres observaram a menina se afastar.

— Se ele se atrasar, nem que seja a merda de um minuto — declarou Rachel —, juro que mato aquela merda de homem bem aqui, na frente dessa merda de café e dessa merda de chá e dessas merdas de bolos chiques.

Heather tateou em busca do apito. E, então, começaram a ouvir vozes ao redor do quiosque de bolos. Parecia que estava acontecendo alguma confusão por ali. Ela saiu correndo.

8H15

— Como vão as coisas? — perguntou Heather nervosamente ao passar por Colette, que estava encarregada da mesa dos Artigos Seminovos de Doação. Parecia bastante arrumada para uma manhã de domingo, mas nem um pouco animada.

— Ah, ótimas. Não podiam estar melhores. Preciso ficar aqui, atrás de uma montanha de roupa velha fedorenta. Nunca estive tão feliz em toda a minha droga de vida.

— Ah, minha querida... Que pena. Mas Bea achou que precisava cuidar do quiosque dos bolos.

— Humpf. E por que ela não achou que *eu* precisava cuidar do quiosque dos bolos? Hein?

— Bem, isso não tem muita importância, tem? Desde que todo mundo faça a sua parte?

— Bom, na verdade... tem e muita. — Colette estava tão fula da vida que era realmente um pouco assustador. — Tem gente que não veio pra cá só para fazer a sua parte. Tem gente que veio pra cá porque hoje era uma ótima... — ela fez uma careta e bateu os cílios de leve; seriam falsos? — "oportunidade", sabe?

— Desculpa, acho que não estou entendendo aonde você quer chegar... — Heather precisava chegar logo ao quiosque de bolos...

— Você sabe? Oportunidade de conhecê-lo um pouco melhor. — Ela baixou a voz para um sussurro. — Tom. Tom Orchard. Que está um gostoso hoje, aliás, com essas roupas informais.

— Bem... — Heather começou a se afastar.

— Quero dizer, ele com certeza vai comprar uma fatia de bolo, não é? Afinal de contas, ele é homem. Tudo bem, sou a primeira a admitir, não tenho o melhor dos históricos — Colette levantou as mãos com unhas feitas. — Mas fatos são fatos, e um deles é que é muito mais provável chamar a atenção de um cara atrás de um belo pão-de-ló recheado do que atrás de um monte de roupa velha.

Naquele momento, Heather sentiu que poderia intervir de modo útil.

— Hã... Seminova?

Colette parou para atender um cliente.

— Isso? Trinta e cinco *pence*, tudo.

Depois vociferou, enquanto fazia as moedas tilintarem no caixa:

— Então, muito obrigada, pessoal — soltou ao jogar as moedas na soma já arrecadada. — Uma porcaria de um muito obrigada.

Rachel deu a volta no carro para abrir o porta-malas. Precisava fazer uma pequena seleção de coisas antes de começar a puxar tudo para fora — as caixas de Chris que ela tinha levado para lhe devolve também estavam ali. E queria ficar de olho em Poppy antes de ele chegar. Chris ainda não estava exatamente atrasado, mas logo, logo estaria...

Um Chrysler preto que Rachel não reconheceu veio ronronando pela pista e deslizou graciosamente para a vaga ao lado da dela. A porta se abriu. Aaaah, pensou Rachel. Que empolgante. A novata promissora do primeiro dia de aula. Primeiro saíram suas pernas — compridas, magras, bem-acomodadas num jeans e culminando em outro par bastante bonito de sapatilhas. Depois veio o topo de sua cabeça morena brilhante, com o chanel bem-feito e oscilante. Com um gesto delicado, ela prendeu uma mecha atrás da orelha enquanto levantava o rosto para dar um sorriso simpático e bastante franco para Rachel. Rachel estava prestes a retribuir, adoraria ter retribuído — não pousava os olhos em ninguém assim tão promissor há séculos —, quando, naquele exato momento, viu-se sob um súbito e maligno ataque, totalmente imprevisto.

Heather a advertira, mas Rachel não lhe dera ouvidos. Ela era legal, Heather, um doce e tudo o mais, mas como falava besteira! Então, que esquisito, pensou Rachel, que justamente nessa ocasião ela estivesse certa: Rachel de fato estava sendo atacada por uma multidão de entusiastas de mercados de pulgas truculentos e barrigudos que a abordavam dizendo "Quanto é isso, minha querida?"; alguns estavam até mesmo entrando em seu porta-malas e engatinhavam pelo banco da frente; seu carro balançava de um lado para o outro com a força daquela invasão.

E era horrível, absolutamente horrível — tão horrível que agora ela nem conseguia respirar, seu peito doía, ela engolia com grande dificuldade —, que Poppy ainda estivesse bem ali, embaixo da garoa que começava a molhar todo mundo, ainda sozinha, ainda segurando seu desentupidor de pia cor-de-rosa. Esperando, esperando, esperando...

8H25

— Bolo? É só isso que você tem aqui? A gente tá de pé desde que o galo cantou! Cadê os sandubas de bacon?

A situação no quiosque de bolos estava começando a ficar feia. Havia várias águias ao redor da mesa agora. As mãos de Bea estavam escondidas no amplo bolso de seu avental, no qual se lia A CHEFE. Havia retirado o *headset*. A mandíbula estava contraída.

— São todos caseiros...

— Beleza; mas vocês não têm nada com mais sustância, não?

— Que tal esse pão-de-ló? — Bea inclinou o prato na direção das águias. — Eu mesma fiz. É light. — Ela parecia bastante tensa enquanto analisava os rostos ao seu redor. Então avistou Heather. — Ah. Que bom. Aí está você. Esta — gritou Bea com um sorriso simpático e generoso — é a Organizadora! — Desamarrou o avental no qual estava estampado A CHEFE e o retirou por cima da cabeça. — Essas pessoas simpaticíssimas estão de pé desde que, hã, o galo cantou. Dizem que prefeririam um sanduíche de bacon em vez de uma fatia de bolo. Ou pelo menos alguma coisa com mais sustância. — Envolveu o ombro de Heather com o avental. — Acabei de ver que minha mãe acabou de chegar. Preciso ir dar uma mãozinha a ela.

Ninguém se aproximava de Bubba, Rachel percebeu. Ela estava sentada no porta-malas de seu carro, balançando as longas pernas como se estivesse em um iate. O céu estava cinza chumbo, mas, mesmo assim, ela tinha óculos de sol no alto da cabeça. Seus olhos estavam esfumados, os lábios cintilavam.

— Armani! — Rachel podia ouvi-la anunciar educadamente. — Lacroix!

E a novata simpática, bem, atraía uma bela classe de clientes, que pareciam estar começando a fazer uma fila ordeira. Então, por que somente o porta-malas de Rachel estava enterrado embaixo daquela massa fervilhante de voracidade? Deviam ser aqueles descartes de sua vida passada, pensou, que estavam atraindo as pessoas. Agora elas começavam a rastejar por cima e através de seu carro como

91

larvas sobre um cadáver em decomposição: o cadáver em decomposição de seu casamento em decomposição. Ela podia ter vendido três vezes todas as tralhas de Chris: pelo visto, o mercado para presentes de casamento de merda ganhados pelo noivo há 15 anos estava bastante aquecido.

— Desculpa, mas isso aí não está à venda! — gritou ela pela décima vez, enquanto mantinha um olho treinado na entrada do evento.

É preciso ser mãe, pensou, para ser capaz de olhar uma caixa com uma criança dentro a 50 metros de distância e simplesmente ter certeza de que ela está chorando ali dentro? Scarlett Stuart e um grupinho de meninas do sexto ano — que vinham balançando suas mochilas, vestidas como se estivessem indo para uma balada — andavam de um lado para o outro. Sempre que passavam pela entrada, Rachel percebia como se juntavam em uma rodinha, sem conseguir conter as risadas. Imaginou se Poppy conseguia ouvi-las através do papelão. Por que deixara sua filha sair por aí vestida daquele jeito, para começo de conversa? Agora não havia jeito de ir até lá executar uma missão de resgate. Na verdade, Rachel não tinha nem como apanhar seu celular. Estava completamente presa no lugar por causa daquelas águias enlouquecidas.

— Compro por 50 *pence*!

Presa em um pesadelo.

— Certo. Vinte e cinco. Tanto faz.

Talvez estivesse tendo um ataque de pânico. Rachel...

A simpática novata do carro vizinho entregava uma bandeja grande de alguma coisa de chocolate a um de seus filhos.

— Leve isso para o quiosque de bolos, sim, Felix?

Depois foi até o Volvo de Rachel, pousou a mão no braço dela e olhou em seus olhos.

— Com licença.

Ah. Que voz bonita.

— Está tudo bem com você?

8H35

Heather estava de pé, com o apito em uma das mãos e as tiras do avental na outra, arrasada. Mal conseguia acreditar. Havia apostado em doces e devia ter feito salgados, havia apostado na sofisticação e o tempo inteiro era na sustância que deveria ter apostado. Sentiu que talvez fosse vomitar. Já tivera aquela sensação antes, claro. De pé num campinho da escola, sentindo-se um lixo — dificilmente era alguma novidade. "Heather! Você devia ter passado a bola! Não dava pra você marcar o ponto!" Ou então: "Heather! Você não devia ter passado a bola! Dava pra você marcar o ponto!" Sim, o que mais doía era a familiaridade monótona daquela dor, mais até do que a própria dor.

Lá vamos nós de novo, pensou. Heather, disse a si mesma, você desapontou seu time, desapontou a si mesma. Olhou para aquela infinidade de bolos de limão. Estavam tão bonitos, tão bem-feitos. (Receita da Delia. À prova de erros.) Mas, apesar disso, tão abominavelmente, horrivelmente, constrangedoramente errados.

O avental de Bea parecia meio apertado em alguns lugares. E ela, que achava que só se fabricavam aventais de tamanho único, o que seria mais inteligente, na verdade! Até a parte do pescoço era meio apertada. A manhã inteira tinha sido uma completa humilhação, e, quanto antes ela... Pronto. Avental a postos, cabeça livre. Agora era hora de lidar com as águias malignas e famintas.

Mas... o que havia acontecido, de repente? De alguma maneira, nos últimos segundos, uma enorme bandeja apareceu no quiosque diante dela, com belas fatias de algo que provavelmente era a coisa mais deliciosa que já tinha visto na vida. Era de chocolate, era de — o que seria isso aí? — de biscoito, e de Maltesers, e tinha um cheiro delicioso... e havia toneladas.

De onde aquilo teria surgido?

— Você não pode entrar aí. — Nos últimos cinco minutos, a mulher simpática de sapatilhas havia assumido as rédeas da vida de Rachel (como um general de cinco estrelas recém-chegado em uma zona de guerra), e Rachel quase chorou de alívio. Primeiro, ela retomou o controle do Volvo. Foi bem simples, na verdade: apenas fechara, com força, o porta-malas. As larvas fervilhantes sumiram como por encanto.

Agora, estava tomando as rédeas da família Mason de modo geral.

— Você não pode ir até lá. Ela já está suficientemente humilhada. Se você assinar embaixo indo até lá, ela vai se sentir pior ainda. — Seu tom de voz era calmo e gentil, enquanto observava Poppy dentro da caixa de papelão.

— Mas não dá para simplesmente deixá-la ali, sozinha. Sabe-se lá quando aquele traste finalmente vai dar as caras!

— Deixa comigo.

Novata, para outro menino bonito:

— Querido? Olhe o carro para mim, sim? Vou dar um pulinho lá na entrada.

8H45

Heather mal conseguia acreditar. O quiosque de bolos — e, quem diria?, provavelmente todo o belo mundo onde ela vivia — de repente havia se transformado em um lugar diferente e feliz. O clima terrível se dissipara.

— Ah, agora sim! — disse uma das águias truculentas, de olho no bolo de Maltesers. — Uma fatia disso aí e uma xícara de chá.

— É exatamente o que meu médico receitou — comentou outro. — Dois, por favor, amorzinho.

Para Heather, aquilo parecia um milagre, tipo o que aconteceu em Canaã. Engraçado, mas aquilo sempre a emocionara, aquela cena específica da Bíblia. As pessoas pobres, no dia de seu casamento, sem terem o que servir aos convidados. Imagine que terrível. Heather sinceramente não conseguia pensar em nada pior — ela sofria tanto de ansiedade de anfitriã! Só que então vinha Jesus e pronto, dava um jeito. Que história linda, aquela...

Bem, ela não tinha a menor ideia de quem havia realizado o Milagre do Mercado de Pulgas, mas de uma coisa sabia: a ansiedade de anfitriã no quiosque de bolos da St. Ambrose daquela manhã chegara ao fim, graças a Deus. Agora só havia um bando de clientes educados, felizes e satisfeitos.

— Mais duas fatias saindo!

Aquele bolo parecia mesmo uma delícia. Adoraria saber quem o fizera...

Rachel reabriu o porta-malas e continuou as vendas. Viu que Poppy ainda estava esperando, mas já não mais sozinha. O visitante do planeta Skaro e a mulher de sapatilhas papeavam alegremente, como as mais velhas amigas. Juntas, recebiam cada pessoa recém-chegada com um cumprimento personalizado — aquele com um aceno, esse com um balanço de desentupidor de pia cor-de-rosa. E cada recém-chegado retribuía com um sorriso agradecido. Ah, dava para ver que estavam pensando: um Dalek de Boas-Vindas! Num mercado de pulgas! Que legal!

9H10

Bubba estava estupefata. Embora aquelas roupas tecnicamente fossem usadas, eram de qualidade excepcional. Muito melhores do que qualquer outro trapo à venda ao redor. Pendurados ali, sob plásticos protetores, estavam todos os modelitos de sua ex-vida profissional. Pessoalmente ela não iria mais precisar deles, mas isso não queria dizer que eram "velhos". Nem de longe. O que estava ali era um outrora amado guarda-roupa de segunda mão de uma mulher *extremamente* bem-sucedida. Era um guarda-roupa capaz de fazer uma pessoa quebrar qualquer teto de vidro. Deus do céu, dava para ganhar *O aprendiz* só de estar vestida com isso aqui! E, contudo, nenhuma daquelas pessoas estranhas desejava comprar nada. Ela se exasperava às vezes, se exasperava mesmo, mas existe gente que simplesmente *não quer* progredir nessa vida.

Um Dalek num mercado de pulgas não apenas deixava de parecer incongruente de repente, pensou Rachel, como agora começava a parecer perfeitamente normal.

— Setenta e cinco *pence* por tudo, então.

Na verdade, pensou com arrogância, dava até pena dos mercados de pulga futuros que não tivessem um Dalek de Boas-Vindas.

— Quanto por todas essas coisas que estão no banco de trás?

— Não estão à venda — respondeu Rachel automaticamente, mas depois se empertigou. Por que raios estava agindo assim? Por que, se aquele sacana não tinha se incomodado nem em dar as caras para ver a própria filha, ela estava reunindo, protegendo e cuidando dos seus pertences detestáveis?

— Na verdade, desculpa, me enganei — disse ela para as costas de um blusão. — Qual a sua oferta?

— O que me diz das três caixas por dez pilas, docinho?

— Vamos deixar por cinco... docinho... e negócio fechado.

9H20

Heather bateu de leve na janela do carro, interrompendo a soneca de Georgie.

— Oi. Você foi alforriada da tirania do quiosque de bolos, é?

— A mãe de Rachel assumiu meu posto. Abençoada seja. Como é prestativa, aquela mulher.

— Se é — concordou Georgie. — Ela é a melhor. Diferente de certas pessoas. — Ela olhou para a esquerda. Ali, encarapitada no porta-malas vazio de um Passat, estavam Scarlett, Bea (novamente de *headset*, notou Heather) e a mãe de Bea. — Sabe o que elas parecem? — continuou. — Aqueles pôsteres que ficavam pendurados no laboratório de ciências da escola, mostrando um inseto pequeno, depois um inseto médio e aí um grande, com setinhas vermelhas que iam de um para o outro e a legenda "Ciclo de vida do inseto tal" em cima. Aquelas três são exatamente isso: as versões pequena, média e grande da mesma coisa horrenda.

— Nossa, Georgie. — Heather pareceu bastante chocada. — Que maldade. Bea está sendo fantástica hoje. Tão prestativa. E, pode falar o que quiser dela, mas Pamela é uma ótima responsável pela escola. E Scarlett é um doce. Maisie a idolatra. E elas fizeram ou não fizeram bons negócios ali? Parece que venderam tudo...

— Isso é que é a maior sorte de todas — suspirou Georgie, que de fato estava tendo uma manhã agradabilíssima. Quando não estava tirando uma soneca, observava as pessoas, e as duas coisas eram igualmente interessantes. — Ela chegou com um carro completamente vazio e ficou ali sentada com toda a paciência sobre o porta-malas a manhã inteira. Parecia estar apenas esperando que os trabalhadorezinhos chegassem para vender coisas a ela. Posso estar errada, mas receio que a mãe de Bea talvez não tenha entendido os princípios fundamentais de um mercado de pulgas.

— E-iii! Heather! — gritou a mãe de Bea do porta-malas de seu carro. — Ah, eu estava mesmo torcendo para você aparecer! Ouvi dizer que está vendendo chá? Você poderia ser um amor e me trazer uma bela xícara?

— Bom dia. Como vão os negócios? — O Sr. Orchard estava sem seu terno comercial. Usava jeans, moletom e jaqueta bomber de couro. Rachel não pôde deixar de notar que ele não parecia mais tão... bem, tão bobalhão quanto em geral parecia na escola.

Sempre teve uma queda por aquele tipo. Agora não mais, claro. Não mais. Porém, antigamente, ela nunca se encantava pela figura de um homem de terno ou uniforme. Não: era quando o homem de uniforme aparecia sem o uniforme, revelando seu verdadeiro eu, que, na experiência de Rachel, as coisas começavam a esquentar. Na galeria onde ela antes trabalhava, em outra vida e em outro universo, havia um chef sensacional no restaurante por quem todo mundo, menos Rachel, costumava suspirar. Ela não conseguia entender por quê. Até o dia em que topou com ele na rua, na pele dele mesmo e não mais como chef sensacional. E, de repente, ela se derreteu — uma expressão bastante adequada naquelas circunstâncias, aliás.

— Excelentes, obrigada. Faturei mais nesta manhã do que na semana inteira.

O Sr. Orchard riu. Provavelmente não riria, pensou Rachel, se soubesse que era mesmo verdade.

— Quer dizer então que você veio comprar, e não vender? — perguntou ela, com jeito casual.

— Exato, infelizmente. Preciso reunir coisas, e não descartá-las. Isso eu já fiz até demais nos últimos tempos...

Rachel pensou: "Ah, é mesmo?"

— De onde o senhor vem, Sr. Orchard? — O tom era zombeteiro, esperava ela, e não paquerador. — Do espaço sideral?

— Às vezes a sensação que tenho é essa, preciso confessar. — O diretor olhou em torno ao falar.

Rachel viu refletidos em seus olhos as fileiras de carros estacionados, os pais gargalhando, os grupinhos de crianças correndo de lá para cá — tudo perfeitamente normal. Quem sabe ele estivesse prestando atenção nas pequenas estranhezas. Bubba com toda certeza poderia ser considerada um alienígena, ali sozinha, gritando palavras estranhas em sua própria língua misteriosa: "Moschino! Miu Miu! Acne! Venham!"

E aquele Dalek na entrada também, que agora entrava desajeitadamente e meio sem equilíbrio em um belo sedã azul — até que enfim! —, prendendo o desentupidor de pia na janela do carro nesse processo. Rachel supunha que esse tipo de coisa não se via todos os dias.

— Mas não. Venho de mais longe ainda, na verdade. Venho de Chelsea.

Não acredito!, pensou ela. Espere só até eu espalhar isso para todo mundo. Porém, antes que ela pudesse entrar no assunto jogadores de futebol, pop stars e aquele eterno — e maldito — triângulo amoroso, a atenção dele já estava voltada para o banco de trás do Volvo de Rachel.

— Esses livros estão à venda também? Posso dar uma olhada?

9H30

O apito de Heather pendia ocioso de seu pescoço. Os carros, agora com o porta-malas vazios, faziam fila para ir embora. Os bolos — bem, pelo menos a maioria — tinham sido vendidos. Guy contava o dinheiro sobre a mesa, com Maisie. Estava felicíssimo: comprara itens novos para sua furadeira Black & Decker e uma pilha de mapas da Ordnance Survey para sua coleção.

O sol agora surgiu por trás das nuvens e varreu a paisagem dos limites da cidadezinha, como um holofote de busca, de um lado, até os campos luxuriantes, do outro. Que lugar lindo, pensou Heather. Cheio de gente legal. Aquela tinha sido uma das melhores manhãs que ela tivera em muito tempo. Adorava quando todos estavam no mesmo barco, remando juntos, seguindo na mesma direção. E adorava ainda mais quando estava junto deles. Com grande frequência em sua vida, ela teve a sensação de todos estarem no mesmo barco, enquanto ela, Heather, ficava pendurada na borda sem conseguir embarcar, molhada e com frio.

Mas, na verdade, naquela manhã ela não só estivera no interior do barco, como fora a capitã. Tudo aquilo havia sido um sucesso graças a Heather. Toda a preocupação, todo o estresse, todos os limões... Embora todo mundo tivesse feito sua parte, o triunfo do evento, ela sabia, devia-se a ela. Portanto, Heather estava finalmente, indelevelmente, marcada no mapa da St. Ambrose.

Clover veio andando pelo gramado com passos pesados e aquelas suas perninhas curtas, com os dois filhos espreitando atrás de si.

— Ai, ai... — comentou ela, desolada. — Deixa pra lá.

— Deixa pra lá? Deixa pra lá o quê?

— Bem, foi um trabalhão daqueles para você, não foi? Coitadinha. E tudo pra que, me diz? — Clover olhou ao redor, balançou a cabeça, baixou o tom para um sussurro lamentoso. — Para quê?

— Guy acha que faturamos mais de 3 mil libras! Talvez mais!

— Tsc, tsc, tsc. Ai, ai, ai. Só isso? Depois de todo esse esforço? Que pena. — Clover colocou sua mãozinha quente sobre a de Heather e balançou a cabeça. — Bem. Uma coisa você deve ter aprendido, pelo menos.

— Devo ter aprendido? O quê? O que eu devo ter aprendido?

— Queri-i-da! Por favor! Você aprendeu que "nunca mais", não aprendeu? Hummmm? Nunca mais.

Georgie observou o Sr. Orchard caminhando em direção à saída com suas compras nos braços: *A história secreta*, *O turista acidental* e alguns volumes antigos da Penguin das obras de Graham Greene. Soltou um sonzinho de aprovação. Então ele não era só um cara com o nariz enfiado nos números.

— Muito bem, Sra. Stuart! — Ela o ouviu dizer ao se aproximar do Passat. Bea tinha voltado a colocar o avental no qual estava estampado A CHEFE, Georgie reparou. — Foi um sucesso!

— Ah, muito obrigada! — gritou Bea de volta. — Tudo parece ter ido mais ou menos bem, eu acho.

— Foi sensacional. Pode ir para casa descansar agora.

— O senhor é um amor. — Ela retirou o *headset* com um sinal de alívio, balançou os longos cachos dourados ao fazer isso, semicerrou os olhos, acariciou a cabeça do filho mais novo que estava preso às suas pernas compridas. — Eu sei que é terrível dizer isso — continuou ela, com um sorriso de modéstia —, mas confesso que estou *absolutamente exausta*.

Rachel não tinha muito o que arrumar para ir embora. Pelo visto, vendera quase tudo, inclusive — riu baixinho, sozinha — os pertences do falecido. Ops. Foi mal. Como isso foi acontecer? Não tem importância, ela havia ganhado mais de cinco pilas para ele. Embora, obviamente, tivesse de deduzir o valor da sua comissão.

A novata, a general de cinco estrelas, salvadora das Masons, voltou para seu carro.

— Obrigada. De verdade — disse Rachel, aproximando-se. — Você nos salvou de um apocalipse emocional.

— Não há de quê. E foi bacana. Bem, não com a parte do apocalipse emocional, logicamente. Mas Poppy é uma ótima companhia. Nós duas nos divertimos. E meus filhos, como se saíram?

— Ganharam uma fortuna, eu acho, a julgar pela clientela constante. O que você estava vendendo? — Rachel deu a volta no carro da outra pela primeira vez e viu os vasos de flores remanescentes, dois deles com arbustos robustos e outros apenas com brotinhos verdes.

— Nossa. Venderam aos montes. São as coisas que plantamos a partir dos brotos de outras, só isso. Nós plantamos de tudo na nossa estufa: rosas, lavanda, arbustos de frutinhas, esse tipo de coisa. Alguma coisa aqui interessa a você?... Desculpa, não sei seu nome.

— Ah. Desculpa. Rachel. Oi.

— Olá, Rachel. — As duas mulheres trocaram um aperto de mão. — Sou Melissa.

12H. INTERVALO DO ALMOÇO

— Então como vão as coisas, o tal programa de autossuficiência? — perguntou Rachel à sua mãe, alegremente. Aquele era, afinal de contas, O Dia de Ser Legal com a Mãe. — Existe alguma certeza da sua sobrevivência pessoal em um mundo pós-desastre nuclear?

— Aaaah, está tudo indo muito bem, obrigada. Aqui, vista isso antes de irmos. — A mãe de Rachel estendeu um conjunto de apicultor extra para a filha. — Tão bem que vou ampliar a horta. Pamela Graham vai dar um pulo aqui na semana que vem para cavar os buracos.

Enquanto Rachel lutava para entrar no charmoso macacão bege de gabardine, um aroma flutuou pelo jardim e a atingiu em cheio. Quase a derrubou, na verdade — chegou com a força de um encrenqueiro num playground. Era de carneiro assado, se não se enganava. Carneiro assado com alecrim, batatas e — voltou a farejar — algum representante das brássicas, possivelmente brócolis, mas ela não tinha certeza. Alguém das redondezas estava fazendo exatamente o que ela havia feito quase todos os domingos de sua vida desde o nascimento de Josh até meados de julho: preparando-se para comer um almoço decente. Molho de hortelã ou de groselha?, perguntou-se. Pessoalmente ela preferia o último...

Não que pudesse fazer essa escolha hoje. Não, Rachel em vez disso desfrutaria do — hã — primeiro dos domingos alternativos que teria dali em diante. Que era, lógico — vamos olhar o lado bom das coisas —, uma vacina para prepará-la para o pior, que ainda estava por vir. Os Natais alternados... meu Deus. Seu estômago se revirou. Como conseguiria sobreviver a eles? E as semanas, semanas e mais semanas de férias separadas. Quando Chris, as crianças e aquela maldita estagiária — ela já podia até vê-la, aquela vaca, em seu maldito biquíni de tanguinha de estagiária, vaca — estariam vivendo momentos Kodak ao sol. Enquanto ela, Rachel, ficaria largada em casa sozinha, curtindo um pouco de... que termo aquela vaca besta da Clover tinha usado, mesmo? Sim, isso, "tempo para mim". Era isso o que ela deveria desejar? "Tempo para mim"?

Bem... ei, até agora estava sendo uma maravilha, o bom e velho tempo para si de Rachel. Sensacional. Primeiro dia só para si e, gente!, é uma loucura. Ali estava ela, no quintal da casa da mãe, andando desajeitada com as galochas do falecido pai, o rosto coberto por um véu, toda a sua carne protegida, reduzida a qualquer coisa pequena, agachada e anônima. Vagou pelo pátio e ficou batendo as pontas das galochas na extremidade do gramado, esperando. Estava começando a se sentir cada vez pior, marginalmente pior. Sabe-se lá o que sua mãe estaria fazendo para demorar tanto. Acendendo uma fogueira num regador, ao que parece. Por motivos que somente seu eu ligeiramente lunático sabia.

— É um fumegador — gritou ela para Rachel, enquanto trabalhava. — As abelhas odeiam fumaça, é uma das coisas de que elas têm medo. Então é assim que a gente as controla.

— É mesmo? — gritou Rachel de volta. — Nossa. Quem diria? — E Zzzzzzz, pensou, voltando a bater as galochas. Quem se importava?

— Certo. Acho que está pronto. Podemos ir agora.

Elas caminharam até os fundos do jardim, assumindo automaticamente as posições estabelecidas em algum momento da primeira infância de Rachel e praticadas em shopping centers e à beira da praia durante as décadas seguintes: a mãe andando na frente, e

Rachel seguindo atrás, arrastando os pés. Uma de cada vez, atravessaram o portãozinho. O barulho já estava alto, mas assim que o topo da colmeia foi aberto, ficou ensurdecedor. Rachel estava acostumada a ver abelhas solitárias, com seu sei-lá-o-quê grudado numa flor, fazendo sei-lá-o-quê que as abelhas fazem. Não estava absolutamente preparada para aquilo, o impacto absoluto de milhares de abelhas concentradas em um mesmo lugar — uma força e tanto para absorver. Eram praticamente irreconhecíveis dos insetos comuns que ela achava que conhecia. Uma abelha solitária, teve a impressão, era uma coisa que entendia. Era possível tolerá-la ou então afastá-la com a mão. Mas aquela multitude ali era um organismo diverso. Era como se o processo de combinação fosse, em si, transformador. Uma alquimia. Instintivamente ela recuou. Mesmo com sua roupa protetora vagabunda, Rachel sentiu-se profundamente vulnerável.

— Certo, então — disse de modo brusco. — Maravilha. Tudo parece estar em ordem. — Recuou mais um pouco. — Vamos nessa?

— Não seja boba, Rachel. Precisamos verificar tudo antes. — A voz de sua mãe também estava transformada. Baixa, doce, íntima. — Francamente, meninas. Escutem só isso. Eu disse a vocês, não disse? — murmurou, enquanto deslizava o módulo superior e o examinava.

— O quê? O que você disse para elas? — A voz de Rachel não estava nem baixa nem doce. Algumas abelhas dardejavam à sua volta. Ela recuou ainda mais, agitou as mãos na frente do rosto e começou a sibilar para elas. — Caiam fora. Me deixem em paz. É meu tempo para mim, merda. Tempo para mim.

— Fique quieta, querida — falou a mãe por cima do ombro. E depois, para a colmeia: — Ela costuma mesmo fazer umas coisas esquisitas. Na metade do tempo, nem eu sei o que ela é capaz de aprontar.

— Hã, olá-áá? Estou aqui, sabia? — Estariam elas se juntando mesmo para atacá-la? A sensação era essa: de que estavam preparando um maldito ataque.

— Ninguém está interessada em você, Rachel. — Aí estava uma frase que ela já tinha ouvido antes. — São as guardas da colmeia. Só estão fazendo seu trabalho.

Ah. Sem aspas, dessa vez. Esse... o zumbido irritante ao seu redor era obviamente o que aqui era considerado um trabalho de verdade.

Sua mãe recolocou o módulo da colmeia e deslizou outro para fora.

— Todo mundo aqui tem seu trabalho. — Ela analisou o módulo e afastou alguns destroços que estavam presos na lateral do favo. — Tudo é altamente organizado. Funciona com uma rígida rotina. E todas elas se revezam. Fazem rodízio. Algumas ficam para cuidar do berçário ou da limpeza. Outras saem por aí, procurando novos lugares para fazer ninhos ou inspecionando se existe algum perigo.

— Tá. Tanto faz. — Rachel agitou as mãos diante das abelhas à sua frente mais uma vez. — O que você quis dizer com "eu disse a vocês"? O que você "disse" a elas?

— Ah, que você não ia gostar daqui, só isso. — Ela recolocou o módulo e deslizou outro abaixo dele. — Porque você não gosta de grandes grupos de mulheres. Nunca gostou. Não é uma garota que gosta de andar com garotas. Nunca foi. Ahá! — Ela inclinou o favo em direção ao sol outonal. — Aqui está a rainha. Veja. Todas as abelhas operárias são do mesmo tamanho, mas ela é bem mais comprida. Mais magra, de certa forma. Mais brilhante. E está linda hoje, minha senhora, se me permite dizer.

— O quê? Francamente, mamãe. — Rachel estava ofendida. — Como pode fazer isso? Dizer essas coisas sobre mim? — Ela podia sentir-se literalmente fumegante embaixo daquele capuz idiota.

— Esse é outro trabalho — prosseguiu sua mãe, ignorando-a. — Cuidar da rainha. Ali estão elas, reunidas ao seu redor. Limpando-a de um lado, alimentando-a do outro. Que vidão, hein, Sua Majestade?

O quê? Ela não era uma garota que gostava de andar com garotas? Sério, quanta besteira.

— Isso ainda é porque eu não quis ser escoteira? Sabe, talvez seja hora de você superar esse assunto de uma vez por todas.

— Que pena. Quarenta anos e ainda se preocupa com escoteiras — murmurou sua mãe, balançando a cabeça, enquanto tornava a juntar a colmeia.

— Você é que não parava de martelar sobre o assunto! — Rachel mantinha distância. Agora, estava colada à cerca mais próxima. — De todo modo, eu não gostava das escoteiras por causa daquele uniforme ridículo. E não gosto dessas abelhas aqui por causa das picadas venenosas. Não é nem mesmo um válido...

— Me desculpe, mas não fui eu que trouxe o assunto das bandeirantes. Nem o fato de que você jamais teve uma turma. Nem como teve que voltar daquele acampamento antes do tempo porque não conseguiu suportar a vida no alojamento. — Ela recolocou o topo da caixa branca e o barulho diminuiu.

— Mãe. Pare com isso — gemeu. Se era nisso que dava toda essa história de ser legal, então que se dane. — Quer parar de me descrever como uma espécie de esquisitona que não tem amigos?

— Ela é perfeitamente sociável, se vocês querem saber — acrescentou sua mãe, com anuência, mas apenas para as abelhas que continuavam zumbindo ao redor, fora da colmeia.

— Bem, muito obrigada. — E Rachel repetiu em voz alta e clara: — Sim. Sou perfeitamente sociável. — Ela só queria ter certeza de que as abelhas lá de dentro iriam ouvi-la também.

— Não sei por que está gritando com elas. Elas não conseguem ouvir nada, sabe. Só converso com elas por costume. — Deu um tapinha na colmeia com carinho, apanhou seu fumegador e rumou na direção de volta para casa. Ah. Mesmo assim, Rachel não queria deixar as coisas barato. Sentiu uma necessidade urgente de contextualizar a situação, de explicar para as abelhas que aquela era uma interrupção momentânea, que por acaso tinha recebido um pé na bunda do marido e da melhor amiga, ou melhor, acabado de receber, que isso podia acontecer com qualquer um, e que sua (Deus do céu) paisagem emocional não costumava ser assim tão desértica. Mas sua mãe já havia se afastado, o que não deixou outra opção para Rachel a não ser segui-la pisando duro.

— Foi superdivertido isso tudo. Por que eu precisava estar aqui, posso saber? Você parece dar conta de tudo muito...

— Bem, pode ser perigoso. Nunca se deve fazer isso sozinha. Nunca se sabe o que pode acontecer com as abelhas. Por isso, obrigada pela ajuda.

— De nada. — Talvez ela devesse dar mais uma chance àquela história de ser legal. — Eu não tinha nenhum compromisso, mesmo. — A coisa saiu com um tom sarcástico, muito embora pela primeira vez fosse verdade.

— Ah, que bom. Nesse caso, você não vai se incomodar de receber minhas galinhas.

— Hã? Espere um pouquinho aí. Que galinhas?

— As que vou receber. Aquele casal simpático do fim da rua prometeu montar um galinheiro para mim. Não vejo por que isso deva esperar mais tempo. Isso dará algo para você fazer.

15H15. SAÍDA, SEGUNDA-FEIRA

Bubba interrompeu Heather, que estava saindo apressadíssima.

— Heather, posso ter uma palavrinha com você? — Aquilo saiu mais parecido com: "E'er, sso tê ua aavriaa c'cê?" Seus lábios estavam terrivelmente inchados, de um jeito que incomodava até de olhar. Quase deformados.

— Bubba! Está tudo bem? Você foi picada?

— Não, não, estou ótima. Bem. Na verdade sinto como se tivesse sido picada, mesmo. Mas não tem nada de errado com meus lábios.

— Desculpe? Ah. Bem, na verdade tem sim. — Heather começara a falar mais alto, estava dando o melhor de suas habilidades de dicção. — Tenho Piriton no meu estojinho de primeiros socorros. — Guy lhe ensinara a nunca sair de casa sem ele. Começou a revirar sua bolsa tipo sacola para encontrá-lo.

— Ah. Sério. Isso é perfeitamente normal no primeiro dia. O problema não é minha boca, é o baile. O Baile de Natal. Eu havia contado com Bea para organizá-lo, para ser sincera. Cá entre nós, a gente apenas cumpre todos os requerimentos (sem querer me eximir disso) e achei que seria, sei lá, *divertido* para nós.

Heather reparou naquele "nós". Desejava ser uma das que faziam parte do "nós". Bubba só estava ali há cinco minutos e olhe só para ela, usando "nós" a torto e a direito.

— Mas agora ela disse que, com o emprego novo, não poderá fazer isso, e que devo organizar um comitê! Mas não conheço ninguém! Bem, só uma pessoa ou outra... Você se saiu hiperbem no mercado de pulgas. Será que poderia fazer parte do meu comitê? Por *favoooor*?

Houve um tempo em que Heather precisava implorar e fazer artimanhas para sequer conseguir chegar perto de um comitê. No ano passado, Bea achou que "provavelmente seria melhor" se ela apenas servisse as bebidas. Está vendo como sua posição havia mudado desde domingo? Não apenas Heather agora estava no barco como, minha gente, tinha um remo nas mãos.

— Claro que sim. Adoraria. Mas, agora, preciso ir. Preciso buscar os filhos de Bea para o jantar.

As mãos de Rachel estavam nos fundos dos bolsos de sua jaqueta aviador. O ar estava meio frio, a tarde mais escura do que na semana passada. Uma bela tigela de sopa para jantar, pensou. Seria o ideal. Vamos, Poppy. Depressa, antes que eu seja raptada.

— A'el! — Era Bubba. Não: era uma caricatura de Bubba, feita por Gerald Scarfe?, algo da escola dele, com certeza, que se aproximava dela. Lábios enormes, à la Mick Jagger, roçaram cada uma de suas faces. Ela tentou dizer algo apressadamente, mas Rachel não conseguia entender nada... até ouvir a palavra "comitê". A palavra "comitê" Rachel ouviu em alto e bom som.

Não. É o que ela teria dito, antes de ter sido tão cruelmente desconstruída na Colmeia do Psiquiatra. Talvez tivesse dito: "Adoraria, mas já sou uma consultora artística. Acho que não daria conta de mais uma atribuição." Porém, agora achava que era melhor se juntar a algum grupo, e depressa, nem que fosse apenas para calar a boca de sua mãe. Talvez fosse tarde demais para ela dar as mãos e saltitar com as escoteiras, mas poderia, supôs com coração pesado, ajudar a estranha da Bubba com seu baile idiota.

Por isso, disse apenas:

— Adoraria.

— Legal. Copper Kettle. Sexta. Logo depois da saída da escola.

— Ótimo — mentiu Rachel. E então, no novo espírito de glasnost dos Mason, foi além: — Seus filhos estão se habituando?

E Bubba disparou a falar. Tudo era impressionante. Era praticamente oficial: Milo e Martha eram as crianças mais felizes do mundo. St. Ambrose era a melhor escola do mundo, a ex-escola esnobe dos dois era a pior. St. Esnobe disse que Milo tinha "problemas". Ao que parece, o menino provavelmente era superdotado. Se você tem um filho assim, uma escola pública não tem páreo. Os professores eram maravilhosos, as outras crianças tão especiais. A família inteira estava adorando, adorando, adorando. Tantas amigas dela tinham lhe dito: escola pública? Será que ela tinha *enlouquecido*? Onde todo mundo é tão *grosseiro* e *boca-suja*? Melhor ela verificar no médico se não tinha *batido a cabeça*. Mas, na verdade, o que acontece é que as pessoas dali não pareciam ser nem um pouco grosseiras e boca-suja.

— Ah, olha — disse Rachel, escapando de fininho. — Lá vem a minha filha.

Heather ainda estava esperando no portão. Onde eles estariam? Ela precisava preparar o... Ah. Lá vinha Maisie, e logo atrás Colette, segurando os três filhos de Bea firmemente pela mão.

— Ah, obrigada, Colette — agradeceu Heather, disparando para diante. — Hoje eles voltam para casa comigo.

— Não, senhora. — Colette se desviou com destreza de Heather. — Hoje é a minha vez. Bea disse que era a minha vez.

— Mas é a minha vez. Tenho certeza. Ela disse que...

— É a minha vez — vociferou Colette. E então saiu meio correndo, meio arrastando os Stuarts à força na direção de seu carro, enquanto seus filhos a seguiam aos tropeções.

Scarlett olhou por cima do ombro.

— Eu precisaria ser duas! — gritou ela para Maisie, sorrindo docemente.

— Maisie, meu amor, desculpe. Não sei o que aconteceu. Deve ter havido alguma confusão. — Heather mal conseguia suportar quando Maisie passava por alguma dor emocional. Elas eram como gêmeas idênticas separadas no parto: quando Maisie sentia dor, Heather sentia uma agonia excruciante. A dor estava aumentando cada vez mais em seu peito, agora. Sua respiração estava entrecortada. Seu cérebro, tonto de adrenalina...

— Mami, não estou nem aí. De verdade — comentou Maisie, em um tom de certa maneira controlado para que parecesse completamente normal. — A Sra. Green está por aqui? — Maisie viu Bubba e saltitou até ela. — Desculpa, mas é que achei melhor a senhora saber. Milo está chorando no vestiário dos meninos e não quer sair.

O dia da reunião de planejamento do baile

9H. REUNIÃO

Bubba olhou ao redor da mesa e sentiu uma onda de prazer. Sua parte preferida eram as reuniões, sempre foi — eram a vitrine perfeita para seu conjunto específico de habilidades. Porém, fazia séculos que ela não ia a nenhuma. Esse era o problema da vida doméstica: não havia reuniões. A não ser que dizer a Kazia o que comprar no Waitrose equivalesse a uma. Enfim, agora ali estava ela, e era igual aos velhos tempos: Bubba na cabeceira, rodeada por escravos ansiosos à espera de realizar cada um de seus desejos — brincadeira! Tudo bem, o Copper Kettle não era exatamente o tipo de sala de reuniões elegante ao qual ela estava acostumada. As garçonetes usavam aventais e redinhas na cabeça, o que era engraçadíssimo. E não havia montes de frutas frescas e garrafinhas de água à disposição sobre a mesa. Em vez disso, Jo enfiava os dentes em uma rosca com cobertura de açúcar que era do tamanho de sua cabeça. Nenhuma garçonete tinha se aproximado desde que Bubba chegara. Ela corria o sério risco de morrer de sede. Mas, fora isso, sim, era igual aos velhos tempos.

Não era exatamente uma equipe top de linha. Heather estava sentada na outra ponta ao lado de Rachel, Georgie e Jo. Colette e Clover estavam em frente. Bea havia prometido tentar dar um pulo na reunião, mas tivera uma "manhã daquelas", aparentemente.

Bubba mesmo assim torcia para que conseguisse vir, apenas para que ela desse aquela sugestãozinha em que Bubba poderia confiar.

— Bem...

Ela havia planejado começar com um pequeno discurso motivacional. Tinha esse talento, muito conhecido no mundo do RH, para unir a equipe.

— Devo registrar uma ata? — interrompeu Heather.

— Ah, meu Deus, você é *sensacional* — disse Bubba. — Mas acho que isso meio que restringe o *espírito* da coisa, não é? De querermos nos soltar? Deixar fluir? Encontrar ideias, lançá-las a torto e a direito, direto do... Enfim. — A informalidade sempre tinha sido uma de suas marcas registradas como diretora: isso unia as pessoas, segundo sua experiência.

— Ah. Está bem, então. — Por algum motivo, Heather pareceu ficar arrasada. Completamente arrasada.

— Certo. Enfim. O negócio é o seguinte: esse baile é bem trabalhoso, e, embora eu seja capaz de dar conta de boa parte das coisas sozinha, o mais fabuloso da St. Ambrose é o espírito comunitário da escola, em que todo mundo ajuda todo mundo, coisa que não se vê no setor privado, ou pelo menos não no tipo de setor privado de que nós acabamos de escapar, fuga essa que nos pareceu literalmente ter sido de Alcatraz, uma vez que todo mundo ali era tão metido...

Rachel e Georgie de repente tiveram um ataque de riso, mas Bubba continuou. Talvez em algum momento Bubba precisasse acabar separando aquelas duas.

— ... especialmente se seu filho é um pouquinho diferente dos outros, coisa que seria de se pensar que seria bem-vista. Mas não.

Uma redinha anciã — provavelmente mais velha do que Deus — veio até a mesa. Até que enfim.

— Um *latte* grande com leite desnatado, por favor.

A redinha pareceu incerta.

— Escuro ou claro?

— Quer saber, Roz? — interrompeu Jo. — Traga um bule de café e um jarro de leite que a gente mesmo se vira.

Bubba ficou sem palavras. Extraordinário: Jo parecia *conhecer* aquela pessoa. Ou seja, só havia dois níveis separando Bubba e uma redinha! Era mesmo maravilhoso observar as reviravoltas que sua vida estava dando naquele exato momento. De fato lhe agradava muito essa nova profundidade, com sua amplitude e textura...

— Podemos ir direto ao assunto? — perguntou Rachel.

— Onde eu estava, mesmo? Ah, sim: o serviço de bufê. Agora...

— E aí, gente? Finalmente conseguimos chegar! — exclamou Jasmine. — Vá um pouquinho mais pra lá.

— Desculpem pelo atraso — acrescentou Sharon. — Bea disse que vai tentar dar uma passada por aqui, mas, sabem como é, com o emprego novo, a vida se transforma em...

— ... malabarismo atrás de malabarismo atrás de malabarismo — completou Jasmine, com um suspiro.

— Quando eu for primeira-ministra — declarou Georgie —, o uso da palavra "malabarismo" será restrito apenas àqueles que comprovarem emprego no ramo circense...

— Podemos ir direto ao assunto? — repetiu Rachel, dessa vez um pouco mais alto.

— Sim. O bufê. Bea me passou um contato, o que é *extremamente* gentil da parte dela. A empresa se chama Um Banquete em Sua Casa. Não sei se alguém aqui conhece?

— Bem, eu já passei pela van de lanches deles na estrada, a caminho da rodovia — comentou Georgie.

— *Acho* que deve ser de uma empresa diferente, mas muito obrigada pela participação. Bea pareceu achar que existia alguma relação deles com a escola, tipo, alguém da comunidade da St. Ambrose...?

— Aposto que tem alguma coisa a ver com aquela tal de Pam, que trabalhava na cantina da escola, lembram, e que foi despedida pelo ex-diretor, sei lá por quê. Foi tudo muito de repente — intrometeu-se Clover. — É um risco, se quer saber a minha opinião. Um risco.

— Ah, não acredito — disse Bubba, que estava começando a ficar muito irritada. — É muito pouco provável que Bea recomendasse alguém não confiável, não é? Ninguém, *ninguém* se importa mais com essa escola e seus alunos do que Bea. — Seria só imaginação sua ou ela sentiu de fato uma energia negativa que começava a aumentar ali? Bubba era hipersensível à energia negativa. Ah, se ao menos Bea chegasse logo! — Alguém aqui já usou os serviços de algum outro bufê para entretenimento pessoal? E gostaria de recomendá-lo?

— Entre... o quê? — perguntou Jo.

— *HAHAHAHA!* — ganiu Sharon.

— *HAHAHAHA!* — guinchou Jasmine.

— Está decidido então. — Hora de ser firme. — Vai ser Um Banquete em Sua Casa. Agora, seguindo adiante. Música: alguma sugestão?

Todas ficaram em silêncio por algum tempo, e então Jo, dentre todas as pessoas, saltou à vida.

— Sabe o que mais? — Ela espalhou migalhas de pão por todos os lados. — Eu seria capaz de esquecer minha própria bunda se ela não fosse tão gigante. Claro que tenho uma sugestão. Wayne. Wayne é meu amigo — disse ela para Georgie. — Cara bacana. Cuida da mãe no asilo. Uma velha terrível. Ele está me devendo uma. — E então, de novo para a mesa: — É, Wayne vai dar conta do recado. Decidido. Ele vai cuidar disso.

— Contribuição fabulosa; obrigada, Jo. — Bubba adoraria ter recebido mais informações, mas achava Jo meio intimidadora. Ela era uma daquelas pessoas capazes de atacar você de repente. — Eu posso dar a você a tarefa de entrar em contato com, hã, Wayne? Para checar se ele tem disponibilidade? Você se *importaria*?

— Escute aqui. — Pronto. Eu sabia, pensou Bubba: Jo tinha partido para o ataque. — Leia meus lábios. Eu disse que Wayne vai fazer o negócio. E Wayne vai fazer o negócio. Isso está começando a atacar os meus nervos.

— Desculpe. Ótimo. Lindo. Então vai ser Wayne. Agora, o tema. — Essa era a parte em que, na verdade, Bubba sentia estar pisando em solo mais firme. Ela era brilhante no quesito temas. Era louca por isso. Aproveitava qualquer oportunidade. Na última vez que eles ofereceram um curry, ela usou um sári e transformou a cozinha no Kerala. Deu ultracerto.

Foi estranho, portanto, ter sido justamente aí que Bubba perdeu as rédeas da reunião. Completamente. Fez todo o processo degringolar, de alguma maneira. Ela estava começando a contar que desejava investir no tema praia paradisíaca, porque foi o que ela havia imaginado quando o baile seria um baile de verão; esse tinha sido seu sonho e sua visão. E, quando Bubba tinha uma visão, precisava respeitá-la; quando tinha um sonho, não podia abrir mão dele. Foi nesse momento que Bea chegou, e aí tudo virou um borrão. Houve muita conversa sobre o tema Natal. E a Inglaterra. E o clima. E a neve caída no chão, e o tordo sobre o ramo. Como se alguma dessas coisas tivesse a ver com gente arrumada, desfrutando de uma noite glamorosa e simplesmente deixando fluir a vibração de festa. E, de repente, antes mesmo que Bubba tivesse alguma ideia do que estava acontecendo, Bea já declarava:

— Certo, combinado. Todas estão de acordo. Hora de acertar os ponteiros. O tema é Litoral Inglês no Inverno.

— Espera um pouco! — gemeu Bubba, como se sentisse dor. — Segure essa ideia. Não seria possível voltar a pauta apenas um pouquinho para...

Mas Rachel e Georgie começaram a rir, dessa vez tão alto, intrometendo-se de tal modo que Bea nem conseguiu ouvir os gemidos de Bubba e simplesmente seguiu para o tópico seguinte como se ela é quem estivesse no comando, não Bubba.

— Agora — declarou ela para a mesa. A mesa que tinha sido de Bubba. Um dia. — Outra sugestão que quero fazer... Vejam bem, é só uma sugestão, afinal de contas esse não é o *meu* baile, portanto a decisão não é *minha*... é o leilão de uma prenda, pois isso seria algo capaz de arrecadar muito dinheiro! Eu não teria *absolutamente* como organizar isso, claro, afinal já tenho bailes suficientes para organizar, mas só vai tomar um nanossegundo do tempo de outra pessoa...

— Deixa comigo, Bea — ofereceu-se Colette, mais entusiasmada do que estivera em toda aquela manhã.

— *Mais uma vez*, muito obrigada, Col — retrucou Bea. — Você é demais. Sabe exatamente o tipo de coisa que atrai a gente daqui. Mas, como temos a grande sorte de termos Bubba a bordo, pensei que dessa vez poderíamos contar com a ajuda de um dos seus amigos chiques de Londres... Um jantar com uma celebridade, quem sabe?

— Hã? Não conheço nenhuma cele...

Todas de repente começaram a soltar *ooohs* e *aaaahs* e a olhar para Bubba com um pouco de respeito pela primeira vez na vida, e Bea falou:

— Pronto! Agora você não vai poder recusar! Escute só quanta animação. Chegou a hora de você contribuir com alguma coisa. Oferecer um jantar com uma amiga celebridade de Bubba. — Sharon imitou o rufar de um tambor no tampo da mesa. — Chegou a hora da atração especial.

Então Bea saiu, e a maioria das outras saiu depois dela. Colette precisava combater a celulite de alguém. Sharon e Jasmine tinham de resolver uns assuntos de jardim. Georgie precisava apanhar Hamish na creche. Jo precisava dormir para se preparar para o turno da noite. E Heather lhe disse para deixar de lado a cara feia. E Clover disse para deixar a cara feia exatamente onde estava, porque, para ela, aquilo era bastante promissor. E Bubba teve uma sensação estranha. Uma sensação à qual não estava acostumada, um tanto parecida com a que se teria após ser atropelado por um veículo muito, muito, mas muito grande.

10H. INTERVALO DA MANHÃ.

Rachel ficou ali sentada sozinha, esperando por um café que na verdade não sentia vontade de tomar. Sua vontade era de ter saído correndo assim que aquela reunião ridícula terminou, mas todo mundo teve a mesma ideia. E a coitada da Bubba havia parecido tão patética e rejeitada que ela sentiu que seria meio maldoso simplesmente dar o fora. Heather a levara até o balcão para escolher algo gigantesco e cheio de gordura trans e carboidrato, no qual ela pudesse encontrar alguma forma de consolo.

Olhou ao redor. O café estava quente e exalava fumaça. Uma legítima chuva estilo litoral-inglês-no-inverno desabava com força nas pessoas lá fora, mas evaporava assim que elas colocavam o pé ali. O lugar estava lotado — não havia uma única cadeira vazia ao redor do balcão — nem tampouco nos dois salões mais atrás —, mas, curiosamente, não era barulhento. E não era, pensou Rachel, porque estava cheio apenas de mulheres silenciosas e bem-educadas. Bem, isso não era exatamente verdade. Na mesa ao lado dela havia um homem com a esposa, mergulhado em silêncio conjugal. Com suas mãos grandes ele segurava um delicado garfo de sobremesa, com o qual de vez em quando cutucava seu mil-folhas. Fora isso, era como se tivesse entrado nas páginas de um romance do século XIX; um romance em que todos os homens estivessem ausentes por causa da guerra, do trabalho ou por terem mais o que fazer.

Algumas eram mais jovens do que ela, com bebês em carrinhos e mamadeiras que precisavam ser aquecidas. O restante, entretanto, era de meia-idade avançada. Algumas eram idosas, até. O estágio seguinte da vida dos membros heterogêneos do Comitê do Baile com Tema Litoral Inglês no Inverno. Suas veteranas.

Ouviu a conversa das mulheres às suas costas. Não podia vê-las, não as conhecia, só conseguia ouvir a idade em suas vozes, mas o assunto da conversa lhe foi instantaneamente familiar.

— E, no fim, ela foi prejudicada simplesmente pelas notas dos trabalhos e das pesquisas escolares...

Claro. Os filhos. Ou, talvez — elas com certeza tinham idade para isso —, os filhos dos filhos. Ou os filhos dos afilhados, ou os filhos dos filhos dos genros e das noras, ou os filhos dos filhos das vizinhas. As notas A de crianças que elas nunca conheceriam pessoalmente estavam sendo divulgadas para gente para quem não teriam significado nenhum. Mesmo assim, todas estavam empolgadíssimas. Ninguém se levantou e disse: "Já chega. Nem sequer conheço essa menina. Não estou interessada se ela conseguiu ou não uma vaga na Leeds. Vamos parar com esse nhe-nhe-nhém chato. E então, vocês já leram o novo livro do McEwan?" Que nada. Elas estavam extasiadas. Estavam verdadeiramente preocupadas com o fato de a garota precisar repetir os exames. Felicíssimas com suas notas A. De dedos cruzados para que ela desse um pé na bunda do namorado safado. Estavam, isso sim, prolongando o nhe-nhe-nhém chato com perguntas interessadas em busca de informações. Eram como a mãe de Rachel e sua amiga Mary e a desgraçada da Rainha do Rinque de Gelo Canadense sendo repetidas à exaustão naquele café, e — Rachel teve a terrível impressão — por todos os condados ao redor de Londres.

Estava desesperada para sair dali e voltar para sua mesa de trabalho. Dominada pelo desejo de fazer algo criativo, substancial, que a arrancasse daquele... bem, afinal aquela era ou não era uma cultura da dependência? Elas melhores do que as pessoas sobre as quais os ministros não paravam de martelar no programa *Today*, pessoas dependentes de benefícios sociais? Não foi o que pareceu, ali, naquele momento, para Rachel. Elas eram parasitas — viviam das vidas, das notícias, das emoções, do progresso dos outros. Se estavam tão interessadas em notas A, por que não levantavam a bunda da cadeira e iam tirar algumas elas mesmas então?

Era esse o seu futuro? Anos dominada pelas escolas dos filhos seguidos de anos conversando sobre as escolas de sei lá quem? O resto de sua vida se abria tediosamente à sua frente como dois tempos de aula de francês numa sexta-feira à tarde. Ela esticou o braço para trás a fim de apanhar seu casaco. Precisava dar o fora dali, ir embora, levar a vida. Tinha acabado de enfiar o braço dentro da manga quando Heather, Bubba, três cafés e um pedaço enorme de brownie de chocolate voltaram para a mesa. Retirou o braço, derrotada.

— Ah, que legal. Que gentil. Obrigada. — Ela apanhou a colher de chá e mexeu o café. — Só um, rapidinho.

— Você tem noção — começou a dizer Heather — de que daqui a um ano estaremos nos preparando para os SATs?

Um ruído — uma espécie de estertor da morte — saiu da garganta de Rachel.

— Tudo bem com você, Rach? — Os olhos de Heather estavam tomados de doce preocupação.

Seja legal, disse Rachel consigo mesma. Seja legal.

— Ah, sim, tudo bem. Ã-hã. É que, você sabe... SATs e tudo o mais...

— Bem, você não tem nada com que se preocupar. — Heather se virou para Bubba. — Poppy está na liderança da sala!

— Enfim — interrompeu Rachel, de modo brusco. — Quando é o próximo almoço do tal rodízio? O último foi há umas duas semanas. É o único momento em que como de verdade, sabem. Eu poderia morrer de fome, que vocês não dariam a mínima. — Rachel estava oferecendo seu sorriso mais simpático, porém Heather nem sequer a olhava nos olhos.

— Hum... Bem... Bea vai oferecer um na sexta, depois do recesso do trimestre.

— Legal...

— Ela... hã... queria limitar a presença, acho eu. Então esse vai ser só para convidadas. Você entende, com o emprego dela...

Então ela realmente me dispensou, percebeu Rachel com um baque. Eu era igual a todas as outras o tempo inteiro. Sempre houve um padrão caleidoscópico na vida de Bea: gente até então despercebida emergia da escuridão, era trazida à luz e entrava no torvelinho do brilho dourado por ser a nova amizade de Bea. Até que, por um motivo ou por outro, tornavam a entrar rodopiando na escuridão, meio sem entender o que havia acontecido, perguntando-se onde foi que tudo tinha dado errado. A própria Rachel assistira àquilo durante anos, de um modo meio despreocupado, desconectado — como uma mortal que de certa maneira acreditava na própria imortalidade, apesar das evidências de que a morte estava à espreita. Tudo bem, então dentre todas ela foi a que durou mais tempo, que deu mais bolas dentro, como se diz. Agora, entretanto, olhe só para ela — acabou descartada como todas as outras. Ora, ora, ora.

— Claro — disse ela a Heather, com compreensão. — Beleza. O emprego. Entendo. Completamente. — Rachel deu de ombros, abriu as mãos (num familiar gesto de Bea). — O Emprego. Claro...

— Ela vai dar um almoço? — Bubba, Rachel estava começando a perceber, não era adepta aos disfarces. Praticava suas emoções como um aluno disciplinado do sexto ano praticaria problemas de matemática: exibindo os cálculos realizados, para que todos soubessem exatamente como ela havia chegado ao resultado.

— *Bea?* Vai dar um *almoço?* — Pausa. — Bea vai dar um *almoço...* e não me convidou?

Lá estavam todas as contas: bem ali, na cara dela.

— Que *vaca* sacana.

Resposta certa!, pensou Rachel. Correto. Ela chegou ao resultado mais rápido do que eu. Bubba saltou da cadeira antes que alguém pudesse contê-la.

— E, já que estamos falando nisso, esse baile não precisa ser o Baile do Litoral Inglês no Inverno, sabem. Se quer dar um Baile da Praia Paradisíaca, vai fundo, garota. Faça o que está a fim. — Ela colocou a jaqueta num piscar de olhos. — O café está bom, o papo está ótimo, mas vejo vocês na escola. — E saiu como um furacão porta afora. Na cinzenta High Street, ela engoliu o ar úmido e virou o rosto na direção da chuva.

15H15. SAÍDA.

Georgie estava apoiada na cerca, de costas para a escola, de olho no carro. Ver Hamish dormindo no banco na cadeirinha do carro lhe trouxe um nó na garganta. Seus cílios compridos tremiam sobre as bochechas durante o sono. Haveria alguma coisa mais linda na face da Terra do que o queixinho cheio de dobras ondulantes como mares numerosos de um bebê bem-alimentado e feliz? Uma luz lavada de outono abriu caminho por entre as nuvens e ela a recebeu com prazer. O jardim bem que poderia aproveitar um pouco de sol. Suspirou feliz e enfiou as mãos mais fundo nos bolsos. Demorou um tempo até ela perceber que Rachel estava curvada ao seu lado.

— Tarde. O que você está fazendo aqui, do lado errado da pista?

— Você sabia que Bea vai dar um almoço depois do recesso do trimestre?

— Boa tarde. Eu vou bem, obrigada. Sim, tem razão, está um lindo dia...

— Desculpa. Oi. Como vai? Etc., etc. Ah, você ficou sabendo? Do almoço de Bea? De seu maldito almoço só para convidadas?

— Hã, sim. — Ela sacou um maço de Marlboro Lights. Com o polegar, empurrou um na direção de Rachel. — Mas eu não vou. Quer um cigarrinho?

— Não. Valeu. Quer dizer que você foi convidada? Puta que o pariu. Sabe do que mais? Acho que vou aceitar. — Ela apanhou um cigarro e se inclinou na direção do isqueiro de Georgie. — Para que ela convidou você? — Deu uma tragada. — Sem querer ofender.

— Imagina. Ando me perguntando a mesma coisa. Comitê disso, almoço daquilo... essa maldita mulher não me deixa em paz. Isso é um abuso, se quer saber! Puro e simples. Aliás, estou pensando em pedir uma ordem de restrição contra ela.

— Quer dizer que você não vai mesmo?

— Por que raios eu iria, pelo amor de Deus? Você devia ter visto o tal do convite. Era a mesma coisa de sempre, a mesma coisa. Esse é o problema desta escola: ninguém aprende. — Georgie balançou a cabeça, em desespero. — Pontuação de matar, como sempre: estava escrito "Almoço para Mãe", apóstrofe S. — A fúria dela foi aumentando. — E os emoticons! Essas coisas infernais pululavam. Smileys, línguas de sogra, a coisa toda. — Bateu a cinza na grama da calçada. — Tem alguém que não consegue abrir mão deles, óbvio.

— Sabe, ela era minha amiga. Minha melhor amiga.

Georgie estalou a língua de irritação. A banalização da expressão "fazer malabarismos" era um de seus ódios antigos; os erros de pontuação, outro. Mas esse era o top dos tops da sua lista de ódios: mulheres adultas chamando outras mulheres adultas de melhores amigas. Galinhas usando terminologia de franguinhas. Era como sair por aí com uma saia curta de colegial e calcinha de babados. Ou ficar aos amassos na rua. Um comportamento completamente inadequado. Francamente, estava desapontada; de todas as pessoas, nunca imaginaria isso de Rachel.

— Uma das minhas melhores amigas. E este ano, justamente este ano, quando tudo está desabando ao meu redor, ela vem sendo uma vaca completa comigo.

Georgie supôs que a simpatia repentina de Bea por ela tinha algo a ver com isso. Era uma forma de transmitir a mensagem de que Rachel estava oficial e adequadamente excluída. Mas ela não iria se rebaixar a ninguém discutindo um assunto desses enquanto esperava em frente à escola.

— Talvez as mais perceptivas entre nós não enxerguem isso como algo tão fora do caráter dela.

— Bem, acho que nunca tinha deixado de estar nas graças dela antes.

— Claro. É como você ia dizendo: eram melhores amigas...

— Até então não tinha sido nada de mais, só um gelo sem importância atrás do outro, por isso eu não sabia se era só minha imaginação. Mas agora... E dói, essa é a verdade. — Ela tossiu por causa da fumaça. — Ela me magoou.

Georgie sentiu vontade de pedir o cigarro de volta. Um cigarro era um investimento numa conversa, e ela havia esperado algum retorno decente por ele. Com Jo nunca ouvia esse tipo de tolice e besteirada, com toda certeza, mas esta tarde novamente ela não estava por ali. Andava tendo de trabalhar cada vez mais horas no asilo e dar cada vez mais duro em casa, enquanto aquele idiota do Steve ficava deitado pelos cantos, "deprimido". Georgie sentia saudades dela. Sempre era possível dar boas risadas com a velha Joanna.

— Eu adoraria dar o troco de algum jeito. Só para humilhá-la um pouquinho, entende o que quero dizer?

Ahá. Isso sim, pensou Georgie. Agora estamos nos entendendo. Ela bateu a cinza do cigarro por cima do ombro e estreitou os olhos para enxergar a meia distância.

— Hummm. Bem. Você poderia fazer um favor para todas nós e acertar um soco nela, claro...

Heather se aproximou, obviamente agitada.

— Rachel, desculpa, desculpa mesmo. Não quis chatear você. Não devia ter soltado a coisa daquele jeito, sobre o, você sabe, o...

— O almoço de Bea. Você pode falar, Heatler. Eu não vou me matar por isso. Está tudo bem. De verdade. Eu preciso trabalhar, de qualquer forma. Não tenho tempo para me preocupar com almoço.

Georgie estava observando Heather com atenção, com a cabeça inclinada para o lado.

— Ah, está tudo bem. Valeu, Rach. Para falar a verdade — Heather se inclinou na direção das duas e baixou o tom da voz —, estou bastante preocupada com isso, pessoalmente.

Georgie, ainda observando, rodeou Heather e depois segurou entre os dedos algumas mechas de cabelo da parte de trás de sua cabeça. Heather continuou falando, corajosamente:

— Tenho medo de que Bea esteja assumindo compromissos demais nesse momento. Você sabe, com o... — Heather acompanhava Georgie com os olhos, cheia de nervosismo.

— Almoço? — sugeriu Rachel.

— É, o almoço e o...

— O emprego?

— O emprego. É. Georgie, o que você está fazendo? Por que está me olhando desse jeito?

— Bem, aconteceu a coisa mais extraordinária do mundo, Heth. Para ser sincera, levei um tempinho para reconhecer você. Você ficou loira. É bem raro, isso: loirice súbita. Acha que a apanhou de tanto andar com Bea? Reflexos são contagiosos?

— Para com isso. Você está sendo maldosa. Foi Colette que fez essas luzes. E Bea disse que ficou lindo, então pronto. — Ela se virou novamente para Rachel. — Enfim. Voltando ao, você sabe...

— Ao Almoço — entoou Georgie, em sua voz de arcebispo de Canterbury.

— É. Sabe qual é o problema? Bea pediu para Colette levar uma sobremesa! Quer dizer, não é nem um pouco a cara de Bea, né?

Georgie soltou um assovio baixinho.

— Nossa, você acha que isso seria uma espécie de, sei lá, pedido de ajuda? — Imitou uma sirene de emergência. Hamish, ainda no banco do carro, abriu um dos olhos claros. — Será que deveríamos organizar uma intervenção?

Rachel riu.

— Realmente não é típico dela. Heather tem razão. É estranho como ela está lidando com esse baile. Normalmente a essa altura já teria providenciado as decorações para as mesas e obrigado a gente a dobrar os guardanapos na forma de alguma ave selvagem exótica de um desses países menos desenvolvidos...

— Nossa! — exclamou Heather, extasiada. — Lembra aquela vez que ela fez umas aves-do-paraíso?

— Me poupe — disse Georgie, irritada.

— ... é que ela parece meio, não sei, desligada de tudo isso. Ela nunca abriu mão do controle de nada na vida dela antes.

— Mmmm. Mui-to interessante. — Georgie ficou pensativa. — É Descartes, né?

— Ah, é? — Heather olhou ansiosamente em torno, com seu Sorriso Bem-Vindo a St. Ambrose já a postos.

— É. Bem, na verdade, não. Não era disso que eu estava falando. Estava falando do comportamento de Bea... Ah, deixa pra lá. Ei. Olhem ali! Tem alguém supermagra com calças de ioga. Heather, não perca seu tempo com a gente. Vá até lá.

E Heather saiu saltitando.

— O que eu quis dizer — Georgie se virou de novo para Rachel — é que Bea está sempre no controle de tudo. Ela é exatamente assim. É a identidade dela. A essência de seu jeito Bea de ser. Ela é a Mulher Que Controla Tudo. Logo, se ela parar de controlar tudo, então vai continuar sendo Bea? Hã?

Georgie estava se divertindo: um pouco de filosofia barata antes de as crianças saírem da escola, o que poderia ser melhor? Percebeu que Rachel também estava sorrindo.

— Sabe de uma coisa? — Rachel pareceu se animar. — Acho que você acabou de me dar uma graaaande ideia!

O dia do almoço de Bea

8H40. ENTRADA

— Ei, só agora reparei: você está com roupas informais.

Rachel assimilou o que Heather estava vestindo: tudo novo, se não estava enganada. Tudo novo, mas meio estranho. Dava para ver o que estava acontecendo ali: obviamente Heather fora levada a um banho de loja, por Bea ou alguém do bando. O novo cabelo loiro, o gloss labial, o jeans skinny enfiado para dentro das botas deveriam, Rachel sabia, contribuir para criar o efeito Bea. Entretanto, obviamente, não funcionou. Não tinha como. Apesar da rotina extenuante de exercícios ter feito com que ela emagrecesse um pouco, essa nova Heather continuava sendo, de modo bastante reconhecível, a velha e desajeitada Heather. Era como Rubens tentando desenhar uma bailarina de Degas. Rachel teve vontade de lhe dizer para parar com aquilo, de salvá-la daquelas bruxas, de salvá-la de si mesma. Andando em passo sincronizado com Heather, murmurou:

— Hã. Humm... Gostei dos seus brincos.

As meninas já estavam lá na frente, equilibrando-se no meio-fio como se ele fosse uma corda bamba sobre as cataratas do Niágara. Rachel ficou nervosa, com medo de que caíssem no meio do tráfego que seguia em direção à escola, porém Heather — a mesma mulher que certa vez tentara banir as canetinhas de ponta de feltro da escola por causa de suas óbvias e assustadoras propriedades fatais — não pareceu perceber nada.

— Bea me mandou uma mensagem de texto ontem à noite dizendo que não tinha tempo pra ginástica hoje de manhã. E ela está certa, claro. — Heather teve um leve estremecimento de empolgação. — Por causa do almoço.

Rachel estava com um ouvido atento às meninas. Alguma coisa estava acontecendo ali.

— Quem cair primeiro tem que falar com ela primeiro!

— Eu tô fora!

Mais tarde perguntaria a Poppy. Estava mais interessada em Heather naquela manhã. Pela primeira vez na vida.

— O grande dia. — Rachel assentiu, encorajadoramente. — O grande dia! E aí, você seguiu minha sugestão?

— Sim. — O rosto de Heather estava radiante. — Vou preparar as entradas.

— Ótimo.

— Se você pisar numa rachadura — Rachel ouviu a vozinha da sua filha dizer —, sua mãe se esborracha na pedra dura!

— Pisou! — Ouviu Maisie gritar vitoriosa, e as duas meninas caíram em risadinhas. Isso não era nada típico daquelas duas... Mas tudo bem, voltemos a assuntos mais importantes.

— E o que você decidiu preparar?

— Filet de canard avec sauce de raisin et des pines, coisinhas de cereal et tempura des endives et, com, hã, bolinhos de couve-flor. — Heather estava radiante de orgulho.

— Uau.

— Eu sei! Acho que vi a receita pela primeira vez no *Come Dine With Me*.

— Hummm. E foi a que ganhou?

— Não, mas chamaram de "complicada demais" e "colisão de culinárias".

Haviam chegado à escola, e Heather começou a correr. Avistara Bea, que estava, Rachel notou, usando calças de pilates. Mas é óbvio: todas cozinharam por ela, por isso Bea teve tempo de sobra para se exercitar naquela manhã.

Rachel deu um beijo de despedida em Poppy, virou-se para começar seu dia e sorriu em silêncio para si mesma. Era como a arte, pensou. Aqueles minutos raros mas mágicos, de pura criação, que compensam pelas terríveis horas, dias e anos passados tentando virar um artista. Em que se começa a pintar uma coisa e, por uma reação química que escapa do próprio controle, surge alguma outra coisa maravilhosa. Quando uma imagem em que não se havia pensado antes simplesmente surge de algum jeito, devido ao próprio processo de pintar. Quando nos vemos desenhando algo que nunca sequer imaginamos que estivesse escondido no ponto cego do olho da mente.

Certo, não era tão bom quanto isso, mas era bastante bom. Ela só tivera a ideiazinha de que, se todas contribuíssem com algo no almoço de Bea, então a própria Bea não teria de mover nenhuma palha pelo próprio almoço e isso roubaria dela o oxigênio de estar no centro de todas as coisas. Não passava de uma brincadeirinha divertida e inofensiva, além de um exercício de psicologia em grupo. Apenas isso. Porém, cá estava a boa e velha Heather elevando a coisa a um nível muito mais dramático. Ela transformara aquilo em algo extraordinário. E, com um pouquinho de sorte, talvez conseguisse envenenar as outras.

— Meu Deus! O que aconteceu? Deixa eu adivinhar. A estagiária de Chris apanhou verrugas genitais? Bea encontrou Tony em casa vestido com calcinha e sutiã?

— Oi, Georgie. E aí, Hamish? Não. Não que eu saiba, pelo menos. Por quê?

— Tem um sorriso de verdade no seu rosto, pra variar. E, sabe, faz um bom tempo que nós do Observatório da Infelicidade de Rachel Mason não registramos a ocorrência de um desses no nosso livrinho... — Ela apalpou os bolsos. — Deixa só eu achar uma caneta...

— Ah, é que hoje é o Almoço de Bea. E até que enfim meu plano de Dick Vigarista será colocado em ação. — Rachel deu uma risadinha de Muttley, depois sua expressão perdeu a alegria de novo. — O único problema é que não vou estar lá para ver. — Ela parou: — Você vai, Geo-orgie?

— Não — respondeu Georgie com firmeza, e continuou andando.

— Mas iria? Mudaria de ideia e iria?

— Não — atirou Georgie por cima do ombro, sem olhar para trás.

— Por favoooor?

— Nããã-ãã-oooo — cantarolou Georgie, dançando em direção ao estacionamento.

— Por mim?

— Está vendo essa coisinha aqui? — Georgie parou e apontou para Hamish, que olhou para a mãe com interesse genuíno. — Isso é o que o governo chama de "pré-escolar". Tem esse nome porque não frequenta a escola. Fica na casa dos pais, ou com uma pessoa cuidando dele praticamente o dia todo. Mas eu reclamo? Não. Porque sabe o nome que dou para isso? Passe livre pra sair da cadeia. Porque isso é a minha desculpa para não fazer absolutamente nada junto de vocês. Sacou? E é por esse motivo que, quando ele for pra escola, eu serei obrigada a produzir mais um. Para tirar todas vocês do meu pé. — Ela rosnou (verdadeiramente rosnou), apanhou Hamish no colo e começou a se afastar.

— Hamish? — Rachel saiu correndo atrás deles e mudou o modo de ataque. — Quer passar o dia com a Titia Rachel, meu chuchuzinho? Vamos pegar todos os carrinhos antigos de Josh e construir uma garagem? Você quer, meu amor? — Hamish se lançou com sua graça de sempre dos braços de uma para os da outra, como um bebê macaco se pendurando em uma árvore.

— Agora você pode ir — disse Rachel a Georgie por cima da cabeça do bebê. — Você sabe que vai ser hilário. De um jeito horrível e gótico.

— Você sabe o que você é, não sabe? Uma sado, isso sim.

— A-hã.

— E uma fracassada.

— Talvez.

— E uma antissocial.

— Ah, não. — Rachel levantou um dedo de advertência. — Isso é algo que eu não sou. — Abraçou Georgie com o braço livre e a acompanhou até o carro. — Se quer saber, sou perfeitamente sociável. Tenho meu amigo Hammy aqui que não me deixa mentir. E, Georgina Martin — ela apertou o ombro da amiga —, confesse: eu tenho você também.

11H. INTERVALO DA MANHÃ

Heather parou diante da enorme casa de Bea e desligou o motor. O ronronar de seu carro híbrido deu lugar ao silêncio monótono do beco sem saída, mas ela não se mexeu de imediato. Ficaria ali sentada só por mais um tempinho, curtindo o momento. Parecia quase impossível que as meninas estivessem na mesma turma há cinco anos — Maisie sempre adorara Scarlett — e, no entanto, Heather jamais tivesse ido à casa de Bea antes. Claro, já a havia visto por fora — embora essa fosse a primeira vez que visse a garagem nova —, pois passara de carro por ali muitas vezes. Bem, só uma ou duas. Muito embora a casa ficasse num beco sem saída. E muito embora ficasse bem na parte sem saída do beco. Não que ela fosse uma maníaca nem nada do gênero, mas o fato é que, como passava boa parte do seu dia imaginando e pensando sobre a família Stuart em geral, queria apenas obter alguns detalhes concretos sobre o tipo exato de residência para situá-los melhor. Só isso. Nada de mais.

A Construção da Garagem fora um grande evento na vida de Bea algum tempo atrás, pelo que Heather lembrava. Tinha sido no trimestre da primavera passada, porque foi na época em que elas estavam tendo aulas de bicicleta, e ela sempre dava um jeito de ficar perto de Bea naquelas aulas, se chegasse cedo o bastante para isso, e ouvir a conversa sobre os pedreiros e coisa e tal. Se havia entendido bem, Bea ficara indecisa quanto aos gastos de tudo aquilo e quanto ao impacto que causaria na fachada de sua casa. Para Heather era legal dar uma boa olhada no resultado agora, após tantas conversas sobre o assunto — ouvidas de orelha, mas tudo bem. Ela se inclinou de leve para olhar por baixo do espelho retrovisor e ter uma visão melhor. Hummm. Não tinha certeza se era uma fã de garagens de modo geral ou se apenas daquela garagem específica. Antes a casa tinha um canteirinho de flores; ela se lembrava de admirar as peônias e anotar mentalmente o tipo para que depois pudesse... bem, não exatamente copiar, mas colocar algumas em sua casa também. Aquele canteiro dava à casa dos Stuarts a ilusão de ser a maior da rua. Ai, ai. Se Bea tivesse pedido sua opinião naquela época, Heather talvez tivesse aparecido com uma. Mas Bea não pedira. Porque, naquela época — na época de sua Idade das Trevas particular —, Bea nem sequer sabia o nome de Heather.

Bem, aquilo foi antes, agora era agora. E ali estava ela, com o banco de trás do carro lotado de ingredientes da entrada mais chique do mundo, prestes a irromper na cozinha de Bea e preparar um almoço para ela e suas amigas. Heather quase precisava se beliscar. Como tinha ido longe, hein?

Um dos problemas de escolher uma receita tão complicada era precisar começar o preparo com bastante antecedência. E Heather havia sido, percebeu com satisfação assim que saiu do carro, a primeira a chegar. Portanto, seriam só ela e Bea por algum tempo, pensou, ao se inclinar para apanhar todos os caixotes e caixas e sacolas térmicas. Só ela e Bea — fechou a porta do carro com um chute. Só ela e Bea na cozinha de Bea — ajustou o peso de sua carga pesada, atirou o cabelo novo para trás e caminhou um pouco bamba pela trilha que levava até a porta branca da entrada. Uma reunião de amigas. Passando o tempo, jogando um pouco de conversa fora, só isso.

12H. INTERVALO DO ALMOÇO

Isso vai me conquistar alguns pontos de escotismo, pensou Rachel enquanto empurrava o carrinho de Hamish pela trilha da entrada. Ela jamais "dava uma passadinha" na casa da mãe. Nunca. Para ser sincera, nunca "dava uma passadinha" na casa de ninguém. Não acreditava nesse tipo de coisa. Era, sem querer aumentar demais a coisa, uma questão de fé pessoal: se Deus achasse que devíamos "dar passadinhas" na casa dos outros o tempo inteiro, Ele jamais teria se dado ao trabalho de inventar a fechadura, não é? Nem precisa dizer que a mãe era uma professante devota da crença oposta, praticamente a santa padroeira da passadinha na casa dos outros, do "me conta" e do "só uma xicarazinha rápida". Era justamente essa espécie de conflito religioso profundo que emprestara ao relacionamento das duas aquele sabor picante dos últimos meses, uma coisa meio árabes/israelenses com uma pitada de Irlanda do Norte.

— Bem, isso aqui — murmurou ela por cima da cabeça de Hamish — é uma espécie de missão de paz. Observe e aprenda, criança. Observe. E. Aprenda.

Ela sorriu para um homem que martelava a cerca.

— Dá para a gente passar por aqui. — E manobrou o carrinho pela lateral da casa e pelo quintal dos fundos.

— Cuidado com a escada! Você não precisa de mais azar! — gritou o pai de Bea alegremente lá do alto, perto da calha.

— Rachel! — A mãe ergueu os olhos do canteiro onde espalhava jornais velhos. — O que diabos está fazendo por aqui? — Ela parecia surpresa, mas, reparou Rachel, não muito feliz.

— Ah, pensei em dar uma passadinha, só isso. — Rachel tentou controlar a ânsia de vômito ao dizer "passadinha".

— Para quê? — Ela estava mais do que apenas não muito feliz: estava na verdade bastante irritada.

E, pressionada daquela maneira, Rachel não conseguiu se lembrar.

— Hum. Bem. A gente estava dando um passeio e... hã... imaginei se você não precisaria de... hã... uma ajuda? — Ela olhou ao redor do Sítio de Orgânicos da Vovó Howard, vulgo jardim do número 32 da Webster Close, e viu que o lugar já estava cheio de ajudantes, toneladas deles, em toda parte, todos bastante idosos e ocupados capinando, preparando a terra, plantando e construindo. Naquela tarde, o local parecia quase pitoresco: um verdadeiro exemplo de antiga comuna agrária. Onde estava Breughel quando você mais precisava dele?

— Tsc. Não preciso de ajuda nenhuma — desdenhou a mãe, levantando-se. — Somos bastante autossuficientes por essas bandas, muito obrigada.

Claro que sim.

— E suas abelhas? Quer aproveitar que estou aqui para abrir as colmeias?

— Ah, honestamente, Rachel? Você chegou tarde para isso. Eu fechei as abelhas semanas atrás. — Ela apanhou uma espátula para desenterrar plantas e uma cesta para verduras.

— Fechou? — Rachel olhou para os fundos do jardim, onde estavam as colmeias. — Você as coloca para hibernar?

— Hummm? Imagina. — O "imagina" da mãe, assim como o "tsc" que ela deu, estava cheio de desdém. — Claro que não. Mas a colmeia precisa ser devidamente fechada para o inverno, senão não vai sobreviver. É uma época perigosa para as abelhas.

Rachel balançava o carrinho de Hamish ritmadamente, imersa em reflexões. Todas aquelas abelhas, tão cheias de vida, tão cheias de si poucas semanas atrás... e, no entanto, agora era uma época perigosa para elas.

— Por quê? Perigosa por quê?

— O inverno. É um enorme perigo. — A mãe atirava as palavras por cima do ombro enquanto trabalhava. — Frio. Doença. Morte. E a umidade. A umidade é a pior coisa para as abelhas. Se entrar chuva na colmeia, é o fim. Por isso agora elas estão bem juntinhas ali dentro, ao redor de sua rainha, mantendo-a viva. Tocando as coisas. Como vai esse composto? — gritou a mãe para o outro lado do jardim.

O olhar de Rachel estava cravado nas colmeias. Extraordinário. Apenas três caixas brancas, era isso o que pareciam, três caixas brancas bastante comuns. Entretanto, ali dentro estava acontecendo uma heroica luta darwiniana pela sobrevivência.

— Mas, mãe... Se você não as abrir, como vai saber se sobreviveram ou não?

— Não vou. Não até a primavera chegar. E, mesmo assim, não saberemos imediatamente se a rainha conseguiu sobreviver ou não. Só dá para ter certeza se a rainha morreu depois que todo o processo recomeçar. Então, fica bem óbvio. — Ela puxou algumas cenouras do solo e sacudiu a terra delas. — Porque aí é o caos.

— É mesmo? — perguntou Rachel, incerta. — Então por que elas simplesmente não arrumam uma nova rainha?

— Uma nova rainha? — Sua mãe pisoteou a trilha que ladeava a horta de legumes. — Uma nova rainha? — Ela estalou a língua com desprezo e revirou os olhos para o céu. — Como se fosse a coisa mais fácil do mundo! — Ela gritou para o pai de Bea: — Você ouviu essa, Graham? Arrumar uma nova rainha!

— Mas isso é possível, sabia? — admitiu Graham, aprumando o martelo com um prego. — Dá para mandar trazer uma nova, você sabe.

— Humpf! — A mãe agora estava completamente irritada. — Claro que dá! O dinheiro compra tudo. Mas as abelhas não vão aceitar uma nova rainha assim do nada, não é? Vão escolher a rainha que quiserem, e não há muito o que possamos fazer a respeito. — Ela endireitou a postura e olhou decididamente para a filha pela primeira vez. — Ah, *Rachel*. — Apontou as cenouras na direção de Hamish e adotou seu tom de voz de o-que-foi-que-você-aprontou-dessa-vez. — Esse bebê aí não é *seu*.

— O QUÊ? — Rachel se virou e olhou para o carrinho com horror fingido. — Oh, meu Deus, mãe! Você tem razão! — Bateu a mão espalmada contra a boca. — O que foi que eu fiz? Não me lembro de nada... Só sei que num minuto eu estava fora do supermercado e... aí... meu Deus... devo ter perdido os sentidos...

O pai de Bea gargalhou.

— Ahá. Isso quer dizer que Georgie está lá, então. — As cenouras agora apontavam acusadoramente para Rachel. — Até Georgie foi ao almoço de Bea. Mas você não. Claro. Para você — ela balançou as cenouras enfaticamente — sobrou cuidar do bebê.

— Eu não a culpo — gritou Graham, alegre. — É porque ela não é uma monga como as outras. Não é, Rachel?

Rachel sorriu e acenou agradecida na direção da calha, depois se virou para ir embora.

— Acho que vou indo. Antes que você chame a polícia.

Manobrou de ré pela trilha lateral, sorrindo. Gostava do pai de Bea. Gostara de seu próprio pai, é claro. Naquela época, ela frequentava mais a casa da mãe — na época em que o pai estava vivo. Na época em que ela podia esperar uma conversa mais sensata e um pouco de paz e silêncio. Naquele tempo, as coisas eram bem mais tranquilas. Agora que a casa e o jardim pareciam em movimento perpétuo, ela não gostava tanto de estar por ali. Balançou a cabeça ao sair. Como seu pai teria odiado toda aquela besteira de autossuficiência. Provavelmente era uma bênção que tivesse sido poupado de tudo aquilo.

Entrada

Filet de canard avec sauce de raisin et des pines et tempura des endives avec bolinhos de couve-flor

Tempo de preparo: bem, na verdade dias, se levar em conta o planejamento e as considerações e sei-lá-mais-o-quê

Tempo de cozimento: não o suficiente. Nem de longe o suficiente.

Heather passou alguns pratos ao redor da mesa e sentou entre as comensais em silêncio.

— Uau! — exclamou Bea, simpática. — Que divertido. O que é isso aqui mesmo, Heather?

Heather fechou os olhos ao responder. Talvez, quando pronunciasse as palavras, elas se transformassem em realidade, como por um passe de mágica.

— Filet de canard avec sauce de raisin et des sei lá o quê de pine e tempura des endives avec bolinhos de couve-flor.

Abriu os olhos novamente. Nenhuma mudança.

Georgie apanhou a faca, ergueu sua porção de filé de pato e espiou por baixo dele. Heather já estava constrangida o bastante sem as encenações de Georgie.

— Só que, hã, os bolinhos meio que não deram certo, por isso achei que poderíamos...

Georgie levantou o prato ao nível dos olhos e deu uns tapinhas no fundo, em busca de evidências sonoras de algum compartimento secreto.

— E o, hum, tempura, bem... Colette tirou o batedor de ovos da minha mão, e aí...

— Não jogue a culpa em mim! — cortou Colette. — Você teve a cozinha só pra você a maior parte do tem...

Bea levantou uma sobrancelha. Colette fechou a boca.

Georgie inclinou o prato ligeiramente, para verificar a presença de líquidos.

— Oh — concluiu Heather, em tom de lamúria. — O molho. Eu... devo ter... esquecido o molho.

— Vamos simplesmente chamar de Pato com Pinoli, sim? — pediu Bea para a mesa enquanto apanhava seus talheres. — Dois dos meus pratos absolutamente favoritos, e além disso praticamente Atkins. Só proteínas, nada de carboidratos. Heather, você é sensacional. Que delícia. Comam.

Heather estava arrasada demais para apanhar o garfo. Aquela manhã não havia corrido como o planejado. Toda aquela história de um agradável jogar conversa fora acabou não acontecendo. Em vez disso, Bea tinha aberto a porta, exclamado algo sobre o novo visual de Heather — ela reparou em tudo, nas botas, no cardigã; Bea enxerga mais coisas do que Rachel, a verdade é essa — e depois sumido para tomar uma ducha. E, tão logo Heather descarregou todos os ingredientes na ilha da cozinha e foi até o quadro branco para verificar os convites e compromissos marcados ali, a campainha tocou de novo e depois de novo e todas as voluntárias entraram em bando e se espalharam ao redor da cozinha como ovos quebrados, de forma que Heather praticamente se viu expulsa da casa pela porta dos fundos, quase caindo na caixa pintada na qual se lia GALOCHAS. Muito embora a maior parte dos ingredientes das outras tivesse saído de alguma embalagem escrito TESCO FINEST e ela, Heather, estivesse tentando cozinhar, realmente cozinhar como manda o figurino.

Heather se atreveu a erguer os olhos para a mesa e viu, para sua surpresa, que elas estavam fazendo exatamente o que Bea lhes mandara fazer. Estavam comendo. Era outro milagre. E então Bea ergueu o copo para propor um brinde. Com certeza não ao Pato com Pinoli... Embora, na verdade, aquela fosse uma combinação bastante boa, ainda que simples...

— Estou *tão* feliz por vê-las todas reunidas aqui hoje. Sabem, esse almoço — Bea sorriu para a mesa inteira — é mais do que somente outro evento de arrecadação de fundos. É um Muito Obrigada. Um Muito Obrigada de uma Bea extremamente agradecida para vocês, pessoas *maravilhosas*, por me ajudarem no malabarismo...

Georgie encolheu o corpo.

— ... do meu primeiro período escolar como uma *profissional*.

— Foi um prazer.

— Nós nos divertimos tanto com seus filhos.

— Eu não fiz nada — Georgie apontou a faca para Bea — para ajudar você, absolutamente nada.

— Estou surpresa — disse Clover — por Bubba não estar aqui. Ela não foi levar as crianças ao Thorpe Park pra você?

— Humm. — Bea estava mordiscando um pinoli, fazendo com que durasse. — Infelizmente ela não pôde comparecer hoje, uma pena. — Pousou a faca e o garfo no prato. — Espero que eles estejam se adaptando bem. Scarlett anda meio preocupada com o pobrezinho do Milo, disse que ele está terrivelmente infeliz, desconfia que seja um caso para Crianças Especiais. O filho de alguma de vocês chegou a falar sobre ele?

— Meus filhos acham que ele é irritante — comentou Colette. — Outro dia pediram para ele ficar no gol e Milo deitou lá dentro! Ele é um pouquinho estranho...

— Vocês acham que ela dá Fruit Shoots para ele? — interrompeu Clover, ansiosa.

— ... mas não dá pra dizer que estavam exatamente preocupados.

— Ah, tenho certeza de que não deve ser nada. Vou ter uma palavrinha com a professora deles; toda a equipe da escola virá jantar aqui em casa na semana que vem. Mas vocês sabem como é a Scarlett; como se fosse a mãe de todos na escola.

— Uma menina encantadora.

— Com certeza a próxima líder.

— Não sei — suspirou Bea. Parecia sinceramente preocupada e incerta. — Toda a família Green parece... ah... não sei bem... o que, na opinião de vocês?

— Eles não se encaixam — declarou Colette com firmeza.

— Como? Você acha que eles *não são como nós*? — A pobre Bea parecia tão preocupada.

— E nem queremos que sejam, se a única coisa que sabem fazer é mandar ver nos Fruit Shoots — acrescentou Clover.

Bea ficou estupefata.

— *Sério?* Não queremos? *É isso*, então? — Ela balançou a cabeça, com tristeza. — *Essa* é a opinião geral? Sempre achei um encanto que nossos filhos se misturassem com *todo* tipo de gente *diferente*. Mas vocês acham que, talvez, seja melhor que os coitadinhos dos *diferentes* vão para algum outro lugar, um lugar onde possam verdadeiramente *florescer*?

Heather teve a impressão de que, no fundo, tinha lá suas dúvidas sobre o que Bea acabara de dizer. Maisie adorava Milo, não era? Contudo, antes de ter a chance de abrir um espaço mental para pensar nesse assunto — que era afinal um osso duro de roer —, Georgie de repente borbulhou como leite numa panela.

— Bem, felizmente o que você acha ou deixa de achar não tem a mínima importância, Beatrice. — Ela estava cuspindo pinolis para todos os lados. Era nojento, para falar a verdade. — A política de inclusão dos parâmetros nacionais de educação é uma das coisinhas que você não pode varrer dos seus ombros tão carregados de atribuições. — Levantou-se. — Porque não cabe a você. Meu Deus!, preciso de um cigarro. — E Georgie saiu como um furacão porta afora.

Bem, pensou Heather. Elas estavam só conversando, com certeza não havia a menor necessidade daquilo. Heather olhou para Bea, sentada no centro da mesa oval com a testa levemente franzida, com uma aparência fantástica. Enquanto Heather tentava cozinhar, Bea tinha lavado e alisado seus longos cabelos loiros e parecia tão cintilante, tão elegante. De tempos em tempos, piscava seus estreitos olhos azul-claros e retorcia suas feições bem-proporcionais em um sorriso bonito, enquanto as vozes se erguiam, rodopiavam e borbulhavam ao seu redor. Oh, Bea, pensou Heather sonhadoramente enquanto observava aquela visão. Oh, Bea...

O barulho fora registrado pelo inconsciente algum tempo atrás, mas somente agora a parte consciente o havia identificado. Cantarolando: Rachel estava cantarolando. Vinha subindo o morro, empurrando o carrinho de Hamish e cantarolando como uma... como uma pessoa feliz, ou algo do tipo.

Rachel tinha se esquecido daquilo tudo: de como é bom ter uma criança pequena por perto; de como elas imprimem suas rotinas assoberbantes no dia de todos ao redor. Eram apenas uma e meia da tarde, mas ela já fora com ele ao parquinho, dado fruta, suco e lido uma historinha no meio da manhã, trabalhado um pouco enquanto Hamish brincava no chão ao lado dela e compartilhado um delicioso almoço: nuggets de peixe e verduras. Até dera uma passadinha na casa da mãe. Era tanta coisa a mais do que ela em geral conseguia fazer que Rachel se sentiu bastante envergonhada. De onde vinha aquela ideia de que as crianças pequenas acabavam com a diversão e prendiam uma pessoa? O fato de os filhos ficarem na escola durante o dia só resultava em horas e horas de uma liberdade da qual ela desfrutava presa, olhando para suas quatro paredes, sobrevivendo à base de rações miseráveis e, no fim do dia, obtendo quase sempre merda nenhuma.

Ela deu a volta na cerca da escola e virou à esquerda, passando pela pequena Budgens. Hamish cochilava. Após a agência dos correios, chegou ao topo da Mead Avenue. A adorável Melissa não disse que havia acabado de se mudar para a Mead Avenue? Parecia incongruente, de alguma forma, imaginar aquela criatura exótica estabelecendo-se ali. Rachel entrou na avenida para observá-la melhor. Era comprida e estreita, descia morro abaixo e se enovelava na curva do terreno, porém seu único traço distintivo decente acabava aí. Todas as residências eram recém-construídas e exatamente iguais: casas quadradas e equilibradas, projetadas para famílias quadradas e equilibradas. Nem um único triângulo de arestas agudas, como a casa dela. O cantarolar, reparou Rachel, interrompeu-se.

Ali era uma região primordial de captação de recursos da St. Ambrose, portanto Rachel sabia bastante sobre o grupinho da Mead Avenue. Eram de fato um grupinho, com seus Fogos de Artifício da Avenida, seu Churrasco da Avenida e suas idênticas Luzes de Natal da Avenida; estavam sempre ocupados planejando alguma coisa. Tudo era comunidade disso, comunidade daquilo, coisa que irritava Rachel. Um sol invernal fraco cintilou sobre os gramados bem-aparados e se refletiu nas calhas limpas. Provavelmente o sol sempre brilhava na Madison Avenue; ele não teria coragem de fazer qualquer outra coisa senão isso. Ou seria aquilo apenas o mero brilho radiante natural da arrogância da vizinhança? Só porque os agentes imobiliários chamavam aquele local de "endereço desejável", os moradores pareciam achar que todo mundo queria viver ali. Bem, não Rachel Mason, muito obrigada.

Ela empurrou o carrinho morro abaixo, segurando-o com firmeza para resistir ao forte empuxo gravitacional. O zumbido do motor do aparador de sebes a tomou de surpresa antes mesmo que ela virasse a esquina. Coisa maldita!, pensou Rachel. Com certeza nem mesmo Hamish seria capaz de dormir com aquele barulhão. Então se virou e viu uma casa diante de si que não havia notado antes. Como poderia ser possível? Não era nova; talvez fosse até mesmo vitoriana, com certeza bonita, significativamente maior do que as vizinhas, substancial em vez de grandiosa. Localizava-se atrás de uma alta e gigantesca cerca viva Leylandii, no topo de um gramado inclinado, e estava na cara que ela nunca havia reparado naquela residência porque não conseguira vê-la. Uma enorme árvore antiga diante da casa estava praticamente despencando. O lugar devia estar escondido há décadas atrás de toda aquela folhagem. O barulho monótono do aparador continuou. Enfrentava outro galho. Rachel e o carrinho passaram pela cerca viva alta, chegaram à trilha da entrada, espiaram pelo jardim. E ali, com protetor de ouvidos e aparador em punho, estava Melissa.

Prato principal

Salada de pato agridoce

Tempo de preparo: difícil dizer, porque Sharon foi até a casa de Jasmine para começar a cozinhá-la, mas, com o café e a conversa, a manhã passou voando

Tempo de cozimento: muito maior se aquela tal de Heather não tivesse se apropriado do fogão, obrigada por perguntar.

— Ah, que divino! — exclamou Georgie enquanto o prato era colocado à sua frente. Só havia voltado para dentro porque, após o lamentável esforço de Heather, continuava morrendo de fome, e vejam só: — Pato. — Ela apanhou os talheres com ar de esgotamento.

Do outro lado da mesa, viu Heather como vira Heather com tanta frequência nos anos anteriores: nervosa, pressentindo alguma espécie de desastre e tentando avaliar o quanto dele seria por culpa dela. E, claro, sem fazer a mínima ideia.

— Bem, isso aqui é um desastre e meio, né? — comentou Clover num esclarecimento útil. — Graças a Deus que comprei aqueles canapés...

— Desculpa — gaguejou Heather. — Nós... Eu devia ter coordenado melhor.

— Imagine! — disse Bea, simpática. — Temos tanta sorte por você ter preparado tudo isso, é tudo tão especial, um privilégio. Da próxima vez, Jasmine, talvez você pudesse usar um pouquinho mais de óleo de gergelim. E acho, Sharon, que não faria mal deixar o pato mais dois minutinhos no fogo. Fora isso, uau, que delícia.

— Cozinhar — declarou Georgie, em seu tom de *MasterChef* — não pode ser mais difícil do que isso.

Bea quebrou o silêncio que se seguiu.

— Ainda tem algo dentro dessa garrafa, Abby?

A garrafa estava na frente de Bea. Abigail se levantou, deu a volta na mesa e encheu o copo dela. Georgie levantou o seu também — como Abigail estava ali, poderia aproveitar para dar uma incrementada no copo dela também —, porém nada aconteceu.

— Espero que vocês todas ainda me aceitem no ano que vem, quando as crianças forem para o ensino médio. — Abby estremeceu. — Meu Deus, nem acredito que isso vai mesmo acontecer. É assustador.

— O filho da minha amiga acabou de começar no ensino médio este ano — comentou Clover. — Ela disse que é um inferno completo.

— Estamos todas de olho em você, sabe, para ver qual escola vai escolher — disse Jasmine para Abby. — Você poderá testá-la por nós.

Georgie bocejou um bocejo espetacular.

— Tão difícil, tão difícil — continuou Abby. — Qual a escola certa? A mãe de Ashley, sabe...

— A gorda — comentou Colette.

— Dá-lhe Fruit Shoots.

— É. Bem, ela...

— Oh, querida — ganiu Heather. — Será que a gente não pode mudar de assunto?

— Não, sério? — disse Georgie com voz arrastada, revirando os olhos. — E parar de falar de escolas? — Deu uma fungadela. — Precisamos mesmo?

— Certo, Georgie — interrompeu Bea, com um sorriso iluminado. — Que tal falar sobre trabalho então? Por que não conversamos sobre *trabalho*?

Lá vamos nós, pensou Georgie: mas eu topo a parada.

— Ah, sim, Bea — retrucou ela, com entusiasmo. — Trabalho. Você agora tem um interessante emprego novo, ouvi dizer? Por favor, me atualize. Estou ansiosa para saber de tudo.

— É de fato *fascinante* — declarou Bea para a mesa — estar no mundo novamente. Ser *independente*.

— Eu sempre estive no mundo — protestou Colette.

— Somos muito independentes — disseram Sharon e Jasmine.

— Mas vocês não acham que alguém tão *inteligente* quanto Georgie seria mais feliz se voltasse ao mercado de trabalho? Por favor nos conte, Georgie. — Os olhos de Bea estavam se banqueteando com a visão de Georgie. Aquilo a estava deixando muito irritada. —

O que era mesmo que você fazia que era tão *inteligente*? — Georgie soltou um muxoxo. — Direito? É isso?

— Ela era tão poderosa! — guinchou Heather.

E não é que eu era mesmo?

— Muito brilhante na carreira.

Ã-hã. Não posso dizer o contrário...

— E era um trabalho tão interessante...

Ah, pensou Georgie. Preciso parar vocês bem aí. E dizer que era razoável. Bacana. Interessante. Às vezes. Mas outras vezes — que pareciam demorar muito mais, embora talvez não demorassem — era um inferno de tão entediante. Olhou para a comida e cortou uma fatia do pato.

— *Impressionante*. — Bea olhou para Georgie enquanto mordiscava uma folha de endívia. — E, contudo, olhe só para você agora. Vegetando em casa com as crianças. — Balançou a cabeça com tristeza.

Georgie se inclinou para a frente e demorou alguns segundos olhando apenas para a mesa, evitando todos os olhares. Eu poderia interromper todas vocês nesse ponto também. E mostrar que, na verdade, é o contrário.

Que sua vida agora era uma vida de pura e refinada criatividade. Que tudo o que ela fazia — refeições, jardins, filhos, o lar, a família — trazia consigo uma satisfação profunda que ela jamais havia conhecido antes. E que, enquanto estava criando tudo aquilo, lia mais livros, ouvia mais música e desfrutava de mais liberdade para simplesmente refletir do que jamais pudera fazer quando estava no mercado de trabalho. Podia pensar no que quisesse, a hora que quisesse. Era um privilégio e tanto, de verdade. E Georgie se sentia mais inteligente agora do que jamais se sentira em toda a sua vida. Tão inteligente, de fato, que sabia que era melhor calar a boca e engolir aquilo para si mesma.

— Acredito — continuou Bea — que, se você é alguém qualificada em uma posição tão *absurdamente poderosa*, então deveria continuar trabalhando. Que é meio imoral não fazer isso. Se você estudou para fazer algo, então não *deveria fazê-lo*?

142

Georgie se serviu pela terceira vez. E pensou na época em que trabalhava como advogada. E nos milhares de advogados com anos de experiência à frente dela. E nos milhares de advogados que saíam das faculdades e se acumulavam atrás dela. E na sensação, que a levara bem perto de pirar naquela época, de que todos deslizavam em uma longa fila altamente qualificada que parecia se estender sem sentido do berço até o túmulo.

— Agora, a sobremesa — anunciou Colette, pondo-se de pé em um salto.

E então o instante, o instante de revelação de sua vida, quando ela tivera Kate nos braços pela primeira vez e olhara para aquele rostinho enrugado, aqueles olhinhos preocupados que tentavam extrair algum sentido das primeiras imagens transmitidas por eles. O instante em que Georgie pensara: ah. Aqui está. Finalmente. Aqui está a única coisa que somente eu posso fazer.

Ela se levantou e agitou o maço de Marlboro Lights.

— Só vou dar um pulinho lá fora para poluir seu jardim um pouco mais, se me dá licença.

— Agora me diga. — Rachel estacionou Hamish no corredor e andou até a cozinha. — Em que posso ajudar?

Houve uma pausa, um ruflar de asas, enquanto suas palavras pairavam no ar antes de Melissa responder.

— Que gentil da sua parte. — Sorriu enquanto deslizava o casaco de jardinagem pelas costas de uma cadeira. — Mas creio que *provavelmente* consigo dar conta de tudo sozinha. Que tipo você quer? — Ela abriu o armário acima da chaleira. — Earl Grey? Builder's?

— Hummm?

Rachel estava tão distraída, tão absorvida pelo novo ambiente que nem estava escutando. Uau, era o que estava pensando naquele exato momento. Uau, e: que cozinha. Uma quantidade desproporcional da vida profissional de Rachel era gasta desenhando cozinhas — imaginando-as, projetando-as, colorindo visões delas que, juntas, deveriam formar um todo coerente — porque, em seu pequeno reduto da literatura mundial, as cozinhas eram importantes. Era nas cozinhas que morava a ação. Elas estavam para os livros infantis assim como o sótão estava para os livros de horror: eram o lugar onde, em algum momento, o herói — ou as botas do herói — precisaria ir — o lugar onde sempre se podia confiar que as coisas iriam acontecer.

— Você tem um *lesbian*?

Mas nem mesmo sua imaginação fértil e sua caneta virtuosa poderiam imaginar uma cozinha tão, bem, tão cozinhante quanto aquela. Era de um tom de ocre que cintilava com um brilho cálido e dourado. Toda a parede dos fundos via-se tomada por um armário no qual panelas pretas e brancas aguardavam obedientemente em fila, como empregadas em um casarão, a postos para o serviço. Havia uns dois armários colocados na altura dos olhos. Rachel sempre preferiu armários sem portas onde fossem possíveis, mas aqueles poderiam ser perdoados, pois as portas eram de vidro e revelavam itens de bom gosto — ela pôde ver vidros de geleia caseira e de chutney bem-organizados, frascos com mel da região. Era tudo uma visão maravilhosa, pensou Rachel: não chique nem retrô de um jeito assustador, mas um hino perfeitamente atemporal às virtudes domésticas onde todos — Mrs. Bridges, Mrs. Tiggy-Winkle, Nigella — poderiam se sentir à vontade.

Rachel, sentada à ampla mesa de carvalho, perdida em devaneios, de repente se lembrou de si mesma.

— Desculpa. Eu estava longe. Quis dizer um chá de ervas. Quero dizer, se você tiver algo assim.

Melissa deu as costas para a chaleira e sorriu ao estender a xícara para Rachel.

— O que achou que eu achei que fosse? Uma orientação sexual ou coisa do gênero?

Rachel riu, encantada. Alôôô, pensou. Eu sabia que iria gostar dela.

— Mmm. Menta. Que delícia.

Rachel estalou os lábios e estendeu a mão para apanhar um biscoito. O aconchego da cozinha, a hospitalidade de Melissa, a profundidade da soneca de Hamish, tudo aquilo combinava para que ela se sentisse estranhamente relaxada; quase embriagada. Apoiou os pés na cadeira ao lado e inclinou o corpo para trás.

— Então, o que a trouxe para estas bandas? Você é nova por aqui, isso dá pra notar.

Melissa soprou por cima da xícara e assentiu.

— Bem, surgiu uma boa oportunidade na minha área aqui. Além disso, meu marido tem que viajar muito por conta do emprego novo e precisávamos estar mais perto de um aeroporto, se quiséssemos vê-lo. O que, por acaso, queremos.

— Bacana — comentou Rachel, pegando outro biscoito. — Meu marido viajou para nunca mais voltar.

Melissa olhou fixo para ela por sobre a borda da xícara.

— Como foram as coisas com seus filhos naquele dia? Com o pai deles.

— Ah, sei lá. — Ela esfregou o pescoço. Um músculo ali atrás parecia em câimbra quase constante desde o dia em que Chris foi embora. — Eles não me contam muita coisa quando voltam. Ele está fazendo tudo errado, se quer saber. Está sempre atrasado, sempre com pressa, sempre pegando as crianças num dia diferente da semana. E os arrasta para territórios neutros — estádios de futebol, cinemas, pizzarias —, quando a única coisa que eles querem é ficar em casa e serem normais. Mas aqui vamos nós. Se ele pisar na bola com as crianças, o problema é dele, não é?

— Com certeza! — disse Melissa, em apoio. — Deixa ele se virar. — Então ela se levantou, foi até a pia e, de costas para Rachel, no tom de quem está pensando em voz alta, disse: — Bem, só que... acho... que você é mãe deles também.

— É. — Rachel bebericou seu chá. — Verdade. Esse é o outro lado. Não faz sentido eu ficar preocupada em evitar que eles se afastem do pai, se no fim ele vai estragar tudo mesmo.

— Deve ser tão difícil. — Melissa estava inclinada dentro do lava-louça. — Já não mais um casal, e contudo pais para sempre.

Rachel engoliu em seco. Parecia haver muito para ser absorvido na cozinha de Melissa. E Rachel já tinha comido biscoitos demais. Era difícil digerir tudo aquilo de uma só vez.

Sobremesa

Suflês de chocolate et Grand Marnier

Tempo de preparo: sinceramente, minutos. Todo mundo acha que fazer suflê é dificílimo, mas, na verdade, eu os preparo em um piscar de olhos.

Tempo de cozimento: nem sei. Enfie-os no forno e eles crescem.

Observação: prometo, todos os homens amam essa sobremesa.

— Uau. Olhem só para isso — disse Bea, simpática. — Acho que temos nossa grande vencedora! Colette, isso está com uma cara *sensacional*.

Heather olhou para seu suflezinho individual perfeito e sentiu o estômago se revirar enquanto tentava digerir toda aquela quantidade de pato. Vencedora? Ela não sabia que haveria uma vencedora.

— Creio que todas nós demos o melhor de si — comentou Sharon.

— Claro que deram. Vocês todas foram fantásticas. Tão prestativas. Sabem de uma coisa? — Bea sorriu para elas. Seus dentes eram tão alinhados e brancos. — Acho que não teria conseguido fazer isso tudo sem vocês.

E todas retribuíram o sorriso.

— A gente não quer, obrigada, Colette. — Sharon e Jasmine ergueram cada uma a sua mão. — Melhor não.

Heather estava justamente apanhando a colher, prestes a cair de cabeça no suflê — não dava para negar que parecia delicioso —, quando um coro começou a irromper pela mesa.

— Não, eu não.

— Melhor não.

— Não ouso.

— Bem, eu quero. — Georgie tinha voltado para a mesa, cheirando a fumaça de cigarro. — Passe um desses pra cá, Colette. Para ser sincera, provavelmente eu poderia dar conta de mais uns dois...

Um a um, os ramequins foram empurrados para Georgie até formarem uma rodinha em volta dela, isolando-a do restante da mesa. Ela se pôs a comer em silêncio, metodicamente demolindo as porções.

— Adoraria comer um, mas estou enorme. Não sei o que anda acontecendo comigo — comentou Jasmine, que, para Heather, mais parecia um graveto.

— Eu estou pior ainda, olhe! — Sharon levantou a camisa e segurou uma camada de epiderme para mostrar à mesa.

— Minha bunda — Colette se levantou e se virou de costas para a mesa — nunca, nunca foi desse tamanho. — Ela a balançou para demonstrar. — Será que é uma doença quando a bunda da gente simplesmente, sabe, adquire vida própria? Tipo gigabundismo ou algo assim?

— Não! Grandtraseirorreia — disse Jasmine num gritinho agudo, pondo-se de pé num pulo.

Heather lambeu sua colher suja de chocolate e sorriu. De repente, o almoço tinha ganhado vida. Contribuía o fato de Georgie estar agora ocupada com todos os suflês e ter parado de escarnecer de tudo. Mas não era só isso. Havia uma alegria nova no ar. Todas estavam pulando para baixo e para cima, soltando gritinhos e rindo. Estavam todas unidas. Eram como uma só pessoa. Estavam a bordo daquele barco do qual ela tanto gostava e remavam juntas. Era tão bonito de ver.

Alguém encontrou uma fita métrica e elas subiram em cima da mesa, uma por vez, para medir exatamente quão enormes eram seus quadris e suas cinturas. Heather achou aquilo engraçadíssimo. Cada uma estava mais desesperada que a outra para provar que era a mais gorda, embora fossem todas coisinhas magricelas. Georgie não quis participar, porque era magérrima e, seja como for, ela nunca participava de nada. Ela não era do tipo participativa. Clover também ficou ali sentada, o que era interessante, porque Clover não era a mais magra. Então era estranho. Talvez ela simplesmente não fosse do tipo participante também. Ah, mas Heather era, que diabos. Ou queria ser, pelo menos. Levantou-se de um pulo e subiu na mesa.

— Sou a mais gorda! Aposto! Aposto que sou mais gorda do que todas vocês juntas!

Colette olhou para Bea, que deu de ombros, depois assentiu. Esticou a fita métrica, envolveu os quadris de Heather e os mediu.

— Hã. Hum. Bem. É verdade. Você é mesmo.

Heather sorriu triunfante para a mesa.

— Viram só? — chilreou ela. — Eu falei!

Porém, ninguém a parabenizou. Nem disse uma palavra. Nem mesmo olhou para ela. Não estavam mais unidas. Não eram mais como uma só pessoa. Agora procuravam novamente suas cadeiras, sentavam-se de novo em silêncio. A alegria voara para longe dali. Heather não tinha muita certeza do que havia acontecido. Sabia que tinha alguma coisa a ver com o fato de ela ser gorda em vez de magra. Muito embora ela não fosse exatamente gorda. Não é? Lutava para tentar encontrar algum sentido naquilo, mas de uma coisa sabia: estava fora daquele barco e — splash! — de volta à água fria, molhada, agarrando-se para se salvar.

Desceu desajeitada da mesa, afundou de novo em sua cadeira e olhou ao redor em busca de algum apoio moral. Georgie, percebeu ela, depois de se empanturrar de suflê, estava dormindo como um píton fazendo a digestão.

— Bem, agora... — anunciou Bea. — Quem se ofereceu para preparar os cafés? Não consigo mais me lembrar da lista... Oh, céus. O horário é esse mesmo? Meninas, meninas! Daqui a um minuto precisamos voltar para a escola. E, socorro, olhem só o estado dessa cozinha! — Ela riu alegremente ali sentada, sem mover um dedo.

— Só preciso apanhar Maisie às quinze para as cinco — declarou Heather. — Hoje ela tem aula de judô. Posso ajudar em alguma coisa?

— Oh, Heather. Você é uma *campeã*, isso sim! — Bea se levantou e pôs as mãos nos ombros de Heather. — Meu *Deus*, como adoro essa garota.

Uma nova sensação de bem-estar varreu o corpo de Heather. Qualquer desconforto sentido com a infeliz brincadeira da fita métrica simplesmente desapareceu. Era um pouco como aquele instante na igreja quando se está na fila para receber a comunhão e a reverenda põe as mãos sobre você. Mesmo que estejamos muito convencidos de todo aquele negócio sobre Deus, de algum modo sempre nos sentimos um pouco melhor com aquilo. Ou, pelo menos,

Heather se sentia. E foi o que sentiu ali também: Bea havia pousado as mãos sobre ela. E ela fora abençoada.

— Se tiver terminado antes de eu voltar, é só fechar a porta da frente, sim? — Bea parou, cobriu a boca com a mão e soltou um gritinho de pânico. — Quase ia me esquecendo! O dinheiro! Lembrem, queridas, que não existe esse negócio de almoço de graça. Posso confiar que todas vocês colocarão seu amado dinheirinho no frasco, ao saírem?

Melissa saiu para o jardim. Rachel a seguiu, empurrando o carrinho de bebê.

— É um pouco maior do que a média das casas da Mead Avenue, não é? — Rachel agora percebeu que o terreno de Melissa tinha pelo menos 4 mil metros quadrados, algo inédito naquele bairro.

— A Mead Avenue inteira era este jardim, há uns vinte anos. Os antigos proprietários venderam as terras para a especulação imobiliária. Isso aqui costumava ser o interior.

Elas olharam ao redor. Era início de tarde agora, e as casas estavam começando a voltar à vida. As pessoas voltavam para casa, os carros seguiam pelas ruas, as luzes começavam a se acender. Rachel imaginou a beleza do lugar antigamente, antes de aquela propriedade ser retalhada, e balançou a cabeça.

— Que pena — comentou, solidária. — Imagine só... Você poderia ter morado nessa casa maravilhosa praticamente no meio do nada...

Melissa riu e caminhou pelo jardim, e, ao se mover, quebrou um galho que estava no caminho.

— Não consigo pensar em nada pior. Olhe só para todos esses jardins, tão lindamente cultivados. Além disso, amo estar no meio da comunidade. Por que motivo eu iria querer ficar no alto de um morro sozinha, sem ninguém por perto? — Ela olhou para o carrinho de bebê. — Muito bacana da sua parte cuidar do bebê de outra pessoa durante o dia...

— Sabe que adorei? — Rachel afagou a cabecinha dorminhoca. — E o mais engraçado é que consegui fazer mais coisas com Hamish hoje do que há semanas sozinha.

— Estranho. E por que será, você sabe? — Melissa estava intrigada.

— Ah, sei lá. — Rachel deu de ombros. — Porque ele tem horários e é um belo exemplo de rotina, suponho eu...

— *Sério?* — Melissa parou para digerir aquela revelação impressionante. — E acredita que isso tornou as coisas mais fáceis pra *você*?

— Pois é. — Rachel pensou a respeito. — Se quer saber, acredito. Parece que ter uma ordem imposta sobre o caos era exatamente o que eu estava precisando.

Melissa olhou para ela como se Rachel fosse, no mínimo, uma nova versão de são Francisco de Assis.

— Então você acredita em rotina, em padrão, em ordem? Que tudo isso pode fazer as coisas parecerem melhores, tornar mais fáceis as coisas difíceis da vida?

Hã... aparentemente, sim. Rachel jamais havia pensado naquilo, e, contudo, de repente a ideia começava a tomar forma diante de seus olhos: uma filosofia de vida completa, antiga.

— Sim — respondeu com firmeza. — Acredito.

— Fascinante. — As duas caminharam lado a lado, no mesmo ritmo. — Deus do céu, esse bebê *nunca* acorda?

— Quase nunca. — Rachel se inclinou sobre o carrinho e o balançou um pouco. — Hamm-y. Vamos. Vamos lá encontrar a mamãe.

Hamish abriu um olho e deu um sorriso enorme e desdentado.

— Para ele, com certeza, pareceu funcionar — concordou Melissa.

15H15. SAÍDA

Georgie estava com o corpo apoiado na cerca, segurando um cigarro aceso entre os dedos da mão esquerda e de olhos fechados. Ao ouvir Rachel se aproximando — reconheceu o barulho suave das rodinhas do carrinho de Hamish — abriu uma das pálpebras e viu seu bebê. Dormindo, divino, delicioso. E chegando ao fim de um dia precioso da vida dele, que ela agora jamais poderia reclamar de volta. Estava longe de ser capaz de perdoar alguém pela provação que tivera de enfrentar hoje.

— Sabe do que mais? — disse Rachel, estacionando o carrinho de Hamish ao seu lado. — Percebi uma coisa. Acabei de pensar nisso quando estava no caminho pra cá. Foi Hamish quem me fez perceber...

— Não, obrigada por perguntar — interrompeu Georgie, irritada. — Não tive um bom dia. Não mesmo. Acabei de voltar de um inferno de merda.

— Precisamos de rotina. Só isso. — Rachel estava distraída, num mundo próprio. — Eu, Chris e as crianças. Não podemos ficar nessa confusão. Precisamos de rotina, de ordem, de um padrão. Não conseguimos progredir porque todo o nosso sistema, nossa organização, se espatifou em pedaços.

— Alôôô? Lembra de mim? A vítima que você despachou para passar um almoço inteiro nas Torres da Desgraça? Estou destruída. Eu me comportei o melhor que pude o dia inteiro, se quer saber. Você não pode imaginar o lixo que fui obrigada a ouvir. Meu Deus, como é exaustivo precisar ser educada sempre. Como é que uma pessoa normal consegue?

— A partir de agora, teremos uma agenda. Chega desse turbilhão caótico de Chris dando as caras quando bem entende e fazendo o que está a fim com as crianças. Vamos montar um sistema e seguir à risca.

— Aquela casa... Jesus Cristo — continuou Georgie, estremecendo. — Em todo lugar que você olha tem uma apóstrofe ou ponto de exclamação falsos. Eu tenho uma tolerância muito baixa pra esse tipo de coisa, se quer saber, e acho que você não está levando isso suficientemente a sério.

— Desculpa. — Rachel finalmente voltou a atenção para ela, sorrindo. — Me conta. No fim elas terminaram odiando aquela bruxa velha?

— Que nada. Todas cozinharam, limparam e a serviram, enquanto ela ficava ali sentada sobre aquela bunda gorda...

— Vamos ser justas, ela não tem uma bunda gorda.

— Tá bom, sobre aquela bundinha dura e magrela, praticamente dando a todas notas de um a dez e, no final, ainda cobrou dinheiro de todo mundo. Quinze pilas! Você me deve 15 pilas, falando nisso.

— Nada mais justo. Mas, com certeza, até mesmo elas devem ter ficado um pouco irritadas com isso, né?

— Não. — Georgie balançou a cabeça, desesperada. — No fim do dia estavam todas tão encantadas quanto no começo. Receio ter que chamar seu experimentozinho de um grande fracasso.

Ela continuou a ladainha com a bituca do cigarro na mão e depois apanhou Hamish, que se aninhou no pescoço dela sem despertar.

— O problema é que elas simplesmente a idolatram — disse Georgie, como se pensasse em voz alta, enquanto afagava as costas do bebê ritmadamente. — É como se estivessem em alguma espécie de culto estranho de gente esquisita. — Aí estava um exemplo excelente, estilo *Arquivo X*, na opinião dela. — Um culto estranho de gente esquisita que, te digo mais, come uma quantidade esquisitíssima de pato.

Ela olhou para Rachel, com medo de que tudo aquilo fosse deixá-la arrasada mais uma vez, porém Rachel estava sorrindo. Radiante. Estava inclinada para a frente, mexendo os dedos em um volteio rápido, como uma... como uma... bem, como uma pessoa esquisita em um culto estranho, na verdade. Seus grandes olhos castanhos — cálidos, profundos e líquidos — trouxeram à memória de Georgie os 11 milhões de suflês que ela comeu, e seu estômago deu uma pontada. Ugh. Talvez ela acabasse vomitando.

— Oi. Ei, valeu mesmo por hoje — agradeceu Rachel, enquanto alguém que Georgie nunca tinha visto na vida caminhava na direção delas. — Essa é a minha amiga Georgie, de quem lhe falei.

Georgie deu um dos acenos mal-humorados que eram sua especialidade e quase ficou tonta com o sorriso que recebeu em retorno.

— Georgie — disse Rachel com orgulho —, essa é Melissa.

— Ora, ora, ora. — A visão à sua frente entrou em foco e Georgie abriu um sorriso. — E oi. — Era estranho. Ninguém tinha lhe servido nem uma gotinha de nada e, no entanto, ela começava a se sentir meio alta. Alguém devia ter batizado aqueles suflês.

— Melissa acabou de se mudar pra cá por causa de seu... — Rachel parou. — Desculpe, o que você faz mesmo? Esqueci de perguntar.

— Sou psicoterapeuta — respondeu Melissa, sorrindo para Georgie. — Trabalho meio período. No hospital.

— Hum! — retrucou Rachel. — Estou entendendo por que veio pra cá. Aqui tem maluco e pirado o suficiente para você se ocupar.

— O interessante é que — entoou Melissa — desde as reformas pós-vitorianas, os termos "maluco" e "pirado" caíram em desuso do jargão profissional...

Meu Deus, pensou Georgie, verdadeiramente impressionada. Aquela imitação de Stephen Fry chegava bem perto do brilhantismo.

O dia do baile

8H50. ENTRADA

Se Heather estivesse voltada para a frente enquanto Rachel subia o morro em sua direção, talvez o choque não tivesse sido tão grande. Mas o caso é que Heather estava inclinada sobre Maisie, lutando para ajeitar as alças da mochila da filha — ela estava sempre tentando ajeitar uma coisa ou outra —, por isso somente quando se aproximou é que Rachel viu: a nova Heather. A nova Heather Carpenter, sem óculos, com lentes de contato, vestida de branco da cabeça aos pés e pouco diferente de uma ovelha recém-tosquiada: branca, trêmula, vulnerável. Rachel deu um pulinho de susto.

— Bom dia. — Heather sorriu. — É estranho, devo admitir. Estranho — mas incrível. Primeira vez que não uso óculos desde o pré. Nem consigo acreditar que um dia não usei óculos na vida.

— E o que a fez parar de usar agora?

As meninas já estavam mais à frente, dando risadinhas. Mais Piadas Engraçadas do Sr. Orchard, supôs ela. Era só nisso que Poppy falava ultimamente: do Sr. Orchard e suas Piadas Engraçadas.

— Colette. Colette me convenceu — respondeu Heather, radiante.

— Que sorte a sua, hein?

— Ei, Rach. — Heather parou e segurou seu braço. — Aposto que eu poderia convencer Colette a ajudar você também. Quero dizer, pelo menos eu poderia pedir.

Rachel continuou andando.

— É muito gentil da sua parte, mas sabe de uma coisa? Acho que estou bem como estou. Pelo menos por enquanto.

Heather assentiu com simpatia.

— Eu sei. Está muito no início. Mas se, ou quando, você decidir que chegou a hora de dar uma repaginada, é só avisar a gente, certo?

Avisar "a gente"?

— Outro dia mesmo Colette disse que estava morrendo de vontade de levar você ao Serenity Spa e te dar um belo trato.

— É mesmo? Foi isso o que ela disse?

— Ã-hã. Ela falou que achava que você tinha potencial de verdade.

— Nossa. Bom. Ei. — Rachel fechou as mãos em punho. — Bacana da sua parte me avisar isso.

— Sempre às ordens — respondeu Heather num trinado. — E aí, ansiosa pra hoje à noite?

— Bem. Mais ou menos. Acho. Ei, eu estava mesmo querendo perguntar: quer ir comigo? Não me importo de dirigir. Não vou beber muito, mesmo. Eu poderia ser chofer para você e Guy, que tal? — E Guy poderia te dar uma aula sobre as maravilhas do Código de Rodovias e do consumo de galões por milha rodada.

— Ah, Rach. — Heather retorceu o rosto. — Nós todas vamos pra casa da Colette nos arrumar, hoje. Vai ser demais. Seis mulheres! Manicure. Cabelo. Vestido. Lou-cu-ra! Só depois vamos nos encontrar com os meninos...

Os o quê?

— ... por lá, e então, com sorte — ela deu uma balançadinha de cabeça atípica, uma balançadinha que obviamente tomara emprestado de alguém e que, para Rachel, era melhor entregar de volta —, deixar todos eles pasmos com nosso visual incrível.

— Ah. Certo. Tudo bem então. Não tem importância.

Cacete.

— Colette está tão empolgada com o leilão. Conseguiu que o diretor se oferecesse como prêmio! — Heather riu, empolgadíssima.

— Prêmio?

— É. Não é brilhante? Ele passa muito tempo sozinho. Jantar no novo restaurante francês da High Street com o diretor. E Colette é quem vai ganhar, seja lá o que acontecer. Ela acha que hoje à noite pode ser a chance dela.

— Coitado.

Humilhação total. Rachel bem podia imaginar como ele se sentiu incapaz de recusar aquilo. Sentiu pena de verdade do Sr. Orchard.

— Vai ser uma arrecadação e tanto, eu acho, esse leilão. Bubba conseguiu um almoço em Londres com Andy Farr. — Heather continuava radiante.

— Ah — disse Rachel, sem a menor empolgação. — E quem diabos é Andy Farr?

Heather parou de caminhar e — temporariamente — de sorrir.

— Sabe que eu estava justamente pensando nisso? Mas fiquei com muita vergonha de dizer qualquer coisa. Imaginei que devia ser alguém ultrafamoso e que eu é que era uma tonta. Mas ele é uma celebridade, aparentemente. Pelo menos é o que Bubba diz.

— É possível uma pessoa ser uma celebridade, como diz você, se ninguém nunca ouviu falar dela?

Aquilo era um pouco de semântica demais para Heather. Ela mudou de assunto.

— Socorro, estamos meio atrasadas. Você se importa de deixar Maisie na escola pra mim? Acabei de ver que estão todas esperando ao lado do carro. Hoje é tênis. Que dia. Não posso chegar atrasada.

Rachel continuou caminhando com as meninas e desceu o corredor até seus cabideiros vizinhos. A chapelaria estava se acalmando agora; o sino tocaria a qualquer minuto. Ela apanhou um pulso de cada uma e se agachou diante das duas.

— Esperem um pouco, meninas. Antes de ir... Outro dia, ouvi as duas comentando coisas não muito simpáticas sobre um assunto qualquer e gostaria de saber do que se trata, se não se importam. E agora mesmo.

Maisie e Poppy morderam os lábios e se entreolharam para decidir o que fazer.

— Estou esperando. Vocês estão ou não estão treinando para a Grande Olimpíada do Bullying?

Poppy falou primeiro:

— Não. Scarlett é que tá, mamãe.

— Scarlett?

— Ela tá sendo muito má com Milo — acrescentou Maisie.

— Tipo má *mesmo*, todo intervalo ele chora.

— E a gente tem muita pena dele.

— Mas a Srta. Nairn não tá nem aí.

Então, o sino tocou.

— Conversamos sobre isso mais tarde, certo? Agora, tenham um bom dia na escola e não se metam em nenhuma confusão.

10H. INTERVALO DA MANHÃ

Rachel abriu a geladeira em busca de algo para ajudá-la a comemorar. E lá estavam as mesmas coisas mofadas e velhas que ninguém quis comer no café da manhã. Imagine só. Porém, mais uma vez, o elfo da geladeira tinha se esquecido de descer em Waitrose e abastecê-la. Quem seria capaz de prever isso, hein?

Ela se encostou à porta fria e suspirou. Aquela era uma verdade brutal da condição de mãe solteira — uma verdade que a estapeava no plexo solar pelo menos três vezes ao dia: nada entrava naquela geladeira, a menos que ela mesma colocasse. Houve um tempo em que ela abria a geladeira e aquela luzinha alegre cintilava seu sol sobre alguma maravilha jamais sonhada em sua vã filosofia. Não eram exatamente compras completas para uma família, era preciso confessar — para isso, ela teria que ter contraído gripe suína ou dado à luz. Mas, ainda assim, algum pequeno e lindo milagre doméstico, tipo uma refeição da M&S para dois ou metade de um *cheesecake* que Chris havia comprado na estação de trem ou os remanescentes de uma garrafa de vinho. Agora não mais. Os poderes daquela geladeira se acabaram. Ela já não era capaz de uma existência independente de Rachel. Tal como o resto do chalé, e o jardim, e o carro detonado e inútil, a geladeira havia se transformado em outro posto colonial dependente do estado soberano da mente dela. O que era um saco, porque ela estava morrendo de fome.

E queria celebrar. As botas de Carlota viveram suas aventuras e agora estavam de volta ao armário. O livro fora terminado e, na sua opinião de especialista, era muito bom. Podia não ser uma obra-prima, talvez ela não ganhasse o Turner Prize deste ano — embora a forma como captara a luz refletida naqueles sapatinhos tenha sido brilhante —, mas tinha certo charme. E, ao menos, Rachel tinha um cheque para receber. Portanto, agora podia até mesmo esbanjar com comida.

Pegou o leite e o cheirou — estava quase ruim, mas ainda não totalmente —, e no mesmo instante se viu transportada de volta para seu casamento. Sorriu. Enquanto outras pessoas podiam ser transportadas através da memória pela música ou por madeleines, nada melhor do que um "prazo de validade" para lembrá-la de Chris.

Foi no mês anterior à partida dele que ela e as crianças entraram na cozinha às onze da manhã de um sábado ensolarado, depois de um passeio no centro de recreação, e encontraram Chris sentado sozinho à mesa, olhando para o vazio e mandando para dentro duas costeletas de porco ressequidas sem qualquer sinal evidente de prazer.

— Com fome? — perguntara ela.

— Não muita. — Ele estava fazendo força para mastigar, ao estilo executivo ocupado, com uma atitude de "vamos acabar logo com isso". — Mas elas vencem amanhã, e amanhã vamos sair.

— Ah, entendi. Quer pelo menos um pouco de molho de maçã, para alegrar isso aí?

— Nah. Não precisa. — Ele engolia em bocados, dando de vez em quando uns goles no cappuccino para ajudar a descer. — Vai ser um desperdício de molho.

E foi naquele instante, naquele instante delicado sobre o qual nenhum dos dois jamais havia conversado, que Rachel vira a expressão nos olhos de Josh. E foi realmente apenas um instante, porque assim que Josh notou que a mãe tinha percebido, limpou os olhos com uma sacudidela de cabeça, como se esta fosse um Traço Mágico. E o olhar dele então voltou ao estado neutro, sem comunicar nada a ninguém. Rachel, entretanto, sabia o que Josh tinha visto: vira um lampejo de deslealdade, e uma pontada de confusão e vergonha, e palavras que, se houvessem sido ditas, falariam algo como: "Caraca, por que o papai tá bancando o cara completamente trágico e sem noção?"

Olhando em retrospecto agora, Rachel descobriu que só podia concordar com o filho. Era interessante que Chris pudesse demonstrar tão pouca consideração pelos seus votos de casamento quando idolatrava as datas de validade como se fossem coisas que Moisés tivesse inscrito em tábuas. Ela pegou uma embalagem de bacon. Só venceria na terça-feira seguinte, mas estava seco, esverdeado e quebradiço.

— Quer saber de uma coisa? — disse a si mesma. — Pode jogar fora. Assim. Na lata do lixo. A colônia é sua, as regras são suas. — O telefone tocou e ela quase saltou para atender.

— Rachel. É Bubba. Você está livre agora?

— Sim. Sim. É exatamente o que estou: livre. Livre. Sou uma soberana no controle do meu império inteiro, e estou livre.

— Ah, graças a Deus.

Rachel notou um tremor na voz dela.

— Pode dar um pulo aqui?

Na verdade, estava bem trêmula.

— É a Um Banquete em Sua Casa.

Seria aquilo um soluço abafado?

— Fiz um depósito caução de 4 mil pra eles. Bea *me disse* para fazer um *depósito caução de 4 mil* pra eles. E eu fiz. E eles sacaram. E acho, parece que, não, tenho certeza de que eles... eles deram o cano.

12H. INTERVALO DO ALMOÇO

Bubba estava sentada à mesa da cozinha, que estava coberta de pedacinhos de papel. Sempre que apanhava um, a mão dela tremia. E para toda parte que olhava havia números. Números, números,

números. Números que jamais pareciam adicionar ou terem a decência de pelo menos se contrabalancear. Números até perder de vista, cada um deles carregados de negatividade. E Bubba sempre desaprovara a negatividade.

Ela nunca sequer havia gostado de números: era mais uma pessoa de *ideias*. E de empatia, claro. Esse era seu ponto forte, a marca registrada de Bubba: *empatia*. Os números sempre a entediaram até o último fio de cabelo. E por isso era engraçado que, olhando para trás, os números sempre estivessem ali, uma constante no começo de sua vida como mãe. Todas aquelas contas incessantes que supostamente serviriam para aliviar a dor — segundo qualquer sabe-tudo de parto e intelectualoide. Então, como uma menina boazinha, ela ficara sentada ali, imensa, sobre um pufe, respirando fundo, ofegando e cantarolando e esperando que aquele bebê simplesmente saísse depois de contar até três ou coisa parecida, mas, após alguns dias fazendo aquilo — ou teriam sido anos? —, finalmente transportaram-na de maca até o centro cirúrgico para uma cesariana.

E então vieram aqueles primeiros meses em casa, antes de ela contratar a primeira babá. (Meu Deus, babás: outra coisa que ela nem desejava levar em conta.) Todos aqueles mililitros — ela nunca *sequer* tinha ouvido falar em mililitros antes de ter um filho. E por que teria? Uma unidade de medida tão pequena que era ridícula — e horas à noite e doses de paracetamol infantil sabor cereja. Contas, contas, números, números, tudo tão entediante e nem um pouco *compreensivo* que, para dizer a verdade, ela simplesmente voltara correndo para o trabalho, onde havia enormes *departamentos* cheios de gente para fazer todas as contas por você. Gente que *amava isso*, sentada ali com suas calculadorazinhas fazendo somas para que ela, Bubba, pudesse se concentrar na *compreensão* e na *empatia* e em todas as coisas pelas quais era valorizada.

E então, dez anos depois, após todas as babás impossíveis de se contar, ela estava de volta a casa e, novamente, às contas. Agachamentos na academia, salsichas por pessoa, o marcador do posto de gasolina ao abastecer o carro, o que ela parecia fazer umas dez vezes por semana — aquele carro maldito simplesmente *bebia* aos montes —, observando os números aumentarem sem parar e desejando chegarem logo ao ápice antes que um a um, cada um de seus parafusos mentais se soltasse para sempre. Então, somente para conservar a sanidade, ela inventara aquele projeto enorme, aquele baile, que seria a vitrine perfeita para toda a sua criatividade, originalidade e... bem, *gênio* social, por falta de melhor palavra, mas o que acontecia? Ela acabava ali sentada à mesa da cozinha, olhando para os números e sabendo, simplesmente sabendo, que as contas jamais se fechariam.

A vontade de Bubba era de chorar, mas não podia fazer isso. Não podia. Logo as outras chegariam, e ela precisava se segurar, no entanto, na verdade, se tivesse direito a um único arrependimento em toda a história de seus 40 e tantos anos — e olhe que Bubba não gostava de arrependimentos no geral; não os *aprovava*, eram só mais coisas negativas —, esse único arrependimento seria um dia ter pensado em organizar aquele maldito Baile Natalino Paradisíaco à Beira do Lago na Praia de Inverno da St. Ambrose.

Rachel e Heather arrebataram com os carros sobre o cascalho ao mesmo tempo, arrancaram as chaves da ignição e escancararam as portas. Sharon e Jasmine estavam justamente saindo de seus carros e corriam embaixo de casacos impermeáveis sob a chuva forte para entrar na casa. Enquanto isso, o traseiro grande de Clover sumia pela porta de entrada. Que empolgante, pensou Rachel. Pegue-nos, se puder: somos praticamente o Esquadrão sem Limites.

Bubba estava torcendo as mãos, tentando e ao mesmo tempo não conseguindo conter os soluços.

— Entreguei o cheque a Bea na semana passada quando ela me pediu e eles o sacaram, aqueles filhos da puta malditos o sacaram — soluço — e acabei de receber a notícia do banco e o dinheiro era meu e achei que tudo bem emprestar sabe até vendermos todos os ingressos — soluço —, mas aí hoje de manhã pensei isso é muito estranho não é muito estranho que eles supostamente tivessem que preparar um jantar para 150 pessoas daqui a — uivo — meu Deus daqui a oito horas e não tenha ninguém aqui e equipamento nenhum e eles disseram que trariam fornos elétricos para aquecer tudo e claro comida e não tem nenhuma aqui nem mesmo uma porra de uma salsicha ou um pãozinho e aí liguei para eles e...

— Certo, acho que a gente já entendeu — disse Rachel.

— Como pensei — interrompeu Clover. — Pam, a mulher desonesta do refeitório. Deixou suas digitais em toda parte. É a cara dela. Eu bem que avisei...

— Precisamos de um plano B — comentou Rachel por cima de Clover.

— ... mas alguém quis me escutar?

— Quanto temos pra tentar consertar as coisas? — Rachel andou até a mesa da cozinha na esperança de encontrar alguma espécie de orçamento.

— Isso vai te ensinar uma lição. — Clover balançou a cabeça, mais de tristeza do que de raiva.

— Cale a boca, Clover.

Mas não havia nenhum orçamento ali, apenas milhares de números rabiscados em centenas de papeizinhos, como se Bubba fosse uma física maluca tentando desvendar algum teorema novo em vez de uma mãe organizando um evento para arrecadar fundos. Como diabos, pensou Rachel, essa mulher um dia conseguiu segurar um emprego?

— E cadê a tenda? Ou eles também deram um cano?

— Não, não. — Houve uma pausa para algumas fungadelas e assoares de nariz. — Dá pra ver daqui. Está longe da casa. Perto do lago.

— Por quê? — Rachel sentiu o pânico aumentar. Falava devagar e claramente, como alguém negociando uma situação delicada de sequestro. — Por. Que. A. Tenda. Está. Longe. Da. Casa. E. Perto. Do. Lago?

— Porque vai ser um baile à beira do lago. — Mais soluços. — Não vai? A ideia toda não era justamente essa?

— Bem, de fato era. Quando o baile era no meio do verão, lembra? Mas agora estamos em dezembro, Bubba. Está chovendo canivete. Não vamos conseguir ver o lago. Não vamos nem saber que tem um lago ali, a não ser que por acaso alguém caia na maldita água e se afogue. E provavelmente perderemos alguns dos presentes por exposição ao frio antes mesmo de conseguirmos chegar ao maldito lago...

— Oh, meu Deus — interrompeu Clover com satisfação. — Isso é um pesadelo completo.

— Bem, escutem, Mark está a caminho. Liguei pra ele no escritório e ele disse que viria imediatamente. — Bubba secou o rosto com alguns tapinhas leves. — Ele vai saber o que fazer. Sempre sabe.

Rachel sentiu uma pontada de inveja. Podia imaginá-lo, Mark Green estilo George Clooney, desligando o telefonema de sua louca mas ainda assim linda esposa, apanhando o paletó Armani, saindo de Londres o mais rápido possível — de helicóptero? Pilotando seu próprio hidroavião sobre o Tâmisa? — e voltando para casa para exercer seu controle poderoso. Certo, então ela, Rachel, estava livre. Era uma soberana no controle do próprio império. Mas achava que seria bom, de vez em quando, ter um cossoberano. Um traseiro no trono ao seu lado. Um consorte que...

— Nossa, que chuva. — A porta da entrada se abriu. — Toquei a campainha, mas não tive certeza se vocês estavam ouv... — Entrou uma lufada de ar frio, limpo e carregado de umidade.

— Oi! — Rachel se atirou sobre a recém-chegada e lhe deu um beijo em cada face. — Muito obrigada por vir. Temos um probleminha aqui.

Ela se virou para o restante das mulheres.

— Gente, achei que seria bom termos um pouco de ajuda, por isso liguei para reforços de primeira linha. Para quem ainda não teve o prazer de conhecer: essa é Melissa.

20H. O BAILE

Drinques

— Oh, Bubba, você está fabulosa.

— Você também. Nossa! É novo?

— Bem... é sim. — Jasmine deu uma voltinha. — Uma loucura, na verdade. De todas nós. Fizemos uma viagem de mulheres na semana passada até Londres especialmente para a ocasião. Gastamos uma fortuna. — Olhou ao redor procurando o marido, que estava ao bar com Tony Stuart. — Mas não comente isso na frente de Richard, sim? Ainda não contei a novidade para ele.

Bubba estava se sentindo mais relaxada desde que Melissa solucionara a crise, mas algo no que Jasmine tinha dito criara uma nova bolinha de preocupação — que, ela sentia, estava rolando para se encontrar com as outras bolinhas de preocupação e, cedo ou tarde, todas juntas formariam uma corrente, uma longa corrente de preocupações capaz de estrangulá-la. Mas não tinha certeza do que era. Não conseguia se concentrar. E, seja como for, o que ela deveria estar fazendo naquele momento era se divertir.

— Oi. Obrigada *você* por vir. Que sapatos *esplêndidos*.

A tenda estava linda, com areia no piso e enfeitada com estrelas-do-mar e redes de pesca, um teto listrado de azul-cobalto e branco e guarda-sóis enfeitando todas as mesas. Estava ainda mais bonita do que ela imaginara. Kazia, abençoada seja, havia trabalhado feito uma escrava naquilo durante dias. Nem estava assim tão frio ali. E, se a pessoa quisesse, poderia até mesmo fingir que o barulho da chuva caindo aos cântaros sobre o telhado era de uma cachoeira...

Todos estavam ali, isso era o melhor. Estavam todos ali, *determinados* a se divertir. A tenda estava lotada, a bolha de conversas inflava e era possível sentir a empolgação no ar. Não eram só os pais da escola; havia também amigos dos pais da escola e alguns avós da escola também. Todos os funcionários estavam lá, até mesmo a secretária rabugenta colocara suas melhores roupas. E que roupas. Coitada. Tom Orchard estava num canto, conversando com Bea, bastante atraente em seu smoking. Sorte da boa e velha Colette. Todos os responsáveis pela escola estavam reunidos, ela ficou feliz em ver. Era exatamente como sua intuição lhe dissera: eram todas pessoas adoráveis, extremamente gratas pela oportunidade de sair e se divertir. O plano era: bebidas, bebidas, bebidas e conversa, conversa, conversa durante mais uma hora, para que Colette tivesse uma boa chance de começar o Leilão, e depois a maravilhosa Melissa prometera que o jantar surgiria por volta das nove. Nham nham. Ela mesma mal podia esperar.

Ah, olhe, lá estavam os Farrs. Outro triunfo! Ela realmente tinha se superado esta noite. Que *fofos* por terem aparecido no que, afinal de contas, era uma reuniãozinha bastante humilde. Ela abriu caminho pela multidão e...

— Vocês gostaram? Bem, quisemos fazer algo *um pouquinho* diferente...

... e correu até ficar ao lado de Andy. Precisava fazer com que ele circulasse por aí antes do jantar, pensou. Para espalhar o pó de estrelas. Todos iriam querer conhecê-lo. Não podia desapontá-los.

— Andy! Jen! *Que maravilha* vocês terem vindo de Londres até aqui.

Rachel só estava ali havia dez minutos, mas já sentia uma necessidade imensa de tranquilidade, silêncio e um cigarro solitário. Eles só estavam na segunda semana do novo sistema familiar dos Masons de fins de semana alternados e quartas-feiras à noite com Chris, e Rachel ainda se sentia meio sem equilíbrio — como um potro recémnascido aprendendo a se apoiar nas quatro patas. A última coisa que precisava era dessa extravagância. Seu plano para aquela noite era dar as caras, diluir-se no pano de fundo e voltar para casa o mais cedo possível, com a missão cumprida. Estava justamente indo de fininho em direção à saída quando seu caminho foi bloqueado por um baixinho gordo com lábio inferior úmido.

— Você deve ser a Rachel — ofegou ele, enquanto enfiava uma taça nas mãos dela. — Bubba disse que a nova melhor amiga dela era a ruiva bonitona, e vi você assim que cheguei. — Com alguns arquejos e considerável esforço, ele ergueu o bracinho curto e gordo para servir champanhe a ela. — Sou Mark Green. Tim-tim. — Eles brindaram. — E aí, o que achou? Ainda está um pouco cedo, mas parece que estamos indo bem até agora, não?

— Hummm. — Ela engoliu a bebida enquanto observava o homem à sua frente. Não era bem o Mark Green que havia imaginado. Ainda que este aqui conseguisse se apertar atrás do painel de controle de um hidroavião, jamais conseguiria fazê-lo levantar voo, devido às leis básicas da física. Por que as pessoas insistem em se casar com gente tão diferente delas? Era tão desconcertante. — Está tudo fantástico. Muito legal da parte de vocês terem organizado isso tudo, sabe. Todo mundo está adorando. Eu estava justamente indo... — Ela fez um gesto na direção da abertura que levava aos sanitários químicos.

— Vai lá. Vejo você mais tarde.

Ele se afastou andando de forma desengonçada, enquanto Rachel saía rápido. Estava chovendo forte agora, por isso ela ficou sob as abas do toldo, acendeu o cigarro e xingou Georgie por ter feito com que ela voltasse a fumar. Embora, pensou consigo mesma, estivesse sob um grande estresse ali. A última vez que saiu sozinha como mulher solteira tinha sido em outro século... Soltou a fumaça em direção à noite sem lua e então uma mão grande veio por trás e segurou sua coxa esquerda. Ela se ouviu soltar um grito agudo.

— Você está particularmente linda esta noite, Sra. Mason. — Tony Stuart espiou por cima do ombro dela e soltou um hálito de álcool em seu rosto. Ele envolveu a cintura dela com o outro braço enquanto movia a mão na direção da virilha dela, mas Rachel se afastou com esperteza.

— Cai fora, Tony. Você virou um maldito tarado, por acaso?

Ele soltou um risinho satisfeito. Uma das boas qualidades de Tony Stuart, que compensava o resto, Rachel lembrou, era que você podia lhe dizer absolutamente qualquer coisa que ele não daria a mínima, enquanto a esposa dele levava a vida com o alerta vermelho de ofensas sempre ligado.

— Ah, qual é. Só estou sendo simpático. Por que não vejo mais você, falando nisso? Sinto saudades, Rachel.

— É, bem, acho que é assim que Bea prefere as coisas por enquanto.

— Mas somos velhos amigos, você e eu. Ela não pode me afastar de meuss velhosh amigosh. — Ele realmente estava calibrado, e ainda não eram nem nove horas. — A gente devia sair junto dia desses. Só nós dois.

— Ah, é? — Ela estava com o braço estendido como um policial comandando o trânsito.

— É. Estou aqui pro que precisar, Rachel. Se quiser sair pra tomar um drinque. Um chá. Ei, até se quiser dar uma trepadinha rápida. Estou aqui pro que der e vier. Sou o cara. Tá bom?

— Ah, er, bom saber, Tone. — Rachel recuou, desviando-se das cordas que amarravam a tenda ao chão.

Ele tropeçou de leve.

— Não se atreva... — Ele balançou um dedo na direção dela e disse, com um tom sério e profissional: — Não se atreva a terceirizar a trepada.

— Vou manter isso em mente... — Ela recuou devagar na direção dos banheiros químicos.

— Não se esqueça do seu velho camarada, é só isso que estou dizendo.

Rachel se virou, subiu os degraus frágeis do banheiro feminino e fechou a porta principal. Santuário. O rosto que a olhou de volta pelo espelho estava meio úmido e bastante corado. Hora de fazer alguns reparos essenciais antes de voltar ao combate. Ouviu o som de descarga na cabine atrás dela e de lá saiu Bea.

— Bem, olá. — Ela assumiu uma posição na pia ao lado, e as duas se encararam pelo espelho.

— Oi. Você está linda hoje.

— Bem, obrigada, Bea. — Rachel havia se esquecido daquela sensação. Quando Bea usava seu tom mais agradável para dizer algo agradável e fazer você se sentir aconchegada, tonta e...

— Ultimamente você pareceu ter parado de fazer qualquer esforço. É ótimo ver que ainda é capaz disso.

— Bem. Obrigada, Bea.

Bea pousou o nécessaire de maquiagem e se virou para encarar Rachel pessoalmente.

— Desculpa. Isso não saiu como deveria. Não foi o que quis dizer. Só quis dizer que você tem estado bastante triste e eu percebi.

— Sim. Bem. Meu casamento acabou. Isso em geral é considerado algo triste.

— E lamento não ter visto você ultimamente, mas é muito difícil para nós, Rachel.

— É. Meu Deus. Deve ser horrível para vocês. Não pensei muito nisso até agora. No quanto deve ser horrível para vocês.

— Rach, você e Chris eram nossos melhores amigos. Não podemos tomar partido.

— Partido? Partido? Partido de quem? De um lado, tem o partido da estagiária que ele está comendo. De outro, tem... qual? Qual partido tem do outro lado, Beatrice?

— Sempre existem dois lados em tudo no casamento. E, meu amor, você não devia deixar a raiva atrapalhar você. — Bea pousou a mão sobre a de Rachel. — Tente sair disso tudo com a dignidade intacta. — Ela sorriu, deu um último aperto na mão de Rachel e voltou ao espelho, ao nécessaire, ao batom. Por entre lábios em biquinho, acrescentou: — Tony também sente sua falta, sabe.

— Mmm. — Rachel rumou em direção à saída. — Na verdade, ele chegou a mencionar isso. — O degrau superior soltou um ruído metálico quando ela pisou sobre ele. — Agorinha mesmo. Lá fora. Quando estava dando em cima de mim, aquele tarado nojento.

Então voltou para a noite úmida.

Jantar

Foi verdadeiramente um momento teatral quando o furgão de *fish and chip*, o grande prato típico inglês, atravessou o gramado e estacionou em frente à tenda. As ondas de gargalhadas e os suspiros de deleite contido ficariam nos ouvidos de Bubba por um longo tempo. Era a solução mais perfeita do mundo para a terrível crise daquela manhã: barata, alegre e — o que era mais importante para Bubba — dentro do tema. Ah, como ela queria que Melissa estivesse ali para testemunhar seu próprio sucesso! Os Spencers ainda não estavam completamente integrados no redemoinho social da St. Ambrose: ainda permaneciam ligeiramente à sombra... Precisamos fazer com que saiam mais. Porque era simplesmente impressionante o que Melissa conseguira fazer aquela noite: não apenas tivera aquela brilhante ideia, para começar, como também conhecia um cara que preparava *fish and chip* — imagine só! Isso quer dizer que Bubba também estava a apenas dois níveis de separação dele! *Hilário!* — e dera um jeito de convocá-lo do nada, assim, em um estalar de dedos. Bubba teria simplesmente que virar *escrava* dela, *escrava* dela praticamente a *vida inteira*.

Ficou parada à entrada, para ter certeza de que todos ganharam seu adorável embrulho quentinho de papel jornal.

— Muito bem, Blubber — disse Georgie, alegremente, e parecia estar um pouco trôpega. — Deu um jeito no final. E quanto vamos faturar, hein? — Ela cambaleou. — Vinte pilas? Vinte e cinco?

Outra bolinha de preocupação se formou e rolou para longe, mais ou menos na direção de suas companheiras.

— Vamos faturar um saudável lucro, sim. — Chega de números, por favor. Não pergunte sobre números. Agora não, ainda não. — Você está linda esta noite, aliás. De onde veio isso? — Bubba segurou uma das pontas da saia rodada de Georgie e esfregou o tecido rosa-shocking entre os dedos.

— A loja ficava na High Street. Fechou, sei lá, um 15 anoss atráss. Pena. Lugar bacana. Nunca maiss comprei nenhum vesstido. Não precisei, pra falar a verdade. Esse — ela rodou a saia levemente — é meu vesstido.

— Nossa. — Bubba pessoalmente gostava de comprar e, na verdade, estava estreando seu Stella McCartney naquela noite. Desde os filhos, descobriu que precisava de fato de um pouco mais de alfaiataria, um pouco mais de *esforço* quanto às roupas de marca do que antes.

Ao olhar ao redor, para as pessoas da festa, Bubba ficou impressionada com a boa aparência das mulheres naquela noite, tendo em vista a quantidade de filhos que elas tiveram e os vários anos no relógio coletivo. Exceto a mãe de Ashley, claro. Deus a abençoe. Mas, com seu olho de especialista, Bubba podia olhar cada figura e enxergar o regime alimentar e de exercícios que existia por trás. Era quase um *dom*, sinceramente. Não gostava de sair por aí alardeando, não era um truque para festas nem nada assim, mas ela era capaz inclusive de identificar quem fez terapia do cólon a vinte passos de distância. Claro, todos os segredos eram guardados a sete chaves etc. Enfim, basta dizer que, de todas as cinturas por ali, muito poucas se deviam à virtude de sua própria elasticidade. Rachel provavelmente seria a mais sensacionalmente magra, mas de um modo que não era justo: ela estava atravessando um divórcio terrível e isso era sempre a *melhor opção* para perder peso, um divórcio terrível. Portanto, tecnicamente era trapaça.

Mas lá estava Georgie, feliz e contente, e que tivera... bem, ela não sabia quantos filhos, não tinha nem mesmo certeza se a própria Georgie sabia quantos, eles eram praticamente os *von Trapps*, de tantos filhos que tinham, usando algum lixo barato de uma era distante e com um visual sensacional. E havia penteado o cabelo.

— Não entre em pânico. — Georgie apanhou seu pacote de *fish and chips* das mãos de Will. — Obrigada, amor. Que delícia. Todo mundo comprou um vestido só para usar esta noite. — Ela fez um gesto na direção das pessoas. — Pelo que sei, cada um desses vestidos e pares de sapatos foram comprados especialmente para a ocasião.

Lá vinha outra bolinha de preocupação, pensou Bubba, nervosa.

— Ah, e cada perna foi depilada com cera e cada sobrancelha limpa e cada unha pintada, cortesia de Colette e seu maravilhoso spa-barra-cabana.

As duas olharam para a mesa do Leilão. Bea estava cobrindo Colette, ao que parecia, para que esta pudesse pegar algo para comer. Gentil da parte dela, pensou Bubba. Bea *podia* ser muito gentil.

— Ã-hã. Todas gastaram uma fortuna. — Ela apanhou uma batatinha e falou enquanto a mastigava. — Pode se parabenizar, sua velha Scoobybubbaloo. Talvez não tenha conseguido arrecadar nem um centavo para a pobre e velha escola, mas com certeza promoveu um aquecimento da economia local.

Bolinhas de preocupação, legiões delas, começaram a sair, plop, plop, plop, a rolar para todos os lados...

— Rá. Só estava brincando.

— Oh, Bubba — interrompeu Heather. — Que festa. Você está maravilhosa.

— *Heather!* Olhe só pra você. Que *transformação!*

— Obrigada. É recente. Oi, Georgie.

Georgie estendeu a mão, educadamente.

— Olá. Dessculpe. Por favor, me perdoe. Acho que ainda não fomoss apresentadass.

Rachel estava sentada sozinha, com os cotovelos sobre a mesa, lambendo o sal e o vinagre de cada ponta dos dedos com deliberação séria. Tinha sido um dia de choques, o maior deles era o fato de que aquele tal de Wayne-o-DJ indicado por Jo, que daria as caras, de fato tinha dado as caras. Enquanto Jo em pessoa, não. Ela não estava empolgada, Rachel sabia, mas disse que viria. E havia comprado um ingresso. Provavelmente devia ter algo a ver com o Traste do Steve. Aquela tranqueira velha miserável.

Ao contrário do nosso Wayne aqui. Caramba, esse aí sabia como começar uma festa. Freddie Mercury estava pedindo — em um volume altíssimo — que ninguém o interrompesse, porque, pelo visto, estava se divertindo horrores... Bom para você, pensou Rachel. Porque eu não estou.

Os pais de Bea estavam na outra ponta da mesa, mas a música estava tão alta que apenas acenar, sorrir e ficar em silêncio seria algo considerado dentro dos limites do comportamento social aceitável. Com um pouco de sorte, ela poderia dar um tempo sentada ali e depois sair de fininho e voltar para casa. Quem sabe até ir para a cama cedo. O mais importante era não se envolver em nenhuma conversa com ninguém e não chamar atenção.

Colette veio sentar ao seu lado. Ela tentou seu sorriso silencioso, inclinando a cabeça na direção de Wayne e sua picape e dando de ombros diante do barulho ensurdecedor ao redor, mas Colette tinha vindo para conversar.

— Não vai demorar — berrou ela no ouvido de Rachel. — A qualquer instante, agora. Minha artimanha brilhante está prestes a chegar à sua conclusão apoteótica.

Já era ruim ficar ali sentada sozinha quando a tenda inteira estava se levantando para dançar; mas era pior ainda ter de ser vista conversando com Colette a sós. Wayne apresentou "A Única, a Inesquecível, a Completamente Fabulosa Gloria Gaynor e sua 'I Will Survive'", e Rachel percebeu que, para aumentar ainda mais a alegria, a mãe vinha cambaleando na direção delas, esfregando o quadril com artrite.

"At first I was afraid, I was petrified,"

— Oh, escutem, meninas — gritou a mãe de Bea para Rachel e Colette. — Que demais. Ele está tocando a sua música!

E, oooops: a mãe de Rachel entrou com tudo no campo de batalha.

— Ah, não, Pamela. Você entendeu tudo errado — berrou ela de volta por cima da mesa. — É só uma separação judicial. Eles já estão acertando os ponteiros.

— Mã-ãe. Pelo amor de Deus — pediu Rachel, mas entre os dentes tão cerrados que sua mãe não conseguiu escutar.

"I should have made you leave your key,"

— É isso o que você precisava fazer, Rachel. — Ela apontou para a porta imaginária de Gloria Gaynor enquanto se balançava na cadeira. — Não o aceite de volta, não importa o quê. Não gosto nem de ouvir o que ele aprontou.

O pai de Bea interveio, obviamente pedindo alguma espécie de cautela antes de continuar naquele caminho em particular, mas Pamela não estava disposta a voltar atrás.

— Pelo visto ela sofreu um incomodozinho, uma herança da parte dele, seja lá quem for a dita-cuja.

O quê? Rachel estava se esforçando para imaginar do que aquela truta velha estaria falando.

— Como assim, Pamela? — A mãe de Rachel aplicou um direto no peito, sem dó.

— Um caso feio de algo viral. Muito desagradável. Foi o que ouvi dizer, pelo menos.

O pai de Bea levantou e foi embora.

— Oh, *Rachel*. — Sua mãe se virou para ela com espanto. — Como você pôde fazer uma coisa dessas?

— O quê? Não seja ridícula, mãe, a culpa não é minha.

Sua mãe continuava exibindo uma expressão desapontada.

— Além do mais, ela não tem nada.

As duas velhas fofoqueiras se viraram para ela agora, com as sobrancelhas erguidas.

— Isso não é verdade.

Excelente. Lá vamos nós, pensou Rachel. Agora virei a Grande Defensora da Maldita Estagiária. Obrigada, mãe.

— Foi só uma das brincadeiras bestas de Georgie. Ela não tem...

A música parou, o microfone começou a estalar, a tenda caiu em silêncio. Rachel parecia estar vivendo alguma experiência extracorpórea. Estava em algum lugar no meio do teto azul-cobalto e branco, no meio das redes de pesca. Olhava para baixo e podia se ver claramente. Contudo, de alguma maneira, não foi capaz de fazer nada para intervir.

— ... verrugas genitais.

— Por mais fascinante que isso pareça... — anunciou Mark Green para a multidão estupefata. Algum equipamento de retorno do sistema de som soltou um guincho de leve.

— ... chegou a hora de libertar todos do sofrimento geral. Finalmente temos — Wayne colocou para tocar um rufo de tambor — o resultado do leilão. E para divulgá-lo, chamaremos O Único, o Sensacional... — o rufo de tambor tocou novamente — Andy Farr!

Então ouviu-se outro rufo, de trovão dessa vez, e o som ensurdecedor de algo estalando. Era próximo ao teto. Quando terminou, mais chuva ainda desabou na direção do jardim dos Greens com uma ferocidade que Rachel não ouvia há anos.

O leilão

Bubba observou enquanto Andy Farr subia no pequeno palco. Não pôde deixar de perceber certa inquietação entre os convivas. Estavam todos muito animados de ter alguém como Andy por perto, o que era muito legal. Bubba até então não havia se dado conta de quanta gente conhecia os programas de história exibidos nas madrugadas na BBC4, mas aí estava a St. Ambrose, que não a deixava mentir. Não era só uma grande família: era uma grande família *inteligente*. Era muito *mais* inteligente do que as pessoas das escolas particulares.

Bea lhe entregou as anotações sobre os itens e os vencedores. Até então Bubba pensara que o leilão era uma cria de Colette apenas, mas ela estava sentada ao lado de Rachel, toda empolgada. Superbacana.

Algumas das coisas que foram leiloadas — embora tenham sido doações muito generosas e embora cada coisinha, por menor que fosse, já ajudasse — não eram, bem, nada glamorosas. Mesmo assim, a mãe de Rachel estava obviamente siderada com o meio porco leiloado por Georgie e o diretor havia feito a gentileza de comprar todo o suprimento anual de mel da mãe de Rachel. A oferta de Heather de cozinhar um jantar para seis foi arrebatada pelo marido dela, o que foi muito fofo. Ele devia adorar mesmo a comida da mulher. Que lindo. A semana no chalé de Cornish de Bubba foi para os Farrs, o que foi uma graça da parte deles. Para aquela oferta, porém, Bubba meio que estivera esperando uma espécie de clube de St. Ambrose. Era um chalé típico — era para onde eles iam quando queriam voltar a um estilo de vida absolutamente básico, *totalmente* Bear Grylls —, mas capaz de abrigar entre 14 e 16 pessoas. Embora a piscina fosse *minúscula*. Ela torcia para que fosse grandioso o bastante para os Farrs...

— Item número seis: um dia de mimos na Suíte Santuário da Terapia de Beleza do Serenity Spa, gentilmente doada por Colette. Obrigado, Colette. Parece fantástico, senhoras, mas temos apenas uma vencedora, e foi... — Andy se inclinou sobre o microfone e olhou para a tenda — ... Rachel Mason.

Bubba ficou satisfeita. Rachel de fato estava fabulosa naquela noite. Aquele vestido frente única preto e liso ficou incrível com seus cabelos ruivos e seus ombros magros e brancos. Mas, em geral, Bubba tinha a impressão de que ela não explorava o melhor de si mesma. Talvez este fosse o início de sua nova aurora pessoal. Muito embora, no momento, ela estivesse de testa franzida, estupefata. E meio que torcendo o nariz...

— Item número sete: almoço em Londres com a celebridade televisiva Andy Farr — Andy sorriu — gentilmente cedido por... pela celebridade televisiva Andy Farr. — Bubba liderou uma onda de aplausos. — E a vencedora felizarda foi... mais uma vez, Rachel Mason!

Todos bateram palmas. Rachel ergueu os dois braços, com os punhos dobrados, numa espécie de ei-espere-aí-o-que-está-acontecendo?

— Eu também estou ansioso por isso, Rachel. E agora o último item da noite: jantar com o diretor no novo restaurante francês da High Street, gentilmente cedido pelo diretor. — Havia muito mais interesse na tenda por aquele item do que pelo anterior, notou Bubba. O que era estranho. Colette estava empertigada na cadeira, com um sorriso enorme. — E a vencedora é... — Wayne, o bom e velho Wayne, *hilário*, soltou outro rufo de tambor. — Como se não pudéssemos adivinhar, nossa milionária local... RACHEL MASON!

Bubba ficou tão emocionada. Ela gostava de Rachel, realmente sentia uma amizade natural. Era adorável que ela tivesse gastado tanto para fazer daquela noite um sucesso. Bubba foi cambaleando na direção dela para parabenizá-la por suas compras, *tão* feliz por Rachel. Ficou surpresa ao encontrar uma espécie de clima pesado.

— Ei? Peraí. Que merda é essa? — Rachel estava furiosa com Colette. — Que porra foi essa que acabou de acontecer comigo?

— Eu poderia te fazer a mesma pergunta. — Colette se levantou. — Valeu mesmo, irmã. Valeu *de verdade*. Como pôde fazer isso comigo?

— Eu não...

— Você sabia que eu tinha armado aquele encontro para mim e Tom. E sabia o quanto eu estava preparada pra gastar com isso. Não acredito que tenha arrancado o prêmio das minhas mãos desse jeito. E de onde vai tirar todo esse dinheiro, hein? Acho que isso é o que todos nós queremos saber.

— Eu não dei lances para nada, Colette. Não tenho dinheiro. E não quero esse encontro maldito. Minha intenção firme e forte é nunca mais sair com ninguém na minha vida. Não fui eu. Isso é uma...

Ela estava olhando como louca ao redor. Bea — Bubba acabara de notar — estava de pé num canto, observando-as. Com uma espécie de sorriso de quem sabe de algo secreto.

— ... armação.

Então Tony Stuart, a caminho do bar, inclinou-se para elas e disse com língua enrolada:

— Ora, ora, quer dizer que você é a endinheirada da história, Rachel? Acho bom meu amigo Chris arrumar um advogado melhor pra ele.

Então Mark de repente estava ao lado delas, sussurrando teatralmente:

— Rachel, escuta, desculpa por isso. É porque ninguém tinha dado nenhum lance pelo almoço com Andy. Ele parece não ter caído nas graças da St. Ambrose, e não me surpreende. Ele é um arrogantezinho de merda.

— *Mark!*

— Desculpa, amor. Mas eu comprei o tal almoço, não comprei? Alguém tinha que fazer isso. — Ele deu um tapinha nas costas de Bubba.

Então Heather se colocou em posição ao lado dela.

— Foi um presente nosso, o dia no spa! — Sorriu diante do rosto arrasado de Rachel. — Ficou feliz? Todas nós fizemos uma vaquinha! Lembra como eu disse que Colette estava desesperada para pôr as mãos em você?

— Ei. Ouvi dizer que está na hora dos parabéns. — Georgie veio balançando na direção deles e brindou, batendo sua taça na de Rachel, que estava quase vazia. — Às verrugas genitais! Eu achei que tinha inventado essa história, mas a mãe de Destiny disse que é mesmo verdade!

Danças

Georgie e Will foram para a pista de dança quando tocou "Walking on Sunshine". Rachel os observou com ar sonhador, e não foi a única. A performance deles estava atraindo bastante atenção. Não era apenas porque os dois eram excelentes dançarinos: era que, juntos, eles pareciam, bem, exalar desejo. Na verdade, eles estavam praticamente transando ali mesmo.

Agora havia bastante gente na pista. Até a secretária rabugenta, com Wayne-o-DJ girando atrás dela, fazendo uma imitação meio indigesta de roçar a pelve na bunda dela. Os dois também estavam praticamente transando, mas a mente de Rachel não quis se aprofundar naquilo.

Voltou o foco para os Martins. Eram uma propaganda e tanto do casamento, aqueles dois; deviam ir parar num outdoor para promovê-lo a uma nação de desencantados. Mesmo antes de seus dramas horrorosos — quando Rachel acreditava ser amada, amar e sentia-se contente, no geral —, ela não gostava muito de observar o espetáculo da maioria dos casamentos: casais sentados nos restaurantes envolvidos numa nuvem de silêncio, ou arrastando-se por lojas com tédio. Todas aquelas pessoas talvez se considerassem perfeitamente felizes, porém seus casamentos não pareciam nunca tão bem ao olho observador.

Agora começou a tocar "Dancing in the Moonlight", que, Rachel sabia, era uma das preferidas na Fazenda dos Martins. Georgie rodopiava ao redor de Will, e ele a olhava com um misto de adoração e luxúria escancarada. Como funcionam esses casamentos que se arrastam ano após ano sem nenhum sinal de cansaço ou insatisfação? Talvez eles jamais sigam adiante, ou jamais percebam que seguiram adiante. Ao ver Will olhando para Georgie, Rachel percebeu que ele estava vendo a garota por quem havia se apaixonado tantos anos antes. Os olhos de alguém que tivesse acabado de conhecê-la naquela noite veriam em sua aparência uma longa lista de cicatrizes e marcas, da idade e de ter dado à luz tantos filhos, do trabalho duro e da negligência pura e simples. Mas os olhos dele não estavam vendo isso. Os olhos dele estavam obviamente enxergando o que ela era antes.

Tinha sido o mesmo com a antiga casa da família de Rachel, a casa na qual ela havia crescido. Todos a amaram anos a fio — continuava sendo a casa ideal, para Rachel —, e, quando os filhos saíram de lá e os pais decidiram vendê-la, todos eles meio que supuseram que ganhariam uma fortuna, que alguém iria amá-la tanto quanto eles. Portanto, todos ficaram chocados quando o corretor imobiliário a rotulou como "necessita de modernização" e listou todas as rachaduras, falhas e itens datados em geral. O declínio acontecera tão gradualmente que nenhum deles jamais havia notado. Apaixonaram-se pela casa quando se mudaram e nunca sentiram necessidade de reconsiderar a opinião inicial. Era assim que Georgie e Will agiam um com o outro. E, obviamente, agora isso era algo que jamais aconteceria com Rachel. Era tarde demais. Ela oficialmente havia deixado aquilo para trás. Quem iria aceitá-la nos dias de hoje, com suas falhas e seus itens datados?

— Boa noite. Achei por bem vir lhe dar um oi, já que você fez a imensa gentileza de gastar tanto pelo privilégio de estar comigo.

— Ah. Sr. Orchard. Obrigada por vir. — Rachel estava prestes a fazer papel de idiota mais uma vez, podia sentir. — Preciso — começou ela, e tossiu de um jeito profissional — esclarecer algumas coisas.

— Quer saber de uma coisa? Pode me chamar de Tom. Depois que você se dispôs a uma cifra de três dígitos...

Três dígitos?

— Acho que é melhor me chamar pelo primeiro nome.

— Ah. Bem, sabe, não me dispus. Isso é extremamente constrangedor, mas eu não queria, sabe, comprar o jantar com você. E não comprei, a verdade é essa.

— É mesmo? — Tom enfiou as mãos nas calças do smoking em um gesto que, na opinião de Rachel, era um tanto atraente. — Bem, vou lhe contar um segredinho. Você pode não acreditar, mas... — Ele se inclinou na direção dela, virou-se de lado e sussurrou pelo canto da boca: — Na verdade eu não queria ser colocado à venda.

— Ah. Nossa. Desculpa. Óbvio que não. Estou passando por uma situação terrível...

Ele arrastou uma cadeira e sentou ao lado dela, apoiando o pé direito no joelho esquerdo.

— Aposto que a minha é bem pior.

— Corro o risco de ofender você mais uma vez, realmente acho que não. — E ela soltou tudo de uma vez: os ataques de Tony Stuart, o Incidente Infeliz das Mães e das Verrugas, os horrores do leilão e a armação de Bea. Ele riu muito ao longo de tudo aquilo, mas Rachel achou que poderia perdoá-lo. Inclusive achou que talvez também pudesse rir daquilo. Um dia.

Então ele estendeu a mão para pegar a dela, ajudou-a a se levantar e disse:

— Certo. Você venceu. Mas agora vamos. Está todo mundo olhando. Só nos resta um curso de ação nessa situação específica.

— Acho que devemos dançar.

Partidas

Bubba estava exausta e bastante tonta, portanto talvez nem todos os seus reflexos estivessem a todo vapor. Observava Rachel e o diretor, que continuavam dançando juntos — e conversando e rindo —, mesmo depois que a música dançante tinha virado uma lenta... A primeira dica de que alguma coisa estava dando terrivelmente errado, catastroficamente errado passou pela sua cabeça atordoada.

— Bubba, você é ainda mais esperta do que pensei — berrou Jasmine para ela, por cima da música. — Hahahaha!

— Demais! — gritou Sharon. — Você mudou a maré de tudo!

Bubba sorriu e levantou a taça em resposta. Era mesmo digno de hahahaha. E ela era mesmo demais, não era? A coisa toda havia ido *tão* bem. Era *brilhante* ter criado uma festa praiana em dezembro. Ela sacudiu de leve os quadris. Todos estavam no clima para isso. Bubba andou em torno por algum tempo, tentando dançar lento sozinha. Mark era perfeito em todos os aspectos, mas, por algum motivo esquisito, ela nunca conseguia arrastá-lo para uma pista de dança. Está bem, então agora mudei a maré de tudo! Esperto *mesmo*, não? Porque, veja, combina com o tema. Sensacional! Eu sou *mesmo*, como disse Jasmine, *muito* esperta.

E então, de repente, a pista de dança começou a esvaziar, e um monte de gente começou a berrar coisas sobre sapatos e vestidos e alguém mencionou que não sabia nadar. E então a música parou e Wayne começou a desplugar tudo a toda velocidade e a levantar o equipamento, mas, quando colocou uma caixa preta grande em cima de uma das mesas, tudo pareceu afundar e aí as pessoas começaram a correr — não, a correr não, a *chapinhar*, chapinhar bem depressa — até a porta, para chegar ao terreno mais elevado.

Então isso aqui de fato *não é* uma lagoa, pensou ela calmamente enquanto o nível da água aumentava e as cadeiras de uma extremidade da tenda começavam a boiar e oscilar, oscilar, oscilar por toda parte. É *mesmo* um *lago* — não exatamente do tamanho do Windermere, verdade, mas um senhor corpo d'água. Tanto que a barra do Stella McCartney agora estava completamente submersa. E então montes de bolinhas de preocupação — uma quantidade grande demais para contar — começaram a correr e a amarrá-la com força e pronto, já era, lá vêm elas, vão mesmo estrangulá-la. Ou na verdade iriam afogá-la?

Foram duas horas extenuantes. Todos os demais fugiram, em pânico. Bubba, histérica, foi arrastada por Mark e de algum modo quem acabou tendo de lidar com a crise foram Rachel e Tom Orchard. Tomasz e Kazia ficaram, é claro; os dois foram brilhantes. Tomasz estava agitadíssimo. Disse que havia desejado proteger as margens do lago desde que começara a trabalhar ali, e que sabia que o lago inundaria com qualquer aumento no afluxo de água, mas "a Sra. Green, ela não escuta". No fim, Tom acabou mandando os dois irem dormir também.

Então agora só estavam os dois, sozinhos. Haviam salvado o máximo que puderam e agora estavam prostrados, exaustos, sobre uma pilha de carpete enrolado nos fundos da tenda. Ficaram ali deitados, lado a lado, como veranistas em um atol, embaixo das redes de pesca e do céu azul-cobalto, relaxando enquanto as águas gentis ondeavam ao redor.

— Eu devia ter trazido um piquenique — declarou Tom, reclinando o corpo para trás. — Como fui bobo. Nem pensei nisso.

— Bem, da próxima vez você traz. Nós da St. Ambrose em geral gostamos de terminar a noite assim. — Rachel sacudiu as sandálias (arruinadas) para longe e olhou para os pés descalços. Ah, que arrependimento não ter feito manicure e pedicure no barracão Serenity. — Sempre que possível.

— Sabe, antes eu achava que vocês faziam eventos para arrecadar fundos para um tsunami...

— Mas agora você sabe que a coisa pode funcionar ao contrário.

Os dois riram. Ela enfiou os dedos dos pés embaixo da barra molhada do vestido longo.

— É sua primeira vez como diretor de escola, não é? Experiência é tudo.

— Vou te dizer uma coisa: a curva de aprendizagem é um pouquinho mais íngreme do que eu tinha previsto. Todos os cursos de treinamento não ajudaram em nada para me preparar.

— Então, hã, o que você fazia antes disso? — Até que enfim, chegara a oportunidade: a pop star, o jogador de futebol, o soco...?

— Bem, comecei como professor, depois fiz um rápido desvio para trabalhar na City, por todos os motivos óbvios. Fiquei ali por um tempo, depois senti a necessidade de, sabe, dar algo em retorno.

— Tipo quando você está na autoestrada e não tem nenhum posto de gasolina por perto e você precisa sair da autoestrada para abastecer, para poder voltar e continuar a viagem?

— Exatamente. — Tom apanhou uma garrafa que veio boiando numa onda. — Mas não exatamente. — Deu um gole. — Porque a minha namorada decidiu ficar no posto de gasolina, em vez de voltar para a estrada...

— Ah. — Pop star, por acaso?

— E exigir cinquenta por cento da gasolina metafórica. Para seu próprio tanque metafórico da separação.

Ah, como assim, nenhum triângulo de amorrrr? Aquela tal de Destiny do terceiro ano... que mentirosa. Mesmo assim, essa versão continuava sendo bastante interessante. Só que justamente naquele momento Mark Green voltou chapinhando. Os dois se levantaram, talvez um pouco depressa demais.

— Ah, não, não, não, não precisam se levantar. Dá uma nela por mim.

— Oh! Nossa! Não! A gente só estava...

— É um alívio do cacete ver alguém se divertindo, pra ser sincero. Puta que o pariu. — Tom e Rachel pularam de leve, ao mesmo tempo. — Isso fica a cargo da patroa. — Ele olhou ao redor. — Sempre cheia de surpresas.

— Ah, coitada. — Rachel voltou a se deitar. — Como está Bubba?

— Ela estava bastante fula da vida, por isso coloquei umas pílulas pra dormir na mistura e agora, graças a Deus, ela apagou. Mas não para de ficar murmurando números dormindo. Três mil dividido por vinte e 10 mil menos 12 mil e todo tipo de baboseira, e acho que... — Ele deu um tapinha na lateral da cabeça. — Acho que sei o que está acontecendo aqui. Ela está preocupada com o lucro de tudo isso.

— Isso é meio que compreensível — comentou Rachel, olhando para os destroços ao redor. — Provavelmente vai haver alguns problemas com seguros, não me surpreenderia.

Mark agitou o talão de cheques.

— É, bom. Não aguento mais. Estou por aqui. Precisar comprar aquele metido idiota do Farr no leilão foi a gota d'água. — Ele se apoiou na mesa e começou a escrever. — Isso deve bastar.

Ele estendeu o cheque para Tom, que ao dar uma olhada começou a protestar.

— Não quero saber. Aceite. Faça bom uso. Mas só o entrego a você com duas condições.

Tom apoiou o corpo em um dos cotovelos e assentiu.

— Um: não quero mais ouvir nenhum pio sobre esse baile maldito.

— Acho que isso será um alívio para todos os interessados.

— E dois: meus filhos saem dessa escola no fim do verão. Eu acerto os ponteiros com Bubba bem mais tarde. Mas uma coisa eu te digo, eles vão voltar pra outra bela escola particular de merda feita para os filhinhos dos imbecis ordinários onde não é preciso mover uma porra de palha além de dar as caras e mostrar que tem grana e pronto. Meu Deus, não tenho mais grana para sustentar essa porra de história de escola pública. Mais um ano disso e a gente vai acabar num maldito asilo de indigentes.

E com isso ele deu as costas e tornou a chapinhar para longe da tenda caída, provavelmente para voltar aos devaneios delirantes da esposa inconsciente.

Rachel e Tom sentaram-se em seu atol de carpete em silêncio, ouvindo o som das galochas que se afastavam. Quando ela teve certeza de que a barra estava limpa, disse:

— Quando Bubba escolheu a St. Ambrose, disse que tinha receio de que fosse meio "dura e boca suja" demais para a família Green, mas que estava disposta a correr o risco...

— Que bom que ela correu — interrompeu Tom, mostrando-lhe o cheque. — Olha só pra isso.

Rachel soltou um assobio baixinho.

— Uau. Talvez você consiga ter sua biblioteca, no fim das contas.

— *Nossa* biblioteca. — Tom se levantou e ajudou Rachel a ficar de pé. — Quero dizer, de todo mundo. É. E você vai poder fazer a linha do tempo!

Ops. A maldita linha do tempo.

— Ah, é. Que bom. — Havia se esquecido completamente disso...

— Tenho certeza de que vai ficar fantástica. Já começou a trabalhar nela? — Ele tirou o paletó e com ele envolveu os ombros nus de Rachel. — Você vai precisar disso.

Juntos, afastaram-se da tenda chapinhando.

-– Ah, só de leve, sabe, umas ideias iniciais... — Nem um único esboço. Inferno. Dobrou cada perna na altura do joelho para recolocar as sandálias e depois os dois caminharam até a estrada. — Mas, agora que virou uma certeza... — A chuva havia parado agora, mas o ar estava frio. — ... posso começar a me dedicar devidamente...

Rachel entrou em seu carro e devolveu o paletó para ele.

— Bom, hã, obrigada...

— Não, não. — Tom, sorrindo, inclinou o corpo para dentro enquanto segurava a porta. — Obrigado a *você* — ele endireitou a postura — por uma noite verdadeiramente inesquecível.

Os dois riram. Ela fechou a porta. Ele acenou. Ela dirigiu de volta para casa. Pronto, mãe, pensou ela com um sorriso. Fiz mais um amigo.

Segunda-feira de manhã

8H50. ENTRADA

Rachel subiu o morro ouvindo Heather tagarelar sobre uma coisa ou outra, mas sem realmente prestar atenção. Naquela manhã sua concentração estava sofrendo de um leve mau funcionamento. O mundo parecia ter se inclinado ligeiramente em seu eixo. Ela se sentia meio tonta, tinha perdido o chão. Quando elas chegaram ao pátio da escola, o grupinho já estava reunido embaixo da árvore, zumbindo.

— Oi — disse (quem? Jasmine? Sharon? Uma ou outra). — A gente só estava repassando os acontecimentos. Fazendo a necrópsia. Foi ou não foi um desastre completo?

— Hummm? O quê? O que foi um desastre completo? — Por um instante, Rachel não conseguiu pensar. — Ah. O baile. Foi? — Ela apontou a porta para Poppy com um gesto meio vago. — Vocês acham? Achei que foi... maravilhoso.

— Que bom saber que alguém tirou alguma coisa de positivo daquela noite — declarou Georgie com olhos desconfiados, cheios de segundas intenções. — Eu me pergunto por quê? Vai dizer para o resto da turma?

— O mais engraçado — interveio Jasmine — é que meu Richard disse que, se soubesse que seria *fish and chips* e depois cama às dez e meia, ele teria esperado ainda mais ansiosamente por esse baile.

— Sssh. Ajam normalmente. Lá vem ela.

Observaram o Range Rover de Bubba entrar no estacionamento a passo de lesma. Ela saiu com as crianças e veio se arrastando atrás delas enquanto elas entravam na escola. Não tinha lavado nem penteado o cabelo recentemente. Ela usava calças de moletom e um cardigã marrom puído.

— Pssst — sussurrou Heather para as outras. — Olhem. Chinelos felpudos.

Os óculos de sol cobriam os olhos, mas o resto do rosto de Bubba estava sem maquiagem e cinzento.

— Coitada... — comentou uma.

— Parece estar... — começou outra.

— Parece... — ensaiou Heather.

Havia apenas uma pessoa capaz de identificar aquilo.

— Ela parece — interrompeu Georgie bruscamente — uma de nós.

O celular de Georgie tocou e ela passou o bebê para Heather enquanto enfiava a mão no bolso para encontrá-lo.

— Si... Qu...?

Havia algo de terrível no seu tom de voz. Todas deram as costas para a visão de Bubba e rodearam Georgie.

— Estou indo, tá, meu amor? Daqui a pouquinho chego aí.

Ela abaixou o celular e ergueu olhos azuis arregalados e aterrorizados para o grupo. Seu rosto estava retorcido de pânico.

— Era Jo. É o Steve.

A voz lhe faltou. Ela estava tentando dizer algo, mas não saía claramente. Elas só conseguiram entender a última palavra.

— ... suicídio.

9H. REUNIÃO

O sino da escola tinha tocado há algum tempo, mas ninguém se mexeu. O pânico desencadeado pela adrenalina após o telefonema de Jo abriu caminho a uma tristeza coletiva profunda e entorpecente.

Rachel ficou pregada onde estava, meio afastada das outras, incapaz de falar. Lá vai mais uma, era o que ela não parava de pensar: mais uma família aparentemente normal da St. Ambrose escolhida e destruída pelo *hooligan* violento e insensível que é o destino.

Olhou em torno. A manhã estava sombria, portanto a escola estava com as luzes acesas; as janelas em arco, como as de uma igreja, cintilavam com um brilho confiante. Rachel olhou para aquilo, sem saber como poderia continuar existindo como se nada tivesse acontecido. Afinal de contas, a St. Ambrose não passava do conjunto de todas as suas famílias; elas constituíam seu DNA. Ela só existe, pensou Rachel, por nossa causa. Porque nossas pequeninas unidades individuais milagrosamente escolheram se combinar. Somos a estrutura celular, os blocos constitutivos dessa escola. E, contudo, as células são tão frágeis. Não param de se desmembrar. As moléculas não param de morrer. Quanto mais esse lugar será capaz de suportar antes que também ele comece a mudar — ou definhar?

O grupo sob a árvore havia aumentado, e Rachel agora tinha sido englobada por ele. A maioria das pessoas, tal como ela, estava em silêncio. Apenas os mais incoerentes sentiam que havia algo a dizer.

— Coitadas das crianças.

— Mas meus meninos estão no mesmo time de domingo que os filhos deles! Viam Steve toda semana.

— Justamente uma semana antes do Natal...

Rachel sentia-se grata pela sua incapacidade de compreender o horror de uma depressão suicida, mas conseguiu entender que, se Steve estivera envolvido em uma batalha fechada feroz com seus demônios, teria sido difícil contê-los só por causa de um pouco de peru e um pinheiro. O horror negro de desolação daquilo tudo era esmagador, e ela se sentia presa numa armadilha, sufocada pelo grupo que a rodeava de perto. Ficou imóvel, com o restante do bando, tremendo, como o restante do bando, incapaz de escapar. Ouviu as pessoas trocando histórias entre si — "Eu os conheço desde a NCT*"

---

* Maior organização sem fins lucrativos do Reino Unido voltada a oferecer suporte na gravidez, no parto e para crianças recém-nascidas. (*N. da T.*)

—, credenciais que talvez confirmassem que aquela tragédia era, em parte, delas também. A única coisa que Rachel queria fazer era voltar para casa, desabar em algum canto e chorar sozinha. Se pelo menos conseguisse se mexer...

Georgie de repente levantou a cabeça, alerta — um animal selvagem sentindo o cheiro de perigo. Por um instante, Rachel receou que ela arrumasse alguma briga. Com certeza ela não deixaria nada barato. Mas não. Seus olhos estavam desconfiados, suas narinas, entreabertas. Ela estava rígida e focada no que estava acontecendo perto do módulo pré-fabricado, na entrada da escola.

— Não acredito. Digam que não é verdade. Mas. Que. P... — E lá se foi ela, com o grupo inteiro atrás de si.

Bea estava de pé à porta, segurando uma prancheta e toda vestida de preto. Seus olhos estavam secos, mas suas feições estavam jeitosamente coordenadas em expressões clássicas de tristeza. Ela conversava com outra mãe em um tom de murmúrio — "Obrigada, é gentil da sua parte. Uma família *adorável*. Um choque *terrível*..." — enquanto anotava um nome. Então viu Georgie se aproximando.

— Oh, Georgie, sinto *tanto* por eu ser obrigada a te dar a notícia. Tenho uma notícia trágica, *trágica*. Steve, sabe, o marido de Jo? Ele...

— Obrigada. Muito obrigada. — A voz de Georgie estava grossa pelo choro, mas o tom era alto o bastante. — Sei muito bem quem é o marido de Jo. E sei muito bem da notícia trágica...

Bea levou a mão ao peito.

— Ah, isso é um alívio para *mim*, pelo menos. — Balançou a cabeça e alisou o cabelo. — Esta é uma das manhãs mais difíceis que já tive de en...

— Mas *como* você faz isso, hein? Como você consegue, Bea? Ela acabou de encontrá-lo! Nem conseguiu ainda localizar o irmão dele para dar a notícia! Então, como *você* já está sabendo de tudo?

Bea recuou alguns passos na direção da parede pré-fabricada, enquanto Georgie continuava avançando até ela.

— Você parece um desses canalhas dos tabloides, que já escreveram a reportagem antes mesmo de a tragédia acontecer!

Àquela altura, uma multidão estava se reunindo em torno das duas.

— Você paga alguma equipe de ambulância pra receber as notícias em primeira mão? Tem um espião infiltrado na polícia? Hein?

Ela estava bem na frente da cara de Bea, sibilando de raiva.

— Você não gosta de Jo e ela não gosta de você! Você nem sequer conheceu Steve! Você não sabe de nada, de nada da vida deles! Como ousa ficar aqui com sua prancheta, vestida como um agente funerário e agir como se isso tivesse *alguma coisa* a ver com você?

Rachel estava prestes a começar um aplauso espontâneo, algo que seria chocantemente inadequado, quando foi salva pela Sra. Black, a secretária da escola, que abria a porta principal.

— Ah. — Obviamente ela também estivera chorando. — Vejo que vocês já estão sabendo. O diretor está disposto a lidar com isso com o máximo de cuidado, para não escapar dos limites da escola. Portanto, me pediu que viesse ver se a senhora...

Fez uma pausa enquanto colocava os óculos para ler algo escrito em um caderno espiralado. A mão dela tremia. O grupo sobre o pavimento conteve a respiração. Georgie cerrou os punhos. Bea começou a andar na direção da escadaria da escola, como se estivesse prestes a se afogar e a Sra. Black fosse sua corda de salvação.

— ... Spencer? Sim, se Melissa Spencer estaria disposta a oferecer sua consultoria especializada para ele neste momento horrível e tão difícil.

TRIMESTRE DA PRIMAVERA

O primeiro dia de aula

8H45. ENTRADA

— E um feliz ano-novo a todos. — O dia estava vago e arrastado; ainda não havia clareado direito. O ar que saía da boca de Rachel se transformou em fumaça ao atingir a escuridão fria.

— Obrigada, mas sabe de uma coisa? — Heather mordeu o lábio, balançando a cabeça, quando elas começaram a caminhar. — Estou com um pressentimento horroroso em relação a esse ano.

— Muito bem. Esse é o espírito. Já pensou em se candidatar para ser um raio de luz? É um talento natural seu.

— Desculpa. Sinto muito. Feliz ano-novo.

— Agora sim. Pessoalmente, acho que mereço mesmo um bom ano, já que o anterior foi uma merda espetacular.

Poppy e Maisie estavam de mãos dadas e saltitavam à frente. Que sorte a delas, terem a habilidade de se tornar próximas com tanta rapidez.

— Certo. — Rachel passou o braço pelo de Heather e suavizou o tom de voz. — Diga o que está chateando você e vejamos o que podemos resolver até chegarmos à escola.

— Rachel, você é demais. Os amigos não são a melhor coisa da vida? Senti sua falta durante as férias. Já estou me sentindo melhor.

Claro, não era nem preciso dizer que Heather estava enganada. Completamente. Infinitamente. Por isso Rachel estava ficando cada vez mais preocupada com aquela compaixão mútua entre elas. Mas, seja como for, para ela as férias escolares foram praticamente um purgatório; na melhor das hipóteses, uma meia-vida. Seu primeiro Natal sem Chris — um almoço apressado, a ida dolorosa das crianças para a casa dele, depois uma tarde sem graça e sem brinquedos, que parecia não acabar nunca, sentada com sua mãe no sofá assistindo à rainha na televisão, tentando com todas as forças, mas sem conseguir distinguir uma da outra. Sim, ela havia sobrevivido, mas por pouco. E depois aqueles dias mortos, quietos. Josh na viagem de esqui da escola. Poppy com uma gripe horrível. De fato, sinceramente, era bom estar de volta.

— Certo, lá vai então. — Heather respirou fundo. — Número um: Bea mandou uma mensagem de texto ontem à noite dizendo "Exercício de amanhã. Começar de leve. Passear com os cães", depois um x e uma carinha com as bochechas cheias de ar.

— Be-le-za. Só para eu ter um parâmetro, esse é o pior dos seus problemas? Porque, se for... — Rachel ergueu os braços na frente do rosto, protegendo-se do horror total, e começou a tremer. — ... não sei se vou conseguir aguentar mais...

— MAS EU NÃO TENHO UM CACHORRO! — berrou Heather. — Sempre quis um, sempre, mas Guy é alérgico, então nunca tivemos nenhum, e agora...

— Tá bom. Calma. Bem, a que horas isso está marcado? Às nove? Então comprar um cachorro não é uma opção. Nós poderíamos pegar aquele meio morto e fedido que fica nos Estábulos Antigos, no caminho para a escola. Ou, como última opção, tenho outra ideia: por que não fazer a caminhada sem cachorro e ver se alguém se importa com isso?

O rosto de Heather se iluminou.

— Você acha que elas não vão se importar?

— Ei, confie em mim. Próximo problema?

— Ai, ai. — O rosto de Heather se contorceu novamente. — Bem, é que fiquei sabendo que daqui a duas semanas, na sexta, é o aniversário de 40 anos de Bea...

Verdade, pensou Rachel. É mesmo. Nessa época, no ano passado, saímos para jantar comida indiana, só nós quatro. Bea disse que era só isso que ela queria de presente.

— ... e claro que nós precisamos fazer alguma coisa. Mas ninguém começou a organizar nada ainda...

Ou começaram e não falaram nada para você. Nem, obviamente, para mim...

— ... então, fico pensando: será que eu deveria falar sobre isso com alguém? Tipo Colette? Ou mesmo Tony? Eu meio que conheci ele. Meio. Ou seria melhor se eu organizasse algo por conta própria? Sou a pessoa certa pra isso? Será que eu deveria ser A Organizadora?

Rachel duvidava muito, a não ser que tivesse acontecido uma explosão nuclear que destruiu tudo e de alguma forma ela não tivesse notado. Mas estava determinada a não gastar uma caloria sequer pensando na festa de aniversário de Bea Stuart.

— Você precisa lembrar — explicou, pacientemente — que as coisas são diferentes para Bea agora, já que...

— Claro! — Heather tapou a boca com a mão enluvada. — Você tem razão! O Emprego!

— Exatamente. O emprego. E, além disso, o...? — Rachel levantou a mochila de Poppy, pendurou-a no ombro e fez um gesto de manter algumas bolas no ar, fazendo também os sons complementares de apanhar as bolas com as palmas da mão.

— O malabarismo!

— Correto novamente. O malabarismo. Pessoas como eu e você, nós nem podemos imaginar o que é isso. Então vamos apenas esperar para ver... — Isso poderia ser divertidíssimo. Seria muito forçado colocar um cartaz escrito FELIZ QUARENTA, BEA na rotatória? Rachel sorriu. Seria legal... — Certo. Próximo.

Elas haviam chegado à escola. O dia havia clareado o máximo possível e o céu estava frio e fechado, um cinza uniforme. Crianças pequenas, casacos grandes e mochilas gigantescas se arrastavam portas adentro, ou eram arrastadas pelos pais exaustos e irritados. Milo Green chorava enquanto Kazia tentava convencê-lo a sair do carro. Não havia, no pátio, sequer um traço da alegria de voltar às aulas este semestre.

— Esse problema não é tão fácil de resolver, infelizmente. — Heather dava a impressão de que poderia chorar a qualquer momento. — É Jo.

— Ah, sim. Isso sim ajuda a colocar as coisas em perspectiva para nós... — Rachel teve a impressão de que poderia cair no choro também.

— Não sei o que fazer. Penso neles o tempo todo, o tempo todo. No Natal, no dia depois do Natal, na véspera de Ano-Novo e em todos os outros dias entre os feriados pensei nela e naquelas crianças, e no que eles estão passando, e meu coração dói, simplesmente dói por eles. Mesmo assim, não fiz nada. Tentei escrever um bilhete, mas ficou horrível. Então comprei um monte de coisas para preparar uma refeição... sabe, em família?, algo reconfortante, como fizemos quando Laura, a mãe dos gêmeos, lembra, faleceu. Mas você acha que devo mesmo fazer isso? Quero dizer, o que está acontecendo, na sua opinião? O que, exatamente, devemos fazer, todos nós?

Instintivamente, reflexivamente, Rachel olhou para Bea. Ela estava, claro, embaixo da faia — e não parecia nem irritada nem exausta —, enrolada em um casulo de náilon de cor chocolate e pelo falso, cercada por mulheres com roupas de ginástica e cachorros. Mas não estava segurando sua prancheta. Aliás, Rachel percebeu com espanto, não tinha nem mesmo uma caneta em mãos.

— Bem... — começou Rachel, incerta. Ela também não havia feito nada, e isso pesava bastante. Tinha pensado em fazer algo, queria muito ter feito, sabia que deveria. Mesmo assim, não fizera. Deixara Jo no seu escaninho emocional, como mais um assunto para ser resolvido, enquanto os dias do recesso escolar iam passando. — Eu sei que Georgie está com ela hoje. Finalmente conseguiram organizar o funeral, e Jo queria um pouco de apoio emocional quando a reverenda chegasse.

— Acho que vou cozinhar algo pra eles. Passar por lá. Quero dizer, nós da St. Ambrose sempre fazemos alguma coisa. É por isso que a St. Ambrose é conhecida. — Heather, observando as mulheres embaixo da árvore e o bando de cachorros, mordeu o lábio novamente. — Afinal de contas, nós somos uma grande família feliz.

10H. INTERVALO DA MANHÃ

Georgie sentou no sofá duro e resistente e olhou ao redor. As paredes não tinham enfeites. Não havia fotos, estantes, nada pendurado para se ver: era um ambiente totalmente neutro, que elevava a guerra contra a presunção a outro nível. O único objeto que decorava a sala de estar de Jo era uma gigantesca televisão, na parede do lado oposto, desligada, orgulhosa como um altar. Nada era como Georgie havia imaginado, e, naquele momento, ela estava se sentindo levemente incomodada. Jo estava extremamente pálida, exausta e mal-cuidada, como se esperaria de alguém na situação dela, mas também estava inesperadamente teimosa e agressiva. E, embora Georgie estivesse bastante preparada para oferecer apoio moral — sentia-se desesperada para fazer qualquer coisa para ajudar —, não tinha certeza se quem precisaria disso era Jo ou a pobre reverenda.

— Olha, desculpa, sem querer ofender, rev...

— Por favor, pode me chamar de Debbie.

— ... mas nós não queremos que seja na igreja e ponto final, então nem precisa gastar saliva. No melhor dos meus dias eu não sou muito boa com Deus. Steve, aliás, nunca conseguiu suportar esse velho chato. Por isso nesse momento não quero envolver Deus de forma alguma. Tá entendendo? Olha pra gente. Estamos numa confusão imensa agora. Eu, os meninos, o dinheiro, a casa... — Ela parou de falar, engoliu em seco e continuou. — Está me entendendo? Estou me sentindo assim, tipo, valeu Deus. Obrigada por tudo, Deus. Valeu mesmo, hein?!

A reverenda apoiou sua xícara de chá extraforte no carpete estampado e pousou as mãos nos joelhos. Isso, pensou Georgie, vai ser interessante. Afinal de contas, eles tiveram que se declarar católicos fiéis para poder entrar na St. Ambrose, antes de mais nada. Os costumes da escola ditavam que pais como Jo, cujas casas se situavam quase nos limites da região escolar, tivessem um nível de devoção capaz de fazer são Tomás Becket pendurar seu cilício. A reverenda Debbie levou aquele comentário seriamente. Em circunstâncias normais, nenhum pai ou mãe ousaria manifestar suas dúvidas justamente na frente de uma das responsáveis pela escola.

— É sempre difícil encontrar a mão de Deus nos momentos mais pesados do nosso luto...

Aquelas, porém, eram circunstâncias extraordinárias, claro: uma mãe chegar em casa do seu turno noturno e encontrar o marido enforcado, frio, morto, na garagem. Jo, naquele momento, estava se debatendo, sofrendo, lutando contra algo que estava muito além de nossos piores pesadelos. Georgie mordeu o lábio. Não podia chorar ali, naquele momento, com Jo ao seu lado. Mas como, pensou, nós conseguiremos agir normalmente ao lado dela algum dia outra vez?

Olhou para o balcão ao lado, de onde o rosto de Steve ainda sorria, refletindo momentos mais felizes de sua vida, quando ele ainda não sabia o que estava vindo para acertá-lo do nada: Steve com Ollie ainda bebê; Steve com Freddie usando uniformes de futebol idênticos; Steve, queimado de sol e irritado com seus amigos, segurando uma faixa do Liverpool. Nenhuma foto de Steve com Jo, mas essa era a vida em família: um dos pais desaparecia, invisível, atrás da câmera.

— Então, se optarmos apenas pelo crematório... — A reverenda tentou continuar a conversa.

— Já optamos.

— ... mesmo assim podemos incluir algum elemento religioso à cerimônia. Os hinos favoritos da família ou coisas assim. Algumas pessoas gostam de reutilizar os mesmos hinos e sermões do casamento.

Steve e Jo se casaram, embora bastante recentemente — quando ele fora demitido, da vez anterior a essa, e um consultor financeiro os aconselhou a fazer isso. Mas a cerimônia tinha sido apenas para os dois, na Câmara Municipal, enquanto os meninos estavam na natação. Na manhã da segunda-feira seguinte, na escola, Jo dissera com certa satisfação que a coisa toda havia sido tão rápida que eles tiveram tempo de voltar para casa para assistir *Football Focus*. Por isso não existia nenhuma foto antiga de casamento, infelizmente. Georgie adoraria poder vê-los quando mais novos, juntos, felizes, antes que a vida em família surgisse do nada diante deles como um assaltante e roubasse suas identidades pessoais.

Ou "Abide With Me", então? Pode ser consolador.

— Ora, me poupe, Debbie. Isso não é a final da Copa do Mundo.

Georgie não conhecia Jo há tanto tempo assim, havia apenas cinco anos, desde que Ollie e Kate começaram no pré. Mas, de certa maneira, achava que a conhecia mais intimamente que muitas das amigas que possuía há decadas. Sabia quais eram seus doces favoritos (Gummy Bears, inexplicavelmente — e uma questão de discussão furiosa) e a situação de sua vida sexual (inexistente) e de seu assoalho pélvico (destruído). Elas se viam todos os dias, geralmente duas vezes por dia, muitas vezes mais; havia tempo suficiente para examinar os pormenores de suas vidas, mais as notas de rodapé. Era muito mais tempo do que Georgie costumava passar até mesmo com suas melhores amigas da época da universidade — coisa que acontecia umas três vezes por ano, com sorte, em reuniões tão rápidas que elas eram obrigadas a compartilhar as novidades de suas vidas como se fossem chamadas em cartazes: "GRÁVIDA!", "LARGUEI DELE!", "GRÁVIDA DE NOVO!".

Ainda assim, sentada naquela manhã no sofá de Jo, descobriu quantas coisas não sabia. Nunca estivera nesta sala, por exemplo. Georgie não conhecia o resto da casa, nunca havia passado da porta da cozinha. Ela só existia no dia a dia de sua amiga. No seu habitual. Na sua rotina tediosa. Ela não conseguia nem começar a imaginar como Jo conseguiria suportar algo tão monstruoso e anormal quanto aquilo. Afinal de contas, embora soubesse que Steve andava deprimido e que Jo o estava achando muito difícil, Georgie não tinha ideia de que as coisas estavam tão ruins que pudessem chegar àquele ponto. Porque, percebeu ela ao passar os olhos pela casa dele, pela mulher dele, pelas coisas dele, mais importante que tudo: ela não havia conhecido Steve.

Heather estava de pé na cozinha, olhando para dois pratos de lasanha diferentes. Uma era grande demais, definitivamente — ela não queria dar trabalho para Jo com comida sobrando na geladeira ou com reciclagem extra de comida orgânica. A menor, porém, estava em um dos seus pratos antigos do coração: com certeza ela gostaria de tê-lo de volta no futuro, mas não queria dar o trabalho a Jo de devolvê-lo. Quanto será que eles comem? Eram dois meninos na casa, loucos por esporte, e além disso Jo era boa de garfo também; isso era um fato bem conhecido. Mas será que eles teriam apetite, dadas as circunstâncias? Era uma escolha difícil, e ela queria fazer o certo.

Ela se sentia um pouco perdida, para ser honesta. Sem orientação adequada, estava apenas andando em círculos. Ninguém aqui estava culpando Bea por não fornecer a tal rota, é claro, ainda mais depois que Georgie praticamente a surrou aquele dia no pátio após aquela manhã horrível em que Steve... ela não podia suportar pensar nesse assunto... Mas todas sentiam o mesmo. Conversaram a respeito durante a caminhada hoje cedo e concordavam: não havia culpa, mas muita gente andando em círculos.

Por outro lado, Heather precisava admitir que as orientações nem sempre funcionavam para ela. Quando a fofa da Pat, que morava mais no fim da rua, havia descoberto um câncer no pâncreas, ela se ofereceu para levá-la de carro às sessões de quimioterapia, mas aquele grupinho que mora na rotatória tomara a tarefa para si logo nas primeiras semanas, embora mal conhecessem a pobrezinha. Então Pat morreu, infelizmente, antes mesmo que Heather pudesse fazer sua parte. Isso era algo que até hoje ela achava muito triste, porque as duas sempre gostaram de bater um papinho. O que a fazia se lembrar de outra coisa: as gêmeas de Laura, de levá-las às reuniões das escoteiros. Heather ainda não tivera sua vez nessa tarefa, e olhe que estava na lista de espera há meses. Pela sua experiência, sempre as mesmas pessoas eram escolhidas, e, se por um lado era legal que todo mundo quisesse colaborar — isso era uma das partes mais adoráveis da St. Ambrose, afinal de contas —, por outro também seria bom se cada um que quisesse ajudar pudesse ter sua chance.

O prato menor: iria escolher esse. Essa era uma ajuda que valia a pena... Ele era bem mais bonito, e havia o suficiente para três pessoas. Ah — socorro! —, o único problema é que ele não podia ser lavado na máquina. Bem, ela colocaria um pequeno aviso num post-it sobre o papel alumínio que cobria o prato, dando as instruções mínimas de lavagem e avisando que passaria dali a alguns dias para pegá-lo de volta. Tudo ficaria bem. Ou pelo menos assim ela esperava. Certamente não queria fazer nada que aumentasse ainda mais a angústia de Jo...

Eu sabia tudo sobre ele, pensava Georgie, e no entanto não sabia nada: ele me era intimamente familiar, e contudo completamente distante. Quase como uma celebridade: Georgie tinha com Steve o mesmo tipo de relacionamento que tinha com qualquer celebridade de primeira linha. Era constantemente informada sobre onde ele estava, o que estava fazendo, do que gostava, o que odiava, sabia tudo sobre seu dia a dia, do quarto à cozinha. Os fatos privados de sua vida estavam ao redor dela o tempo todo, no ar, e ela parecia absorvê-los, querendo ou não. Só que na verdade não conhecia a pessoa. Tudo bem, tinha visto Steve um pouco mais que Beckham ou Clooney — caso quiséssemos ser chatos e entrar em detalhes —, mas nada de mais.

A mesma coisa valia para todos os pais da escola: eles estavam presentes, claro, sempre apareciam nos portões de entrada — muito mais do que seu próprio pai fizera, o que não era muito difícil, uma vez que ele jamais esteve lá para buscá-la —, mas não faziam hora nem paravam para conversar além do básico. Eram ótimos com os próprios filhos, mas não pareciam ter o mesmo reflexo e a capacidade biológica de lembrar montanhas de informações sobre os filhos dos outros. Não se lembravam dos aniversários dos outros nem corriam para ajudar em emergências. Muitos deles viam Steve todos os sábados nos jogos de futebol entre pais e filhos, mas, ao que tudo indicava, nenhum sequer reparou que ele estava chateado, quanto mais pensando em se suicidar.

Georgie permaneceu sentada e calada, enquanto Jo e a reverenda Debbie decidiam os detalhes do funeral. Houve um breve momento de harmonia entre elas quando escolheram "You'll Never Walk Alone", hino que educadamente agradava os dois lados, o do futebol e o espiritual — mais ou menos. Quanto ao resto, porém, Jo parecia usar a coleira que estava apoiada na poltrona à sua frente como ponto focal para toda sua energia negativa, todo o seu luto furioso e sem lágrimas. Georgie achou que provavelmente, lá no fundo, ela não preferia que lessem *My Liverpool Home*, de Kenny Dalglish, em vez de recitarem o Pai Nosso — que só estava pedindo isso para irritar Debbie —, mas, ei, o que de fato Georgie sabia?

Pela enésima vez naquela manhã, ouviu o barulho da porta dos fundos se fechando e passos pela cozinha. Georgie pensou que talvez ela fosse mais útil investigando o que estava acontecendo e preparando mais chá para todos. Ela se levantou, recolheu as canecas, saiu pela porta sem se fazer notar e a fechou delicadamente, virou-se e observou o caos que estava a cozinha — evidente até para um observador não treinado: aquilo certamente não estava ali há uma hora e, à primeira vista, ela não conseguiu descobrir o que tinha acontecido.

Parecia que em algum momento depois das nove e meia da manhã ocorreu algum tipo de erupção. Todos os planos horizontais da cozinha de Jo — mesa, assentos das cadeiras, balcão, capacho — estavam cobertos por uma camada biológica de pratos e bandejas protegidos com papel alumínio, cada qual com um Post-it grudado no topo. Qual era, pensou Georgie, o substantivo coletivo de pratos pré-cozidos com uma combinação de todos os grupos alimentares juntos para formar uma refeição familiar? Um arsenal? Não, esse era o coletivo de armas. Um bando? Isso não descrevia a confusão que havia tomado conta daquela cozinha naquela manhã. Uma interferência? Sim, era isso. Uma interferência, irritante, desorganizada, descuidada, equivocada e extremamente irritante, de tortas de ricota e assados de atum.

Georgie caminhou até a mesa e arrancou o Post-it mais próximo. Lasanha de cordeiro com curry. Tentou imaginar a miséria e o infortúnio para os quais uma lasanha de cordeiro com curry poderia ser a cura e não conseguiu. *Por favor, devolva o prato esta sexta, pois precisarei dele no final de semana. Att, Clover.* Claro. Clover. Na sexta, Jo cremaria o homem com quem havia planejado passar a sua vida. Talvez a melhor solução fosse dar uma paradinha com o cortejo fúnebre na casa de Clover, a caminho do funeral? O que me diz?

A porta dos fundos se abriu novamente. Desta vez, era Heather. Ela vinha segurando um prato coberto com papel alumínio e um Post-it. Heather observou a cozinha e seu rosto se contorceu de preocupação.

— Ai, ai — sussurrou ela. — Isso, hum, foi algo, hã, quero dizer, algo assim, é, hum, completamente inútil então, não foi...?

— Mas que raios está acontecendo aqui? — sussurrou Georgie em resposta, irritada. — O que vocês estão tentando fazer com a pobre Jo? De quem foi essa ideia maluca? Quem exatamente disse para Clover que ela deveria cozinhar esse lixo tóxico e depois deixar milhares de instruções de como retornar os malditos utensílios domésticos?

Heather deu alguns passos nervosos e entrou na cozinha.

— Bem, não foi ninguém em particular. Quero dizer. — Ela colocou seu prato na mesa e fez um gesto indicando uma máquina de lavar em movimento, fazendo círculos com as mãos, tentando da melhor maneira elaborar uma explicação. — A gente estava perdida, sabe, andando em círculos, e...

— Andando em círculos? Nós estamos organizando o funeral e vocês estão andando em círculos? Bem, então podem parar. Imediatamente. E que diabos Bea está fazendo, posso saber, enquanto vocês estão perdidas?

— Bem, é exatamente isso, sabe. Ela não está fazendo nada. Esse é o nosso problema. Nós não tivemos nenhuma orientação, sabe. — Ela levantou as mãos unidas, com as palmas para cima, paralelas, e as observou. — Por isso estamos andando em círculos. — Aí voltou a fazer os movimentos de uma máquina de lavar.

— Então mande ela fazer alguma coisa. E depressa.

— Bom, é que... veja bem... eu acho... hum, Colette disse que ela meio que está em greve... — Heather abaixou os olhos e olhou para suas próprias botas. — A gente acha que, bem, Colette acha que pode ter algo a ver com você ter mandado Bea ir cuidar da própria vida, pra variar. Ai, ai. — Ela não percebeu que a porta da sala tinha se aberto. — Reverenda Debbie. Olá. — Ela murmurou algo que Georgie não entendeu direito, mas que pareceu ser "Louvado seja Deus."

— Olá, Heather. O chá já está pronto, Georgie?

— Desculpa. Foi culpa minha. — Heather pegou seu prato novamente e caminhou até a porta. — É melhor eu ir embora. O diretor marcou uma reunião do COSTA na hora do almoço.

— Marcou, é? Desculpa, mas ninguém me avisou... — Georgie, indiferente, virou-se na direção da chaleira, esticando-se para pegar as canecas limpas.

— Bem, Bea pediu pra não te avisar. Disse que você não precisa mais comparecer, de agora em diante. Disse que você está ocupada demais com Jo e avisou que deixaria você de fora de tudo a partir de agora.

Georgie se virou rapidamente.

— Ela disse isso? — Sua voz saiu muito alta. Georgie voltou a sussurrar. — Bem, nesse caso, eu vou, ah se vou. A mãe de Jo logo, logo chegará aqui, então...

— O que está acontecendo aqui? — Elas não notaram que Jo estava agora atrás da reverenda. — O que vocês fizeram? — Seus olhos estavam arregalados e pálidos, com olheiras. — O que é toda essa porcaria? — Ela caminhou com dificuldade, como uma inválida, até a mesa, leu o bilhete de Clover e caiu sentada em uma cadeira. — Por que todas essas coisas estão na minha cozinha? — Ela olhou de Georgie para Heather. — Por que vocês fariam isso? Por quê? Agora? Comigo?

E seja lá do que era feita, a cola mágica que até então estava mantendo Jo no lugar, permitindo que ela continuasse tocando a vida, naquele momento se descolou de maneira espetacular. E, pela primeira vez desde a morte de Steve, Georgie abraçou a amiga quando os joelhos dela fraquejaram e ela desabou.

— Ah, não. Ai, ai. — Heather olhou para Georgie, ajoelhada no chão, e para Jo, caindo da cadeira, depois de novo para Georgie, com os olhos cheios de lágrimas. — Eu sabia. Tudo culpa minha. Eu sabia que isso ia acontecer. Fui eu, não é? — Ela disse aquilo formando as palavras no ar, sem deixar o som sair, apoiando uma mão no pescoço. — Estou piorando a dor dela.

COMITÊ EXTRAORDINÁRIO DE ARRECADAÇÃO DE VERBA DA ST. AMBROSE (COSTA)

Ata da segunda reunião
Local: Sala do diretor
Presentes: Sr. Orchard (diretor), Beatrice Stuart (presidente), Colette, Clover, Jasmine, Sharon
Secretária: Heather

O DIRETOR informou a HEATHER que, antes de começarem, ele desejava dizer que havia lido AS ATAS das reuniões anteriores, e que os detalhes e a organização das mesmas eram simplesmente geniais, possivelmente as melhores atas que havia lido em toda a sua vida.

HEATHER respondeu que era porque ela estava dando o seu melhor.

O DIRETOR gostaria de complementar que, no entanto, no futuro, talvez fosse melhor ela escrever exatamente o que cada pessoa estava dizendo, sem se importar tanto em parecer mais formal ou oficial, se ela entendia o que ele estava tentando dizer.

HEATHER respondeu que BEA mandou fazer assim.

O DIRETOR: Bem, talvez neste semestre nós possamos tentar fazer as coisas um pouco diferente.

BEA: Realmente muito obrigada a todos por terem vindo à reunião, mesmo com um aviso tão em cima da hora, neste que sabemos ser um momento difícil para todos nós. Tom achou que essa seria uma boa oportunidade para nos reencontrarmos agora, no início do que, tenho certeza, será outro semestre maravilhoso para o COSTA.

O DIRETOR: Prometo que não vai demorar. Não posso ficar muito tempo, de qualquer forma, pois darei uma aula sobre *Cavalo de guerra* para o sexto ano logo depois do almoço.

CLOVER: Sério? O meu Damian leu esse livrinho quando tinha 5 anos. Sozinho. Quando tinha apenas 5 anos.

O DIRETOR: Então. Início de semestre, recapitulação do anterior. Agora estamos na metade da nossa meta, e por isso devemos agradecer a todos que participaram do comitê. No semestre anterior tivemos um começo sensacional, e hoje posso anunciar que os trabalhos com a biblioteca começam ainda esta semana. Na verdade, se olharem pela janela agora, poderão ver a primeira entrega dos materiais necessários para transformar aqueles galpões inúteis e antigos no nosso lindo espaço novo. Ali está o Sr. Baines, o zelador, cuidando de tudo.

COLETTE: Ah, eu não o tinha visto antes. Ele é novo?

O DIRETOR: É um momento animador para nossa escola, e preciso agradecer a todas vocês por tornarem isso possível. Mas há uma pessoa em especial cuja ajuda foi simplesmente sensacional...

BEA: Antes de qualquer coisa, devo dizer que eu não teria conseguido nada se não fosse a equipe que está me ajudando...

O DIRETOR: A Sra. Green. Sem o Baile Natalino, nós não estaríamos na excelente situação atual em que nos encontramos e ela merece toda nossa gratidão. Ela não virá à reunião?

BEA: ... infelizmente. Talvez não tenha recebido minha mensagem...

A ata relata a chegada de RACHEL.

COLETTE: Podemos ajudar?

BEA: Desculpe. Nós estamos fazendo uma reunião particular do COSTA. Não seria melhor voltar mais tarde?

O DIRETOR: Ah, Rachel. Ótimo. Obrigado por vir. Rachel concordou em nos ajudar com a decoração da nova biblioteca, então obviamente a opinião dela é vital. Pensei que faria sentido se ela se juntasse a nós, no comitê.

RACHEL: Consultora artística é o que sou, aparentemente.

COLETTE: Hum, olha só... Ficou importante, de repente.

CLOVER: É bom pra colocar cada uma de nós em seu devido lugar, tenho certeza.

BEA: Somos todos iguais aqui no COSTA, então espero que vocês não se sintam rejeitadas. De qualquer forma, continuemos. O programa de eventos deste semestre...

A ata relata a chegada de MELISSA SPENCER.

CLOVER: Talvez devêssemos colocar uma placa de "Não perturbe"?

O DIRETOR: Excelente. Bem-vinda. Essa é Melisssa, pessoal, que salvou o baile no ano passado depois daquela confusão com o bufê...

BEA: Por falar nisso, o que aconteceu mesmo?

O DIRETOR: ... e que será um excelente acréscimo ao nosso comitê, tenho certeza.

A ata relata a chegada de GEORGIE.

BEA: Ah. Uau. Quanta gente hoje.

CLOVER: Uma verdadeira festa da uva, eu diria. Pode nos chamar de ASPA e pronto.

COLETTE: Espera aí. Melhor elas não pensarem que teremos pulseirinhas para todos.

RACHEL: Como está Jo?

GEORGIE: Bem mal, mas a mãe dela está lá agora.

BEA: Como eu ia dizendo. Este semestre. Acho que...

O DIRETOR: Se eu puder dizer algumas palavras...? O BAILE foi uma excelente oportunidade para que eu me enturmasse com os pais e as mães da escola...

GEORGIE: He-he-he.

COLETTE: Nós percebemos.

O DIRETOR: ... e fiquei preocupado ao ouvir tantas reclamações sobre o modo como o COSTA tem funcionado. Muitas pessoas, principalmente os pais recém-chegados, parecem sentir que há algo como uma... bem a palavra mais usada foi "panelinha".

BEA: Ah, Tom. Tom! Por favor. Pare já. Não acredito que você disse isso. Com o maior respeito... SAINT AMBROSE? Uma panelinha? Pff! Isso está tão, mas tão errado! Ninguém nunca antes...

CLOVER: Nós somos uma grande família feliz.

O DIRETOR: Aparentemente... bem, isso foi o que ouvi... esses almoços do rodízio têm irritado algumas pessoas. Eles parecem ter ganhado a reputação de... bem, de serem exclusivos.

BEA: Ora, não consigo ver o porquê, mas claro, não é nem preciso dizer que a última coisa que o COSTA gostaria é de ser acusado de ser uma panelinha, quando na verdade somos um grupo de pessoas dando duro, abrindo mão das nossas noites e dos finais de semana pelo bem da escola e em benefício de...

O DIRETOR: Será que é porque esses almoços precisam de um convite especial e exclusivo?

BEA: Tudo bem. Então façamos do próximo almoço uma espécie de Open House. Que tal? Será que isso ajudaria a reprimir a revolta? Não queremos que nossas cabeças acabem rolando, não é? Só porque algumas de nós precisam fazer...

GEORGIE: Argh. Por favor, não. Não continue a frase.

BEA: ... malabarismo para conciliar...

GEORGIE: Droga.

BEA: ... os compromissos com família, empregos e arrecadação de fundos. Certo. Vejamos. Heather? Você gostaria de ser a responsável pelo contra-ataque do COSTA? Você seria a pessoa certa para acabar com essa barreira? Vamos chamar de rodízio do ALMOÇO POPULAR, que tal? Isso passaria a mensagem certa?

HEATHER: Hã. Nossa. Bem.

BEA: Heather, sabe duas coisas que aprendi nesse ano letivo? Um: você é maravilhosa; e dois: você é demais. E adorei sua camisa, por falar nisso. Sim. Vamos deixar Heather ser nossa Salvação. Daqui a duas semanas; sexta está bom para todos? Então, sexta: Almoço para Todo e Qualquer Um que esteja disposto a contribuir com tempo e dinheiro para Nossa Escola. Na casa da Heather. Excelente. Agora, há mais alguma reclamação que gostaria de jogar em cima de nós, diretor? Alguma decepção recente pela qual nós precisemos pagar penitência? É que algumas de nós precisam voltar ao trabalho.

MELISSA: Tudo isso está bom para você, de verdade, Heather?

HEATHER: Bem. Não sei. Quero dizer. Não quero criar problemas, e fico muito lisonjeada, mas minha casa não é grande o suficiente para receber a escola inteira...

MELISSA: Claro. E você não está criando problema nenhum, não se preocupe. Claro que é possível controlar o número de convidados nesses almoços sem criar um ar de exclusividade. Basta mencionar para algumas outras pessoas que não estão no comitê, talvez? E posso fazer uma sugestão? Se depois disso ainda precisarmos de algum lugar para abrigar um evento realmente estilo open house, posso oferecer um CAFÉ na minha casa, onde todos serão bem-vindos.

BEA: Que lindo da sua parte, hã, desculpe, esqueci seu nome, mas acho que é pedir demais... Você provavelmente não tem espaço suficiente para...

RACHEL: Ah, ela tem sim. Já estive lá. A casa dela é monumental.

JASMINE: Quantos quartos?

BEA: Porém aqueles de nós que felizmente têm casas maiores não deveriam ser sempre aqueles que...

RACHEL: Não se preocupe, a casa dela é muito, mas muito maior que a sua.

MELISSA: Eu não me importo. Mesmo.

SHARON: Ela decorou bem?

RACHEL: A casa é linda. Todo mundo vai amar. Nós conseguiremos angariar uma pequena fortuna.

HEATHER: Podemos todos contribuir.

BEA: Bem, solução encontrada, diretor. Acho que não haveria como ser menos exclusivo que isso. O CAFÉ POPULAR, na casa da, hã, não importa. Mesmo alguém tão sensível como você terá dificuldades em encontrar algum problema nisso. Agora, preciso voltar ao trabalho — e de preferência antes de o mundo acabar, se possível.

O DIRETOR: Assim como todos nós. Obrigado a todas pela presença.

A REUNIÃO se encerrou às 13h15.

Todos reuniram suas coisas e se dirigiram à porta.

— Ah, Rachel? — Tom, de costas para a sala, estava de frente para as estantes de livros, com a mão sobre a letra M de Morpurgo. — Eu poderia dar uma palavrinha rápida com a consultora artística?

Georgie deu uma piscadinha para ela, arrastou Heather e Clover para o corredor e fechou a porta do escritório. Os sons da escola ficaram abafados. Eles estavam sozinhos.

— Desculpe. Não sei o que deu em mim... Em geral, não costumo me comportar como uma idiota assim.

— Nesse ambiente em particular todos nós ficamos um pouco alterados, eu acho.

— Bem, mas você não foi idiota. Você foi bem corajoso em desafiar aquelas mulheres. Medalha de ouro nas Olimpíadas da Coragem.

— Como? — O rosto dele estava confuso, mas um sorriso surgia em seus lábios.

— Desculpa. Desculpa. É algo que digo a Poppy, às vezes. — Minha nossa, ela precisava sair mais de casa. — Eu quis dizer que... Bem, você é o Homem Que Disse A Bea Que Ela Faz Panelinha. Sensacional.

— Acabou não dando em nada, não é mesmo? Acho que acabei perdendo o controle da reunião depois de uns três minutos. De novo. Creio que acabei de instituir algo chamado o Rodízio do Almoço Popular. Como isso aconteceu? Precisamos dar crédito a ela por...

— Por favor. E todos aqueles anos de experiência no mundo das finanças, todos aqueles mestres do universo... Certamente você consegue lidar com a nossa querida Sra. Stuart, não?

— Ao que tudo indica, nada disso serviu de preparação. — Ele sorriu para Rachel. — Talvez alguns anos nas montanhas com o Talibã fossem mais úteis. Ou pelo menos me dessem uma base...

Algo dentro dela deu um pulo. Como se alguma coisa tivesse sido fisgada. Naquele momento, Rachel foi incapaz de dizer qualquer coisa.

— De qualquer forma... — continou ele. — Eu só queria mostrar algo a você. — Tom abriu a gaveta de sua escrivaninha e pegou um álbum antigo encadernado em papelão marrom-escuro. — Quando estava preparando minha aula sobre *Cavalo de guerra*, decidi verificar o impacto que a Primeira Guerra exerceu sobre a St. Ambrose e encontrei isso.

Rachel deu um passo à frente e eles inclinaram as cabeças sobre as páginas.

— Um dos meus antecessores, o Sr. Stanley. — Havia uma foto sépia de um rapaz jovem, bonito e alto, de uniforme. Ao fundo havia uma espécie de desfile, e o morro que Rachel subia todos os dias.

— Ele era diretor? Parece tão jovem...

— Ele tem apenas 23 anos nessa foto. — Tom estava visivelmente comovido ao observar o rapaz. — Ele foi um herói de guerra, aparentemente. Estava destinado a coisas maravilhosas: ser advogado, entrar para a política. — Ele virou algumas páginas, passando os anos. — Até voltar da guerra nesse estado.

Rachel inspirou com força ao ver a foto seguinte: era o mesmo Sr. Stanley, mas com um tapa-olho, sem um braço, inclinado para o lado, com uma expressão de confusão no rosto.

— Ah, pobre homem...

— Sim. Depois que fizeram isso com ele, o Sr. Stanley já não conseguiria ir muito longe. Mas foi o diretor dessa escola por mais de vinte anos. Então, quem sabe o que devemos a ele? — Tom fechou o álbum e o entregou a ela. — De qualquer forma, não sei se você já chegou nesse ponto, mas pensei que poderia ser útil para sua linha do tempo...

A linha do...? Ah, merda. A droga da linha do tempo.

— Ah, é. Genial. Definitivamente ainda tem espaço para incluir isso...

— Ótimo. Mais uma coisa: ainda temos um jantar em aberto.

— Ah, não. Por favor. Você não precisa fazer isso. Sério. Era só uma... — balbuciou ela.

— Uma brincadeira. Sim, eu sei. Não é preciso repassar isso. Já esclarecemos as coisas. — Ele estava olhando para o topo da mesa, pegando isso e aquilo: lápis, papéis, a foto de um cavalo com um soldado montado sobre ele. — Mas, mesmo assim, prometi à grande vencedora um jantar. E gosto de cumprir minhas promessas.

— Ainda que você... — disse ela, encontrando a voz. — Estivesse na City?

— Era uma das muitas razões pelas quais achei que deveria contribuir. E, seja como for — Tom levantou a cabeça, olhando nos olhos dela —, eu adoraria. Se você não se importar. Você teria alguma noite livre na semana que vem, talvez?

Vejamos... apenas umas sete, por aí.

— Humm, provavelmente.

Ele colocou o paletó e segurou a porta aberta para ela passar. A secretária rabugenta ergueu os olhos da tela do computador para lançar um olhar imoral para Rachel. Os sons da hora do almoço começavam a se transformar na quietude dos alunos retornando novamente para suas aulas.

— Vamos deixar marcado para quinta?

15H15. SAÍDA

Heather batia os pés no chão enquanto esperava. Havia se oferecido para levar Poppy para casa depois da escola, para que Rachel pudesse continuar trabalhando. Bem, seja como for, as garotas estavam se tornando inseparáveis atualmente — embora Maisie ainda adorasse Scarlett —, então elas e Rachel bem que poderiam se dividir nas tarefas. Ah. Estavam chegando. Ai, ai. Pareciam preocupadas. O estômago de Heather se embrulhou. Mal podia aguentar. O que teria acontecido dessa vez?

— Vocês estão bem, meninas? Tiveram um bom dia?

Elas se entreolharam e então Poppy balançou a cabeça.

— Eu conto quanto a gente estiver no morro — disse Maisie, marchando na direção do portão com Poppy, de forma que Heather teve que correr atrás delas.

— O que foi? — sussurou, quando elas chegaram à calçada.

— É o Milo Green... — começou Maisie.

— ... e a Scarlett — finalizou Poppy.

— Ela o trata de forma horrível em todos os intervalos.

— ... a não ser quando a gente está com ele.

— E nós queremos jogar...

— ... mas não podemos.

— Porque senão ela começa.

— Mas, Maisie, querida, você adora a Scarlett. Ela é sua melhor amiga!

Maisie continuou, como se Heather não tivesse dito nada.

— É que Milo disse que a cor favorita dele é laranja, mas que ele não gosta de comer laranjas...

— ... e a Scarlett disse que não dá para escolher laranja como sua cor favorita se você não gosta de comer laranjas.

— Que ele precisa escolher verde.

— Mas isso é uma grande bobagem! — interrompeu Heather, irritada. — Realmente, vocês duas...

— Ela falou isso hoje de novo. Falou do laranja e tentou forçar o Milo a comer uma.

— Fez a mesma coisa no semestre passado. Ele começa a chorar e a gente...

— Olhem, meninas, acho que vocês precisam se afastar dessa confusão. — Parecia algo muito bobo, para Heather, alguém escolher laranja como sua cor favorita se não gostava de comer a fruta. Era o mesmo que pedir para criar confusão, realmente. Só para chamar atenção. — Bem, garotas, me parece que essa briga é do Milo. Ele foi bobo o suficiente para começar a briga, então ele que resolva a situação.

Seria um erro muito grande, na opinião de Heather, Maisie e Poppy, comprarem briga com Scarlett. Ou com a mãe dela, aliás.

Graças a Deus pela invenção do insulfilme, pensou Bubba ao deslizar mais para baixo no banco de seu carro. Ela havia chegado mais cedo naquela tarde, com a única ambição de conseguir uma vaga perto do portão. Era um local cobiçado, aquele: o único em que você conseguia ver as crianças saírem do prédio da escola e ficar no carro sem ter que conversar com ninguém. Ela conseguira estacionar ali por pouco antes da mãe gorda de Ashley, e sentiu um quê de triunfo. O primeiro, pensou ela, em algum tempo. Em que diabos estaria se transformando? Um dia, Bubba Green foi uma mulher de conteúdo. Costumava fazer a diferença, dizia a si mesma, algumas vezes até mesmo mudando vidas. Agora sua situação atual era diferente: "Teve um bom dia, querida?" "Sim, ótimo, obrigada. Consegui estacionar o carro *bem a tempo* de roubar a vaga da mãe gorda e chata da Ashley." Nossa. Ela havia se preparado para uma vida tranquila após dessa loucura de dar uma pausa na carreira, mas não tinha ideia de que seria, literalmente, A Noite Dos Mortos-Vivos.

Quando os pais começaram a aparecer, um a um, formando grupos, ela permaneceu firmemente no interior do seu Range Rover, tão adaptada quanto um náufrago que vai parar no meio do povo de alguma ilha obscura num mar distante — como Margaret Mead, ou Michael Palin, ou alguém do gênero. Ali estava ela, Bubba, acostumada a comandar uma divisão grande e próspera de recursos humanos em uma corporação séria, mas que de alguma maneira tinha falhado em compreender os recursos humanos da St. Ambrose. Ela precisava ser sincera — e olhe que Bubba valorizava a sinceridade; a autoconsciência era, a meu ver, uma virtude essencial: tudo estava dando errado. De novo.

Claro, menos de um mês havia se passado desde o baile, e o tempo ainda não tinha ministrado seus poderes curativos sobre feridas que permaneciam abertas, os estigmas de seu orgulho ferido. Ela não conversara com ninguém desde que o dilúvio tomara conta de sua maravilhosa, *fabulosa*, tenda, e quanto mais o tempo passava, mais remota parecia a possibilidade de ser bem-aceita novamente naquele lugar. Porém, não era só isso. Mesmo antes do tsunami da St. Ambrose ela não estava — Bubbs, aceite os fatos — se encaixando ali. Não era uma surpresa. Ela já havia passado por isso antes. Não que fosse o tipo de pessoa impopular, mas era — e tinha aprendido a conviver com isso — quase que bonita *demais*, inteligente *demais*, bem-sucedida *demais*. As outras mulheres podiam até querer ser como ela, mas não queriam muito ser *amigas* dela. E esse era seu calvário. Ela já dissera isso antes, mas sem dúvida diria novamente: o título de sua autobiografia seria *Vítima da mediocracia*.

Ela suspirou, abaixou-se mais ainda, depois se assustou ao ver um rosto pressionado contra a janela.

— Ai, meu Deus! Scarlett! — Abaixou o vidro. — Eu literalmente quase morri de susto!

— *Amei* o seu carro, Sra. Green. — Scarlett estava passando as mãos pelo metal do carro, como uma futura compradora. — Posso olhar por dentro?

— Claro. Venha se proteger do frio aqui.

Scarlett deu a volta ao redor do Range Rover e pulou para o banco de passageiro.

— *Amei* o interior de cor creme, Sra. Green.

— Bem, obrigada, Scarlett. E por favor me chame de Bubba.

— Por que Bubba, Sra. Green? — Scarlett virou o corpo, para olhar a parte de trás do carro. — Esse é o seu nome?

— Não, não. Meu nome é Deborah, mas meu irmão mais novo não conseguia pronunciar direito, então me chamava de Bubba e o apelido pegou. — Ah, lá vinham Milo e Martha, chegando juntos.

— Nossa, você tem um irmãozinho mais novo também! Eu também! — Scarlett abriu o porta-luvas e olhou ali dentro. — Eles não são engraçados? Eu *amo* o meu.

Bubba se inclinou para a frente e fechou o porta-luvas com firmeza.

— Aí não, se não se importar. É onde guardo meus segredos.

— Eu *amo* segredos.

— Tenho certeza de que sim. — Mas aquele maço de cigarros emergenciais era um segredo de segurança *máxima*. — De qualquer forma... meu irmão tem 36 anos agora.

— Ahhh. — O "ah" de Scarlett era longo e bastante musical, cheio de significado. Pela primeira vez ela olhava para Bubba em vez do carro.

— Então ele também era uma criança especial? Seu irmão?

— Criança especial? *Também?* — Apesar do sistema de aquecimento eficiente do carro, Bubba sentiu um calafrio. — Scarlett, do que raios você está falando? — As duas olhavam para a frente agora, enquanto as crianças Green se aproximavam. A pequena e forte Martha na frente, conduzindo Milo, que vinha atrás, de cabeça baixa. — Ninguém é uma criança especial aqui. Meu irmão vende casas e ganha rios de dinheiro. E Milo...

Milo estava balançando a mão esquerda ao andar, como fazia quando estava estressado. Bubba vinha tentando ajudá-lo — com gentileza, aliás — a parar com isso, principalmente agora que ela ficava em casa e aquela babá psicótica fora mandada embora, mas ele tinha seus lapsos. Embora só de vez em quando.

— Milo é mais do tipo Talentoso e Capaz...

— Do-tado e Talen-toso. O correto é Do-tado e Talen-toso — declarou Scarlett.

Que *seja*, respondeu Bubba. Mas só para si mesma.

— Então é por isso que Milo escreve de trás pra frente?

— Escrita espelhada — corrigiu Bubba, com firmeza. Quantas vezes havia dito aquelas palavras nos últimos dois anos? Escrita espelhada. Escrita especular. Alguns dias parecia que era só nisso que ela falava. — O nome é escrita especular. E é algo mais comumente associado a uma inteligência *extrema*. — Por que precisava estar sempre explicando isso, ela simplesmente não sabia. Ninguém aqui ouvira falar de Leonardo da Vinci?

As crianças chegaram ao carro.

— Ah, tá.

Elas abriram as portas de trás bem no momento em que Scarlett saiu pela da frente.

— Que inteligente.

Scarlett olhou para Milo como se ele fosse um animal exposto em um museu, e ela a especialista que o havia escavado de algum pântano.

— Eu *amo* escrita especular.

E, dizendo isso, ela saiu correndo.

— Mamãe? — Martha puxou a mão de Milo enquanto juntos eles observavam a silhueta magrela de Scarlett ficar cada vez menor. — O que ela queria?

O dia do almoço de Heather

8H40. ENTRADA

— Então, sério — repetiu Heather —, se você olhar as coisas de um lado para o outro e de cima a baixo, todas as estradas levam a uma só, hã, coisa: Bea devia ter me pedido para organizar esse almoço hoje, no dia do seu próprio aniversário de 40 anos, porque devia ser a vontade de Bea que eu organizasse seu almoço de aniversário de 40 anos.

— Hummm — murmurou Rachel, mais uma vez. Havia perdido as contas de quantos milhões de vezes Heather falara sobre aquele assunto fascinante. Para não ficar completamente maluca, desligara a mente séculos atrás, quando elas ainda estavam na metade da subida do morro.

Rachel tinha desenvolvido essa habilidade mental específica em sua adolescência, quando a única coisa que desejava fazer era desenhar sentada à mesa da cozinha e tudo que sua mãe queria fazer era tagarelar. Mas agora, ao longo daquele ano passado com tanto tempo de convivência com Heather — que era, oficialmente, uma *über* tagarela —, ela a aperfeiçoara. Era fácil, aliás: ela só precisava visualizar seu cérebro como um hotel cheio de câmaras ou quartos. Cada um tinha seu próprio lugar, sua função e seu sistema de segurança infalível, e assim pessoas indesejadas provenientes de alguma área de sua vida não podiam interferir no raciocínio de outra. Somente as pessoas muito especiais, como Georgie, tinham acesso a quase todas as câmaras. Chris também teve esse acesso um dia, assim como Bea, mas Rachel fora obrigada a revogar a permissão por motivos óbvios. Claro, as crianças podiam aparecer por ali sempre que quisessem, e sem aviso prévio — até mesmo em sua câmara do trabalho. Porém ninguém mais poderia adentrar suas paredes reforçadas e à prova de som. E a maioria das pessoas jamais ultrapassava sequer os limites do foyer. Era um lugar bem movimentado, o foyer da mente de Rachel. Era ali que ela gostava de deixar a mãe, por exemplo: sempre conseguia imaginá-la com clareza no foyer, diante do hall de entrada, em algum lugar do lobo frontal, gritando seus iu-huuus e dando instruções e opiniões, sem saber se alguma delas estava sendo absorvida e se havia alguém em casa.

E era ali que Heather estava naquele momento, naquela manhã: no seu foyer, matraqueando sem parar sobre o maldito aniversário de Bea.

— Foi uma mensagem codificada. Só pode ser. Que significa: "Por favor, por favor, você poderia ser a pessoa a organizar uma festa de aniversário para mim?" Foi por isso que preparei um bolo estupendo. E encomendei aqueles balões com o número 40...

— Hummm.

E, enquanto isso, Rachel podia ficar sozinha. Na sua câmara mais profunda e restrita. Onde havia uma lareira e iluminação suave. E paz e silêncio para refletir — sem parar — sobre os eventos da noite anterior.

Como a maior parte das coisas de sua vida que acabavam no fim se transformando nas melhores, a noite tinha começado muito mal. Claro que ela havia passado o dia inteiro enjoada — por causa do nervosismo, da vergonha, do ódio mortal de si mesma. Não somente ela era a Mulher Mais Velha da História da Humanidade a Sair num Encontro — nem precisava dar uma busca no Google para confirmar, era perfeitamente óbvio —, como estava fazendo aquilo com — belo toque, esse; muito bem, Rach — o diretor da escola de sua filha. E aquilo só estava acontecendo porque sua melhor inimiga quis fazê-la parecer uma idiota. Como seria possível reunir ainda mais coisas negativas contra si? Aqui vai como: decidindo comparecer — em parte para acalmar a náusea, em parte para, se preciso fosse, ficar completamente bêbada — e garantindo assim uma reviravolta geral. Quando chegou ao tal "encontro" — argh, que vergonha —, fios de suor escorriam pelo seu nariz rosado. E não, suspeitava ela, de um jeito bom...

Rachel abriu a porta e lutou contra uma cortina de tafetá que precisava ser aparada. Ela jamais pensara em ir ao restaurante francês na Market Street antes, e agora entendia o porquê. Era como entrar numa gigantesca calcinha de velha: cheio de babados, balangandãs, enfeitinhos... Aquele não era um restaurante chique, era a ideia de Colette de um restaurante chique, o que são duas coisas completamente diferentes. O diretor estava sentado sozinho, no meio do restaurante, mais ou menos onde seria o reforço da calcinha de velha, parecendo completamente deslocado. Ah, meu Deus, pensou ela. Ah meu Deus ah meu Deus ah meu Deus. Isso pode ficar ainda mais excruciante? Não vamos conseguir sobreviver a uma noite inteira aqui. Sobre o que iremos conversar?

Ele estava mexendo no celular, mas ergueu o olhar quando ela se aproximou. Seus olhos piscaram num sorriso. E, minha nossa, pensou Rachel, espantada, é quase como se estivesse satisfeito em me ver.

Ela sentou na cadeira estofada e se inclinou em direção à mesa.

— O que — sussurrou para ele — estamos fazendo aqui? — Que estranho, Rachel tinha passado direto do sobre-o-que-iremos-conversar para aquela intimidade instantânea. O que havia acontecido de repente? Seja lá o que for, eles já estavam engatados.

— Ah. — Ele arqueou as sobrancelhas. — Bem direta na questão metafísica. — Ele levantou a carta de vinhos, protegendo o rosto do garçom, e sussurrou também: — Ou você estava falando em termos mais específicos?

— Mais específicos. Definitivamente. Isso aqui não é meio, sei lá, afetado?

— Achei que estávamos obrigados por contrato. É por isso aqui que você ofereceu seu lance, Sra. Mason: jantar com o diretor no restaurante francês da...

— Eu NÃO DEI LANCE NE...

Um garçom apareceu.

— Certo, certo. Você é a pedestre inocente, eu sou a casca de banana...

— Mas esse lugar foi ideia da Colette. Essa é a música de fundo com a qual Colette estava pensando em atacar você.

Ele ficou branco.

— Por favor...

— Desculpe. O caso é que nós não precisamos ficar aqui, isso é o que quero dizer.

Nós? Nós? Sra. Mason, por favor, calma...

— Sim. Entendo o que quer dizer: logo, por que estamos aqui? — Ele chamou o garçom, pediu uma garrafa de vinho branco com um nome agradável e se inclinou novamente para a mesa. — Sabe de uma coisa? Você acabou de fazer uma observação bastante válida. — Ele afrouxou o nó da gravata e abriu o botão superior da camisa. Hummm, pensou Rachel, assim é melhor. — Você está completamente certa.

— Ah, que bom. Estou?

— Esta noite simplesmente resume tudo. Por que estou aqui? Porque uma mulher entrou na minha sala com uma blusa que não era apertada o suficiente e me mandou vir. Quero dizer, sou o diretor.

— De fato, é.

— E você sabe por que eu queria esse emprego? Porque achei que era uma área que poderia me oferecer tanto poder quanto responsabilidade.

Rachel deu um muxoxo.

— Claro que, na City, você tinha um pouco mais de poder do que na pequenina St. Ambrose. Todo aquele dinheiro... Aqueles hidroaviões...

— Nem tantos hidroaviões assim, pra ser sincero. Você ficaria sinceramente escandalizada com a escassez deles... — O garçom serviu o vinho para ele provar. — Era só poder, sem nenhum senso de responsabilidade. — Ele deu um gole. — Obrigado. Sim. Está ótimo.

Rachel observou sedenta enquanto sua taça era servida. Embebedar-se continuava sendo uma opção.

— Até agora, porém, a St. Ambrose tem sido apenas responsabilidade e pouquíssimo poder em relação a qualquer coisa. A igreja, o comitê de responsáveis pela escola, os pais, as crianças... Tem sido uma luta constante de poder entre mim e eles, e não pareço ter comprado nenhuma briga sequer. Vou te contar, nunca fui dócil assim quando era garoto.

— *Excusez-moi*. Afinal, você é ou não é o Homem Que Disse A Bea Que Ela Faz Panelinha? Estou maravilhada até agora!

— Também sou o homem em quem ela pisou, se você bem se lembra, como um vermezinho bem minúsculo.

— Bem, acho que você ainda está aprendendo... — Rachel levantou a taça para ele.

— Acho que sim. — Tom brindou a dela. — Por outro lado, você pelo visto já sabe de tudo: é a dona da chave que desvenda o mistério da nossa existência. Quem diria? Você, Sra. Mason, é a pedra filosofal.

— Ora, senhor diretor, muito obrigada. — Ela retirou seu blazer ensopado e o colocou nas costas da cadeira. Aparentemente, já não estava mais pensando em ir embora. — Aposto como você diz isso a todas as mães.

11H. INTERVALO DA MANHÃ

Foi tipo a manhã mais enlouquecida de que Heather podia se lembrar: preparar um almoço para sabe-se lá quantas pessoas e coordenar os preparativos para O Aniversário. Além de correr para baixo e para cima a fim de deixar a casa apresentável. Mesmo assim, ela já estava com tudo resolvido àquela altura — "Faça uma lista e marque cada item à medida que o completar", como Bea sempre falava. Para falar a verdade, estava adiantada em cerca de 15 minutos. E era por isso que iria tomar uma chuveirada rápida, em primeiro lugar. Supostamente isso deveria acalmá-la, porque, embora tudo estivesse organizado, sua cabeça continuava girando. Na verdade, continuava girando de tal jeito que no começo ela saiu do chuveiro confusa com toda a sua arrumação. E, quando o sentiu pela primeira vez, achou que fosse uma bola de gude. Uma bola de gude que tivesse ido parar no lugar errado e que precisava ser guardada. Tsc, pensou. Uma bola de gude. Como foi que veio parar aqui? Somente então a verdade a atingiu. Não era possível que fosse uma bola de gude. Porque estava em seu seio esquerdo. E, seja como for, Maisie nem sequer tinha bolas de gude. Heather poderia ter lhe comprado algumas se ela quisesse, claro, mas ela jamais havia demonstrado nenhum interesse.

Imediatamente ela se arrependeu de ter tomado uma chuveirada. Não fazia a menor ideia do porquê pensou que aquilo iria acalmá-la. Segundo sua experiência, chuveiradas em geral são uma bela fonte de desapontamento. Nos filmes, as pessoas sempre apareciam em banheiros enormes, limpos, com água quente caindo sobre seus corpos, num casulo de luxo. O chuveiro dos Carpenters não era nada disso, em parte porque o próprio Guy o instalara e a porta era tão bamba que meio que balançava sempre que era aberta ou fechada, mas também porque o bocal estava entupido de calcário, de modo que a água-não-tão-quente-assim caía em um jorrinho chocho. Uma chuveirada ali jamais era algo satisfatório, mesmo na melhor das ocasiões.

Seu pensamento seguinte foi culpar Georgie. Se Georgie não tivesse simplificado o menu com seu jeito mandão de sempre, de Georgie-Martin-sabe-tudo, Heather não teria tido tempo nem para *pensar* em tomar uma chuveirada, quanto mais para descobrir o, você sabe... ah, meu Deus, bem que podia ser uma bola de gude. A primeira reação instintiva de Heather, quando Bea a escolheu para oferecer o almoço seguinte do Rodízio de Almoços barra Almoço de 40 Anos, foi preparar um *dim sum*. Um *dim sum* caseiro. Não pergunte o porquê: a coisa simplesmente lhe veio à cabeça, a visão de um enorme banquete oriental capaz de deixar todos boquiabertos. E, se agora ela estivesse preparando um *dim sum* para vinte pessoas, bem, uma chuveirada estaria fora de questão. Mas, quando mencionou a ideia, apenas de passagem, Georgie a havia segurado-a pelo braço como se Heather estivesse prestes a pular de uma ponte; chegou até a enfiar as unhas — ou o que restava delas — em sua carne, e simplesmente proibiu aquilo. Por isso agora, conforme decreto de Madame, o cardápio seria frango assado com ervas, batatas recheadas, dois tipos de salada — de tomate e salada verde — e uma tigela de morangos. Bastante simples. E bastante chato. E mesmo depois de ter colocado sua marca registrada em tudo aquilo, continuava sendo simples e chato o bastante para ela pensar: ei, tenho 15 minutinhos. Vou só tomar uma chuveirada rápida...

Agora Heather já havia saído do banho e estava enrolada em uma toalha, sentada na borda da banheira, olhando-se no espelho. O mais estranho é que ela parecia exatamente igual a dez minutos atrás. Talvez um pouco mais pálida. Pensando bem, agora estava branca como papel. Quando soltou o cabelo, notou que sua mão tremia. Incontrolavelmente. Mas era só. E ali mesmo, exatamente ali, decidiu duas coisas. Um: não iria mais tolerar que Georgie mandasse nela. Já tinha suportado isso o suficiente durante trinta anos. Chega. Era hora de se impor. E dois: iria se comportar naquele almoço como se nada tivesse acontecido. Precisava fazer isso. Seria corajosa. Para o bem do Rodízio de Almoços. E de Bea.

Esticou a mão para apanhar o rímel — iria se maquiar com um rosto feliz —, quando ouviu um bipe do celular. Era uma mensagem de texto de Bea, em resposta ao "Feliz aniversário" que ela lhe mandara antes: "Obrigada fofa! Me sinto tão mimada :-) !!! Boa sorte hj c o almoço. Pode apanhar as crianças na escola p mim hj, p fvor? Te vjo às 6, c ctz!! T adoro d+!!"

12H30. INTERVALO DO ALMOÇO

Drinques

Georgie estava estacionando quando viu Rachel virando a esquina.

— Graças a Deus! — exclamou, virando-se para Hamish, que estava sentado na cadeirinha do carro. — Teremos pelo menos um ser humano com quem conversar. Mesmo assim prometo a você, bebê, que vamos entrar e sair o mais rápido que pudermos.

Ela desligou o carro e saltou para a faixa de grama perto da calçada.

— Oi, Georgie. Oi, meu fofucho gorducho queriducho. — Rachel já estava na porta de trás, desprendendo Hamish do cinto e enterrando o rosto em seu pescoço. — Ah, que surpresa boa. Não é a sua cara ser obrigada a aparecer nesse tipo de coisa, é?

— Humpf. Como você ousa? Quando tudo o que essa pessoa aqui faz o dia inteiro é Fazer a Sua Parte? — Georgie apanhou a bolsa e trancou o carro, e juntas as duas caminharam pela pequena trilha da entrada da casa de Heather. — Achei melhor conferir se o cardápio não foi trocado na última hora. Ver se não ficaremos à mercê de Heather Blumenthal. — Ela fingiu que estava vomitando nas lavandas da entrada. — E, claro, precisava vir para poder enquadrar você. Chega de conversa fiada. Como foi ontem à noite?

Então a porta da frente se abriu e lá estava Melissa.

— Oi! — saudou Rachel, em voz alta demais, enquanto atirava Hamish de volta para a mãe. — Que demais que você também veio!

— Graças aos céus vocês estarem aqui, também. — Melissa recuou para deixá-las entrar.

— Por que está dizendo isso? Não me diga que hoje vai ser só A Panelinha?

Georgie seguiu direto casa adentro, enquanto Rachel limpava os pés sem parar no capacho. Heather praticamente tinha TOC quando o assunto era limpeza da casa, famosa por passar o aspirador de pó não somente antes e depois de algum evento social, mas muitas vezes enquanto a coisa estava rolando a todo vapor — ou ao máximo de vapor que a coisa poderia chegar *chez* Carpenter. Georgie acreditava ser sua incumbência moral emporcalhar um pouco a casa sempre que tinha oportunidade para isso. Parecia ser mais saudável para todos os envolvidos.

— Muito pelo contrário. — Melissa abaixou o tom de voz enquanto elas iam para a cozinha. — Panelinha nenhuma. Esse realmente é um almoço do Rodízio de Almoços, ou pelo menos será, se conseguirmos quórum suficiente...

— Ah, é mesmo. — Georgie parou e disse por cima do ombro. — Hoje é o maldito dia no spa delas.

— É lá que elas estão? — Melissa inclinou o corpo para a frente e fechou a porta da cozinha rapidamente, antes que Georgie conseguisse entrar. — E você *sabia*? — Melissa parecia surpresa.

— Ah, sim. Porque elas me convidaram para ir junto, por isso. Dá pra acreditar? Quer dizer, quão mal-educada eu preciso ser com aquela mulher maldita, hein? Será que ela nunca vai me deixar em paz? Pelo visto, não. "Geor-gie" — sua imitação de voz de Sharon-barra-Jasmine parecia exatamente igual à sua imitação da voz de Katie Price, mas e daí? Ela era uma mulher ocupada, precisaria servir —, "nós vamos ao spa pra comemorar os 40 anos de Bea. Tratamentozinhos de manhã e banho de espuma na Jacuzzi. Quer vir?" Por favor, eu pergunto a vocês... Quanta audácia, pelo amor de Deus! Desculpem, mas tenho cara de quem quer ir a um dia no spa? — Ela cuspiu a última frase com ódio. — Acho que nunca fui tão insultada em toda a minha...

Ela parou. Rachel, de olhos arregalados, as mãos no rosto, obviamente chegara à conclusão antes dela.

— Ah... merda.

— Você não disse a Heather que elas iriam para o spa hoje? Não sabia que ela estava planejando essa festa? — Melissa não parecia nem um pouco crítica, apenas sinceramente estupefata com os acontecimentos. Mesmo assim, Georgie achou por bem partir para a defensiva.

— Pensando bem, talvez eu me lembre de ela ter falado sobre o assunto...

— Rachel?

— Hã, bem, acho que talvez ela tenha mencionado algo a respeito...

— Olha, Melissa, é que eu conheço Heather há milênios, e ela está sempre tagarelando sem parar. É impossível prestar atenção em tudo o que ela diz, senão você fica completamente...

— É necessário ter um filtro... — explicou Rachel.

— É, um filtro. Como o do computador. Contra, comoémesmo-onome...

— Spam — completou Rachel.

— Isso. — Georgie assentiu. — Exatamente. Heather fala muito spam...

As três estavam juntas agora, no pé das escadas de Heather. A situação tinha todos os marcadores de uma cena num corredor de hospital: o médico, os parentes próximos, o paciente terrivelmente doente atrás da porta fechada.

— Cheguei um pouco adiantada — sussurrou Melissa, ainda segurando a maçaneta com força. — Tivemos tempo de descer as faixas e os balões e esconder o bolo. Não entendo como pode ter acontecido esse mal-entendido, só isso. Como alguém pode dar uma festa de aniversário por engano? Heather está tentando ser corajosa, mas parece estar... bem... chateada de um jeito que beira o anormal. Quase traumatizada. Vocês acham que pode ter alguma outra coisa que a está incomodando?

— Que nada. Isso é normal. Acredite em mim, chateada de um jeito anormal é o *default* dela. Vá se acostumando. Heather é um copo d'água, a vida é a tempestade.

— Entendi. Um copo d'água — repetiu Melissa — que só fala spam.

— Exatamente. — Georgie sempre gostava quando as pessoas entendiam o que ela estava querendo dizer: nem todos entendiam. Aquele era um ótimo resumo. Ela estava começando a gostar do jeito dessa Melissa.

— Certo. — Melissa finalmente abriu a porta, inclinou a cabeça na direção da cozinha. — Podem entrar agora.

Prato principal

Frango caipira alimentado com milho assado com alho e tomilho, batatas recheadas, salada verde e de tomate

Tempo de preparo: quase nada. Azar

— Elas me convidaram, claro... — Clover estava segurando seu prato contra o peito enorme enquanto elas faziam fila para o bufê na sala de jantar da casa de Heather. — Só que Damian tinha horário com o psicólogo educacional hoje de manhã, e vocês sabem como é difícil conseguir marcar uma consulta.

Não, pensou Rachel.

— E, enfim, os filhos em primeiro lugar. Essa é a minha filosofia. Por isso eu disse a Bea e às meninas — nesse ponto Clover ergueu a voz significativamente, espalhando o som ao redor, pressionando-o com a força de um jato de mangueira no ouvido de todas — "Ah, que bacana da parte de vocês me chamar para o dia de mimos no spa para comemorar o aniversário da Bea, mas infelizmente vou ter que recusar esse convite gentil".

Rachel olhou em torno da sala. Muito bem. Parece que todos ouviram aquilo por ali. E na cozinha. E provavelmente do outro lado da High Street também.

— Mas querem saber de uma coisa? Bem feito pra mim, porque tive a manhã mais frustrante do mundo. Damian de repente apareceu com essa gripe que está pegando todo mundo. Quero dizer, lei de Murphy, justamente essa gripe horrível. Se cortassem a perna dele fora ele conseguiria fazer contas de matemática de olhos fechados, mas, com essa gripe, bem, já não é ele mesmo. Como Poppy está se saindo nas aulas de matemática?

— Bem, acho. Quero dizer, ainda não cortei fora a perna dela. — Rachel deu um tapa no próprio pulso, ergueu os olhos para o teto. — Ando tão ocupada...

Clover continuou falando, quase como se não estivesse ouvindo. Como se na verdade não desse a mínima para o desempenho de Poppy em matemática nem para a perna dela.

— E eu queria que colocassem a coisa no papel, dizendo que ele *é mesmo* excepcional, porque acho que isso ajuda quando estamos lidando com escolas...

Rachel saiu da fila mais uma vez. Preferia morrer de fome a comer ao lado daquela mala velha. Vagou pela sala de estar — que, como a de jantar, estava cheia demais para circular. Hamish e algumas outras crianças pequenas estavam na sala ensolarada dos fundos, assistindo a um DVD. De repente, a casa inteira estava lotada. Por mais bizarro que possa parecer, Heather, justamente Heather, parecia ter atraído um sucesso social significativo. Rachel enfiou a cabeça pela porta da cozinha, onde a anfitriã dedicada a agradar todo mundo estava de pé sozinha perto da pia, com o olhar vago, sombrio, como um zumbi, e tornou a retirá-la, irritada.

Viu Georgie pelas portas de correr, no pátio lá fora, com um cigarro na mão: era desolador vê-la fumando sozinha daquele jeito — parecia um cisne solitário num dia de inverno, com saudades da companheira. Sua companheira que fuma Benson & Hedges. Ela sente falta de Jo, pensou Rachel com uma pontada de dor. Todas nós sentimos, de nossas próprias e diferentes maneiras. Certamente nada é igual sem ela. Rachel deslizou a porta e saiu para o ar frio.

— Quer me acompanhar?

— Só se você me garantir um ambiente livre de Clover.

— Garanto. Ela é uma maluca antifumo.

— Então me dê um desses, para afastar o mal. — Ela se inclinou na direção da chama enquanto Georgie acendia o cigarro para ela. — Como anda Jo? Ela sabe que estamos pensando nela, não sabe?

— Sim. Ela só não consegue encarar ninguém por enquanto. Ainda estou levando as crianças para a escola todo dia de manhã, ou seja, consigo ficar de olho nela. Acho que as coisas estão um inferno; como não poderiam estar? Mas ela já voltou ao trabalho. Precisava voltar, e eles deram turnos diurnos pra ela, o que já é alguma coisa.

— Ela está contando com alguma ajuda?

Georgie bateu a cinza no canteiro.

— Da sua Melissa. Ela tem ido na casa da Jo três noites por semana, aparentemente. Para dar aconselhamento psicológico a todos eles, de graça. Jo disse que ela tem sido extraordinária. E tudo isso foi armado pelo seu diretor.

Rachel sentiu uma onda de prazer.

— Ele não é o meu diretor.

— Mesmo? — Georgie se inclinou enquanto apagava o cigarro na lateral de uma urna de plástico. — Não é? — Ela voltou para sua altura mais baixa que a média e prendeu Rachel com seus olhos azul-claros. — Vamos. Desembucha. O que aconteceu ontem à noite? — Ela se inclinou para a frente com uma espécie de sorriso malandro do sétimo ano. — Você pegou ele?

— Ah, Georgie...

— Oiiiiiiii! Posso ficar com vocês?

— Oh. Oi, Bubba. Claro que não.

— Desculpe. Exclusivo para fumantes — interrompeu Georgie.
— Você não fuma.

— Na verdade, fumo... escondido. E está impossível chegar perto da comida lá dentro, então preciso de alguma coisa pra enganar minha fome pós-treino. Engraçado. Eu nem viria. Não sei se perceberam, mas estou decidida a ser mais *low profile* neste trimestre, mergulhar embaixo de *les parapets*. E, pra ser sincera, estava começando a achar que ninguém gostava de mim. Eu sei, é besteira, não estou me referindo a amigas de verdade como vocês duas... e sim, vocês sabem, às massas *pululantes*. Só que então Melissa me ligou e disse para eu vir, porque ninguém tinha dado as caras, e é óbvio que larguei tudo o que estava fazendo... bem, para ser franca eu não tinha nada para largar naquele exato e preciso momento, mas teria largado mesmo assim, porque simplesmente *adoro* a Melissa, não sei se vocês duas a conhecem bem, mas ela é fabulosa, e eu *idolatro* o chão que ela pisa... resumindo, fiquei *muito* emocionada. Elas *precisam* de mim!, pensei, *precisam* de mim. Não tenho nenhum compromisso até as duas e meia, quando preciso levar Milo na consulta com o psicólogo educacional. Enfim, então chego aqui e descubro que mal dá para passar pela *portinha* da entrada da casa de Heather! Umas *fofuras*, essas casinhas, não são? Tão aconchegantes. Nunca tinha entrado em uma antes.

Sobremesa

Morangos em molho de vinagre balsâmico com purê de maracujá; creme de leite com crème de menthe

Tempo de preparo: o purê foi meio trabalhoso, graças a Deus, por isso o tempo de preparo se alongou um pouco e adiou o inevitável

A fila para a sobremesa saía pela porta da sala de jantar, entrava pelo corredor e ia até a porta da frente. Dane-se, pensou Georgie. Hora de uma brincadeira.

— Com licença, desculpe, obrigada, pode me dar uma licencinha...

Ela foi seguindo, virada de lado. Aquela era sua encenação de paramédico na multidão: educada, profissional, firme — e sempre dava certo. Todo mundo se apertou num canto para deixá-la passar, e em questão de segundos ela chegou à mesa e empilhou frutas e creme numa tigela e chocolates em um prato. Por que as pessoas faziam fila nessa vida? Era uma boa pergunta para a qual ela nunca tinha encontrado uma resposta satisfatória. Suspirou. A psique humana era algo espantoso, que tinha lá seus mistérios.

Subiu depressa as escadas, abriu a porta do quarto vazio com um chute e a fechou atrás de si. Comer como uma porca na frente de todo mundo não era uma opção, até ela percebia isso. Isso aqui serviria muito bem: talvez ela até conseguisse tirar uma soneca depois. Havia acabado de chutar os sapatos para o lado e se enrodilhado na cama quando a porta se escancarou de repente.

— Ah, graças a Deus. É você. E não a polícia do pudim.

— Não — disse Rachel, entrando no quarto. — Mas por um triz não chamei a tal polícia. Abre um espaço. — Ela chutou os sapatos para um canto e suspirou ao afundar na cama. — Pode me lembrar de voltar na minha outra encarnação como uma psicóloga educacional?

— Vou anotar pra não esquecer. — Ela continuava segurando a tigela com força. — Você não vai querer dividir isso aqui, espero.

— Ah... pode ser. — Rachel apoiou a cabeça no ombro de Georgie. — Vou te contar tudo sobre ontem à noite...

— Espera aí. Eu disse que estava interessada, mas não interessada a ponto de dividir minha sobremesa... — Ela afastou a tigela para o lado. — Me diga de uma vez: pegou ou não pegou?

— Claro que não peguei. Por favor, Georgie...

Georgie trouxe a tigela para a frente de novo.

— Se não pegou, não tem morango para você. — Ela enfiou um punhado na boca e o cuspiu fora, horrorizada. — O que diabo ela fez com isso aqui? Aquela mulher tem síndrome de Tourette na cozinha.

— Sério. Não foi nada. A gente precisava sair para aquele jantar, só isso. E agora estamos trabalhando numa linha do tempo chata que ele está levando um pouco a sério demais para o meu gosto. Mas ele me acompanhou até em casa. Estava chovendo, então a gente meio que foi junto embaixo do guarda-chuva dele.

— Ela não consegue olhar um ingrediente simples e deixar a coisa por isso mesmo. Isso aqui não é uma receita, é um ato de violência. Por que ela precisa sempre transformar as coisas no que elas não são?

— Mas não vai acontecer nada entre nós. Nada. Nunca. Quando voltei pra casa, Josh ainda estava acordado, olhando pela janela do quarto, vendo a gente chegar. De braços cruzados. Não disse nada, claro. Se quer saber, há meses ele não diz nada. Mas dá pra imaginar? Fazer alguma coisa na frente dos seus filhos que não seja com o pai deles?

— Colette parece ter jeito pra isso. Eu disse morangos com creme, mais claro impossível. Será que ela não consegue seguir nem as instruções mais simples?

— Quer dizer, eles sempre disseram "eca, vão pro quarto" mesmo quando Chris me dava um beijinho inocente no rosto. Fico impressionada de ver como estão lidando bem com a história da estagiária maldita. Mas estão mesmo. Acho que o cronograma para a família ajudou demais. Normalizou tudo...

— Jesus Cristo. Ela enfiou algum treco estranho nesse creme. Está com gosto de pasta de dente.

Aquilo delimitava um novo recorde de nota baixa para a culinária da St. Ambrose, mas Rachel não estava nem aí. Apanhava morangos e os enfiava na boca sem aparentemente a menor preocupação com seu eu interior.

— Mas ele é legal, o Tom. O mais impressionante é que a gente não tenha se conhecido antes. Ele foi criado perto de mim, sabe, e estudou na faculdade que fica na rua da escola de arte onde estudei. E nós participamos da mesma marcha contra a invasão do Iraque e esse tipo de coisa.

Ela apanhou outro assim chamado morango e o molhou no creme poluído. Era terrível demais para assistir. Georgie precisou desviar o olhar. Concentrou-se em vez disso no banquinho que Heather havia feito na aula de tapeçaria e estofamento.

— Então é engraçado. Porque, sabe, poderia ter acontecido alguma coisa. Um dia. Se a gente tivesse se conhecido. Mas a vida é assim, não é? Você sai dirigindo por aí, sem fazer a mínima ideia de quantas batidas não aconteceram por um fio. Então, é, ele é um cara muito legal. E a gente se deu muito bem. Mas não tem a menor chance de isso virar nada.

Claro que Georgie havia percebido que os últimos seis meses foram pesados para Rachel. Ela vira o quanto Rachel perdera peso e como sua efervescência natural diminuiu. Mas foi somente naquele momento, quando a testemunhou comendo a gosma nojenta de Heather, que ela teve uma noção clara do estrago que tinha sido feito. Ali, bem na sua frente, estava uma mulher com pouco ou nenhum respeito próprio.

— Quero dizer, ele está aí, solteiro e desimpedido, indo de um lado para o outro com uma mochila nas costas. Assobiando uma canção alegre. Quem na face da Terra iria querer se juntar a mim e ao meu excesso de bagagem?

A atitude em relação à comida era, na visão de mundo de Georgie, a chave mais confiável para o bem-estar espiritual de qualquer adulto. Ela se surpreendia com o fato de isso não ser um tema que o governo olhasse com mais interesse. Afinal de contas, os políticos adoravam martelar sobre a "felicidade da nação" e não paravam de aplicar questionários intrometidos sobre finanças, saúde e sexo que faziam as pessoas reclamar de paternalismo por parte do Estado. Quando, na verdade, qualquer estado paternalista que fosse digno desse nome não poderia deixar de fazer outras perguntas que sempre ficavam de fora, como "Você se senta para jantar decentemente?" e "O que comeu no café da manhã?".

— Por isso não marcamos mais nada. Foi só aquele jantar idiota do leilão. Só isso. Nada pra se empolgar demais.

Ah, é? Georgie esperava sinceramente que esse diretor estivesse planejando se comportar, senão teria de se ver com ela...

A porta se abriu de novo.

— Ah, aí estão vocês! Eu estava me perguntando mesmo onde tinham ido parar. De quem estão se escondendo? — Bubba entrou e sentou-se à penteadeira. — Não sobrou mais nenhuma sobremesa. Sou *obrigada* a confessar que não recebi comida o suficiente pelos meus 15 mangos. Mas, enfim, estou mesmo uns 250 gramas mais gorda do que o normal. Era justamente do que eu precisava: de um dia inteiro comendo como um passarinho.

15H15. SAÍDA

Heather desceu o morro, segurando com uma das mãos Maisie e com a outra o pequeno Archie Stuart. Scarlett estava alguns passos à frente deles, liderando o caminho. Era uma pena que Bea tivesse pedido para ela cuidar dos seus filhos justamente naquele dia. Fazia meses que ela estava ansiosa para chegar sua vez de fazê-lo, e Maisie também, é claro. Agora, lá estavam os dois, mas aquele realmente não era o dia ideal. Sinceramente. Com tudo que estava acontecimento..

— Poppy pode jantar com a gente também? — choramingou Maisie. — Inventamos um jogo com a escola dos esquilos Sylvanians.

— Não seja boba, Maisie. — Era só o que faltava para Heather: uma criança mimada. — Hoje você tem a Scarlett; ela vai brincar com os Sylvanians, não é, Scarlett?

— Urgh. Antes eu *amava* os Sylvanians — disse Scarlett, sorrindo ao lembrar daquilo, enquanto andava para trás. — Mas já estou crescida pra isso. Não podemos entrar no Facebook então?

— Nossa, acho que não. Vocês só têm 10 anos! Tenho certeza de que sua mamãe não deixaria. Vocês podem brincar no jardim...

Ela não perguntou onde Bea estivera durante o dia — não era uma inspetora, pelo amor de Deus, Bea tinha o direito de fazer o que bem entendesse. Heather havia repassado mentalmente toda a confusão do almoço de aniversário de Bea e percebeu, com toda clareza, que tudo não havia passado de um mal-entendido inocente — em grande parte por culpa dela mesma, como sempre. Não tinha problema. Nenhum mesmo. E aqueles itens de festa de aniversário viriam bem a calhar. Em algum momento. A não ser os balões de hélio. E o bolo. O enorme bolo.

Heather abriu a porta da frente e acomodou todas as mochilas, sapatos e casacos em pilhas bem-organizadas. Francamente, disse a si mesma, curta as horas seguintes o máximo que puder. Porque por fora, pelo menos, a vida continua igual a antes. Logo Guy vai voltar para casa. E Maisie irá dormir.

E aí ela terá de contar a ele sobre o... o que ela descobriu. E seria o momento da virada. Porque seria o momento em que aquilo — aquela coisa — deixaria de ser um segredo escondido em seu corpo, conhecido apenas pela sua mente, guardado em algum lugar entre o compartimento do medo e o da imaginação. Seria o momento em que ele se tornaria algo pior, muito pior: ele se tornaria um fato.

As crianças sumiram de vista — as meninas foram para o quarto de Maisie e o pequeno Archie, para a frente da televisão. Heather abriu a geladeira para ver o que poderia arrumar para o jantar e não encontrou nada. Claro, no fim das contas aquele almoço estava tão lotado que as pessoas chegaram a atacar sua geladeira, agarrando o que conseguiam encontrar, como gente revirando latas de lixo depois de um ataque nuclear. Tentou o congelador. Realmente tinha sido extraordinário, até então o almoço mais movimentado do rodízio. E haviam faturado absolutamente uma fortuna. Heather tentou se lembrar dos detalhes, porque Guy provavelmente iria perguntar assim que colocasse os pés em casa. Eles poderiam alongar a conversa antes de chegar ao... você sabe. Mas o mais triste é que ela não tinha conseguido curtir nada durante o almoço em si. Uma pena, porque, durante duas horas inteiras, sua casinha havia sido o centro do universo da St. Ambrose. E isso era algo com que ela sempre sonhara, praticamente seu maior desejo: estar no centro do universo da St. Ambrose, em vez de ser um satelitezinho minúsculo do tamanho de um buraco de alfinete navegando nas beiradas. Era assim que ela se sentia em geral, no restante do tempo.

Nuggets de frango ou de peixe? As meninas podiam escolher. Foi até as escadas, mas parou ao ouvir um barulho na sala de jantar. O que seria aquilo? Ah. Scarlett, sentada à mesa diante do computador.

— Oi! — Scarlett se virou e lhe lançou um sorriso estonteante de surpresa, como se a última pessoa que pensasse em encontrar na sala de jantar de Heather fosse a própria Heather. — *Adorei* o que você fez por aqui.

— Mesmo? — Heather olhou ao redor. — É só magnólia...

— Ah, é *lindo*. — Scarlett se virou novamente para a tela. — Eu estava dando uma olhadinha no Facebook. Colette já postou fotos do dia no spa. Sabia que ela iria postar. *Adoro* Colette!

Heather caminhou devagar até a tela do computador. No início a única coisa que pôde ver foram bolhas de sabão, muitas bolhas. Depois algumas taças erguidas entraram em foco. E dentes. Fileiras de dentes à mostra, refletindo o flash. Então o rosto de Bea tomou forma, e o de Colette e o de Jasmine e o de... quem seria? Sharon. Havia mais algumas cabeças de costas para a câmera, mas, antes que Heather pudesse identificá-las, Scarlett já tinha fechado a página e dado um jeito de manobrar Heather para longe dali e para perto do fogão.

— Parece que foi superdivertido. Mal posso esperar até eu também poder participar desses dias de beleza. Gosto de nuggets de peixe, mas Archie prefere os de frango. — Ela abriu a porta de um armário e viu o enorme bolo na prateleira. — Nossa, uau! Olhe só para esse bolo. É para a mamãe? Mamãe *adora* bolo.

— Adora, é? Bem, ela pode comer uma fatia quando chegar. — Heather estava começando a se sentir meio tonta com as reviravoltas daquele dia. Ela não estava acostumada a tanta coisa acontecendo ao mesmo tempo. Isso nunca acontecia. Nunca. Aquele dia estava sendo um desafio e tanto.

— Ah, não. O mais engraçado é isso! — Scarlett riu. — Ela *adora* bolo, mas *não come* bolo. E, além disso, hoje é o dia da festa gigante lá em casa pra comemorar o aniversário dela. Ela não iria querer comer nada antes disso, né?

A campainha tocou e Heather se arrastou até a porta. Bea, cintilante, entrou embaixo de uma nuvem de lavanda e ylang ylang.

— Isso é pra você, embora eu jamais possa agradecer o suficiente pelo que fez. — Ela entregou a Heather uma vela perfumada em miniatura. — Você é o *máximo*. Aquele almoço enorme e depois jantar para minha cambadinha desobediente... — Ela retirou o casaco e o colocou sobre o corrimão. — Como foi tudo? Aposto que foi demais. Queria *tanto* ter podido comparecer. Quero saber de *tudo*.

— Ah. Bea. — A voz de Heather virou um sussurro e lágrimas saltaram de seus olhos. Ela não soube o porquê, mas de algum jeito não conseguiu mais contê-las nem por um segundo. — Aconteceu uma coisa terrível. Eu tenho... descobri... um... caroço.

Bea saltou, alerta, como se aquele fosse o momento para o qual treinara a vida inteira. No intervalo de tempo que levou para que as lágrimas começassem a escorrer pelo rosto de Heather, antes mesmo de elas chegarem à pontinha de seu queixo, as crianças já estavam trancadas diante da televisão, com um pedaço de bolo, e Bea tinha voltado para ficar com Heather no pé da escada, com uma caixa de lenços de papel e olhos compreensivos. Disparou perguntas para Heather enquanto enxugava as lágrimas dela. Qual era o formato do caroço? Era o primeiro que aparecia? Quem era sua ginecologista? Eles tinham plano de saúde? Por que diabos não?

— E para quem você já contou isso?

— Ninguém.

— Ótimo. Vamos deixar a coisa assim, certo?

— A não ser por Guy, obviamente. — Heather assoou o nariz.

— Acho que sim — cedeu Bea, sacando outro lenço de papel. — Temos um problema pelo fato de hoje ser sexta à noite, claro. — Bea apertou os lábios e fez um beicinho irritado que Heather imaginou ser uma brincadeira. — Não é a situação mais perfeita do mundo descobrir isso numa sexta, é? Agora vamos ter que esperar o fim de semana inteiro, não é? Ainda por cima o Fim de Semana do Meu Aniversário.

— Desculpe — balbuciou Heather.

— Não se preocupe. — Ela apertou a mão de Heather mais uma vez, e Heather não pôde deixar de notar que ela estava usando uma pulseirinha nova: 40 ANOS DE BEA — DIA DA BELEZA DAS MENINAS!!! — Vou precisar me virar para simplesmente esquecer isso. Semana que vem daremos andamento em tudo. Prioridade máxima. O lado bom de aparecer nessa idade, quando é *tão* perigoso e pode ser *tão* agressivo, é que os médicos agem rápido. Mesmo sem plano de saúde.

— Desculpe — balbuciou Heather mais uma vez.

— Agora vamos simplesmente ter que lidar com isso, não é? Mas não se esqueça. — Bea passou um braço ao redor de Heather, um braço bem mole, se quer saber. Heather havia esperado algo com mais firmeza, mais músculos... — Que isso fique só entre a gente por enquanto, hummm? Boa menina.

O dia do Cassino Gourmet

8H50. ENTRADA DA ESCOLA

Toda manhã, Georgie torcia por alguma grande mudança. Ela estava tão perdida, tão à deriva naquela situação toda que não seria capaz de prever que cara teria uma mudança quando esta chegasse. Mas tinha a sensação de que saberia quando a visse. Seria algo diferente, só isso. Ela chegaria na casa de Jo e algo estaria diferente. Jo estaria diferente, ou diria algo diferente. E aquela estase terrível, triste e desesperançada chegaria ao fim. Algo se transformaria.

Dirigiu-se à estrada que levava até a região da cidade onde Jo morava. As crianças estavam no volume máximo aquela manhã — estavam ensinando Hamish a fazer rap e o resultado, para elas, era mais que hilário —, porém ela não se importava com isso. Na verdade, *adorava* quando eles ficavam todos em um lugar só, como aquele — no carro, ao redor da mesa da cozinha, uns por cima dos outros na cama de casal nas manhãs de domingo. Quando via a família como um único objeto material, delineava seus contornos, media seu comprimento e sua largura, calculava sua massa, identificava seus... o que era mesmo que Kate estava estudando numa dessas noites? Newtons. Isso mesmo, newtons. Quantos newtons existem naquele grupo ali atrás? Ela olhou pelo espelho retrovisor. Toneladas, pensou com satisfação. Deem só uma olhada em quantos newtons. Georgie não era dada a planos de vida nem nenhuma dessas besteiras, mas, se tivesse de arrumar uma explicação para o propósito da sua, provavelmente seria a seguinte: criar a maior família, a mais barulhenta e a mais sólida que pudesse. Seria o suficiente para seu epitáfio. Isso a contentaria.

Era o silêncio que Georgie achava muito dolorido. A relutância que Jo sentia em falar sobre a vida pessoal passara a não ser mais um alívio, e sim algo muito pouco saudável. As duas se viam todos os dias, mas a comunicação entre elas tinha aos poucos se reduzido a quase nada. Assim que o funeral acabou e os meninos estavam preparados para isso, Georgie se ofereceu para levá-los à escola de manhã. Percebeu que Jo desejava se esconder por algum tempo, mas achou que não passava disso: um tempo. Agora haviam se passado semanas e Jo continuava se escondendo. E a situação não era ideal para Georgie, ter de dirigir aquele trecho extra ida e volta da escola, e ela começava a chegar cada vez mais atrasada à medida que o trimestre avançava. Mas nenhuma das duas parecia ser capaz de modificar aquele arranjo, porque para modificar o arranjo elas precisariam conversar. E não conversavam há semanas.

Dobrou a esquina da rua de Jo, estacionou em frente à casa e saltou do carro. Georgie sabia que em parte a culpa era dela — estava sempre atrasada, sempre com pressa, num estado de movimento perpétuo, só conversando enquanto andava, como se fosse o presidente dos Estados Unidos caminhando pela Ala Oeste e não uma mãe do sudeste inglês com problemas de administração do tempo. Era ridículo. Ela precisava melhorar.

— Bom dia, gente. — Ela disparou pela trilha que levava à porta dos fundos, apanhou as mochilas dos meninos para eles e voltou a caminhar pela trilha. — Como estão, queridos? Dormiram bem? — Abriu o porta-malas, enfiou as mochilas e tornou a fechá-lo.

— Mais ou menos.

— Isso aí é o seu café da manhã? — Georgie fechou a porta do carro depois que os meninos entraram, sentou no banco do motorista e abaixou a janela para gritar para Jo enquanto dava a partida.

— Vou comer mais alguma coisinha antes de ir para o trabalho! — berrou Jo em resposta. — Tenham um bom dia, meninos.

Georgie prendeu o cinto de segurança e deu ré na trilha para voltar para a rua. Viu Jo emoldurada em seu espelho retrovisor, sozinha na área da frente de casa — "jardim" pode ter sido a palavra para descrever o lugar um dia, mas já não servia mais —, segurando com uma das mãos um pacote de ursinhos de gelatina e acenando com a outra. Parecia encolhida, afundada para dentro do próprio corpo. Minúscula. Completamente só.

— Como está a mãe de vocês hoje? — Georgie olhou pelo espelho ao fazer a pergunta para os meninos.

— Ela teve aquele sonho ontem — respondeu um deles.

— Com o papai — completou o outro. — Ela nunca fica muito bem quando tem aquele sonho com o papai.

Claro, um dos motivos pelos quais nenhuma das duas queria modificar o sistema era porque os meninos preferiam as coisas como estavam. Enquanto Jo havia se esforçado para se manter à deriva, os dois rumaram na direção oposta — instintivamente, na opinião de Georgie. Estavam sempre se envolvendo em tudo: na escola, no time de futebol, na equipe de natação, no carro dos Martins. Escondendo-se na multidão. Encontravam segurança entre os milhares. Como ela gostaria de dar um jeito de convencer Jo a fazer o mesmo.

Rachel estava subindo o morro; as duas meninas seguiam na frente em suas scooters. Guy havia deixado Maisie no chalé dos Masons de manhã cedo, sem dar nenhuma explicação do paradeiro de Heather. Talvez estivesse participando dos Ten Tors, supôs Rachel, ou praticando heli-esqui no K2. Não era fácil, mas ela precisava aceitar que Heather agora era uma atleta em tempo integral.

O silêncio era útil, para ser sincera: havia muito em que pensar. Rachel tinha ficado acordada até tarde na noite anterior com o álbum de fotografias do antigo diretor dos anos 1920 e 1930, além das memórias que ele havia escrito. Ela não precisava de tantos detalhes: era possível fazer o esboço de um prédio escolar e dois veteranos de guerra sem ter conhecido nenhum deles. Porém, havia se empolgado, ficou completamente envolvida. Tinha algo a ver com o que o Sr. Stanley disse quando se aposentou: como ele se sentia satisfeito por ter voltado da guerra mutilado demais para enfrentar o futuro em Londres que fora planejado para ele, como tinha sido um privilégio permanecer na cidade onde nasceu e observar uma geração de crianças rumando em direção a um futuro diferente que...

As meninas pararam, esperaram por Rachel e depois se juntaram a ela para acompanhar seu ritmo.

— Mã-ãe...

— Você sabe como é Scarlett.

— E Milo.

— E como ela é horrível...

— Ah — disse Rachel, que havia estacionado mentalmente tudo aquilo antes do Natal, pelo fato de seu próprio trânsito emocional andar bastante movimentado.

— A gente contou das laranjas para a Srta. Nairn...

— A história das laranjas acontece todo dia.

— E ela disse que a Scarlett estava sendo gentil e que não poderia repreender uma pessoa por dar laranjas a alguém.

— E agora a gente não sabe o que fazer.

— Esperem. — Rachel parou de caminhar, para se concentrar. — Calma aí. Que laranjas? Vocês não me contaram nada sobre laranjas.

Georgie entrou no estacionamento da escola, freou com um guincho agudo, escancarou as portas do carro e deu um puxão rápido na primeira criança que encontrou pela frente. Elas tendiam a sair em blocos quando você fazia isso, como roupas de uma máquina de lavar — continuavam sendo objetos distintos, mas temporariamente unidos em uma maçaroca, o que tinha a vantagem de ser mais fácil de manusear.

— Certo, vamos, vamos, vamos. Vamos nessa. — Ela assumiu o fim da fila enquanto todas elas rumavam na direção do pátio.

Clover, de pé perto do portão, deu um passo para trás para deixá-los passar.

— Tsc, tsc, Georgie. Você está superatrasada.

Ela levou cada criança à sua respectiva sala de aula bem na hora em que o sino começou a tocar, depois voltou para o carro.

244

— Você está sempre atrasada, não é? — Clover continuava de pé ao portão, segurando um livro de tíquetes de rifa. — E a coisa parece estar ficando cada vez pior. Eu não conseguiria suportar isso: chegar sempre atrasada como você. Você precisa dar um jeito na sua vida.

— Clover, me deixe em paz — disse Georgie com educação. Quis passar direto, mas Clover barrou a passagem.

— A única coisa que estou dizendo é... Isso me deixaria louca. Ser você. Só isso. Enfim. Quer um ingresso para o Cassino Gourmet?

— Para o quê?

— O Cassino Gourmet! Sabe, algumas de nós vão preparar pratos diferentes, aí os outros compram ingressos e depois, pronto; Bob é seu tio, hoje vai ser a noite do seu jantar, Georgie. Sinceramente. O que tem nessa sua cabeça? Como pôde esquecer uma coisa dessas?

— Nossa, como eu sou, hein?

— Pois é! Então. Vai comprar um ingresso ou não?

— Não. — Georgie apanhou Hamish e tentou se espremer para sair. — Não vou. — Deu um sorriso largo. — Me deixe em paz.

— Estou tendo que organizar tudo sozinha. Claro. Heather e Bea supostamente iriam ajudar, mas não podem mais, agora...

Georgie chegou até o portão.

— ... obviamente...

E se espremeu para passar.

— ... Mas tenho certeza de que você já sabe de todos os detalhes.

— Ã-hã! — exclamou ela, alegremente. — Com certeza. — Não tinha a menor ideia do que Clover estava falando nem dava a mínima. — Medeixeempaz medeixeempaz medeixeempaz, paz, paz, paz — cantarolou baixinho para si mesma à melodia de "The Wheels on the Bus" enquanto voltava para o carro.

Heather olhava bem para a frente enquanto manobrava para fora do estacionamento. A última coisa que desejava era contato visual com alguém, depois de ter se esforçado tanto para manter a coisa em segredo até aquele momento. Ela tinha olhos bastante expressivos — era seu ponto forte, dissera Colette —, e seria típico dela — e de seus olhos — entregar o jogo agora. Tinha sido difícil, aquela semana,

245

evitar Rachel de manhã e Georgie à tarde e não fazer ginástica com elas em nenhum dia. Mas estava certa de que Bea tinha razão: as coisas ficariam muito mais fáceis se o mundo inteiro não soubesse o que ela estava passando.

Passou lentamente pelo mundo da St. Ambrose, que vivia mais um dia de St. Ambrose. Pelo espelho lateral, viu Georgie amarrando Hamish na cadeirinha e Rachel indo conversar com ela. As ginastas estavam reunidas em torno do Polo de Colette com shorts de corrida naquela manhã — iriam dar três voltas no campo de futebol. Ela sabia disso porque Bea lhe enviara a mensagem de texto mesmo assim — mais ou menos para disfarçar —, embora as duas soubessem que ela não participaria. A mãe de Ashley e algumas outras estavam reunidas ao portão. Claro, hoje é dia de reunião dos Vigilantes do Peso. Elas nunca parecem perder nem 1 grama, coitadas, mas não se pode culpá-las por tentar... Era tudo tão normal e, ao mesmo tempo, para Heather — no carro, quando em geral ela nunca ficava no carro, sozinha com Bea, quando ela nunca estivera sozinha com Bea antes —, tudo parecia remoto de cortar o coração. Como um velho filme querido de um passado distante.

Heather se empertigou. Não podia ter pensamentos negativos. Ela tinha tanta sorte, na verdade, de Bea ter decidido tomar as rédeas da situação daquele jeito: havia acompanhado-a até o consultório médico no primeiro horário daquela segunda-feira, tirado folga do trabalho para levá-la à consulta no hospital. "Deixe comigo", dissera ela para Guy. "Você vai precisar tirar muitas folgas do trabalho depois, não se preocupe. Fique calmo e segure as pontas, é o melhor que pode fazer por nós agora." Mesmo assim, Guy começara a discutir. E não era do feitio de Guy discutir. Heather fora obrigada a lhe dar um de seus olhares bastante significativos — veja bem, até que era útil ter olhos expressivos — para que ele calasse a boca. Mas não seria necessário, porque Bea era insistente e não havia como tirar alguma coisa da cabeça dela depois que encasquetava com aquilo, conforme Guy logo precisaria aprender. Bea levantara a mão e dissera: "Eu mesma a levo até lá." E pronto, fim de papo.

E levaria, Heather tinha certeza, mas havia algo de estranho no carro de Bea hoje. Estava fazendo um barulhinho esquisito — Guy achou que podia ser um problema de válvula — e ela não quis arriscar. Por isso, agora era Heather quem estava levando Bea ao hospital e não o contrário, o que não era exatamente a ideia. Bea então pôde responder as mensagens de texto e os e-mails no caminho — ela era tão ocupada, estava sendo um pesadelo ter de abrir mão de uma manhã inteira assim, no meio da semana. O que não foi tão ruim, porque pelo menos dava a Heather algo em que pensar em vez de apenas ficar preocupada.

11H. INTERVALO DA MANHÃ

A espera parecia não acabar nunca. Heather já havia lido todos os exemplares de *The Lady* e Bea parecia ter esgotado as possibilidades do que fazer com seu BlackBerry.

— Conte de novo por que você não tem plano de saúde — pediu ela, com um sorriso simpático.

E Heather obedientemente começara a recapitular como eles tiveram de escolher entre a pensão, de um lado, e a saúde, de outro, e que provavelmente poderiam conseguir ambos, mas agora estavam preocupados com as despesas de faculdade para Maisie, e como, embora ela não fosse como Scarlett, ou seja, não iria iluminar o mundo, coitadinha, ela amava os livros e conseguiria dar conta do recado, e eles queriam poupar para a faculdade dela, independentemente de como ela se saísse nos exames do SAT...

Bea levantou a mão para interromper.

— Obrigada — disse —, mas eu não quis dizer *isso*.

Ela vasculhou sua maxibolsa e tirou de lá um livro enorme que Heather de início achou que fosse, tipo, a Bíblia ou Shakespeare ou algo do tipo, mas que no fim mostrou ser a agenda da família Stuart. — Espero que não queiram marcar nada nas quartas, porque são dias péssimos pra mim, as quartas. Precisamos traçar um plano desde o início. — Ela virou algumas páginas. — Ah, depois tem aquela semana inteira em maio, quando os pais do Tony vão ficar com as crianças e nós vamos viajar para jogar golfe...

Bea pareceu tão preocupada naquele momento, retorcendo a boca enquanto chupava a ponta da caneta, que Heather estendeu a mão para consolá-la.

— Sabe, provavelmente eu não deveria dizer isso, mas tenho a impressão de que a coisa não vai chegar a esse ponto. Eu te disse, meu ginecologista ficou preocupado e tudo o mais, mas não pareceu assim totalmente morrendo de preocupação.

Bea se virou, com os olhos iluminados de compreensão. Nenhuma pessoa tinha olhos capazes de se iluminarem com tanta empatia quanto Bea, e, naquele instante, eles pareciam estar no auge do brilho.

— Lembre-se de que não é a primeira vez que eles veem isso. — Apertou o braço de Heather. — É uma chance em três, amor. *Uma em três.* Não se esqueça.

— Sim, mas... — Para Heather, algo parecia esquisito ali. Ela não conseguia identificar exatamente o quê. Mas, enfim, nada estava acontecendo como deveria acontecer hoje. — Ele disse que era um "formato bom", não disse?

Bea revirou os olhos para o teto e depois voltou a olhar para ela.

— E que todo aquele tratamento de fertilidade que fiz pode provocar exatamente isso...

— Escute. — Bea se remexeu na cadeira enquanto escolhia as palavras com cuidado. — Você precisa entender que não faz nem um ano que perdi a pobre da Laura. — Era a primeira vez que Heather ouvia falar que Bea era próxima de Laura. Ela não fazia ideia. Nunca tinha visto as duas juntas. Mas entendeu que de fato aquilo dificultava, e muito, as coisas. — E meu lema para o câncer é, e sempre foi, o seguinte: realismo, não otimismo. Desde o início. Você vai precisar enfrentar tanta coisa, querida; por que acrescentar frustração à lista? Tudo isso já pode ser *tão* difícil! Agora me conte. — Bea afagou o cabelo de Heather, levantou algumas mechas, analisou-as com a testa franzida. — O que me diz? Vamos optar pela terapia do resfriamento do couro cabeludo? Ou simplesmente não vale a pena?

Heather de repente teve uma visão de si mesma usando uma touca para resfriamento do couro cabeludo. Cheia de realismo. E nenhum otimismo. E com consultas às quartas. E obrigando Bea a cancelar o golfe... E todo o seu corpo pareceu afundar, afundar, afundar na cadeira dura de plástico. Meio que sentiu saudades de casa. Queria Georgie. Queria Rachel. E queria, mais que tudo, Guy.

13H. INTERVALO DO ALMOÇO

Quando Heather voltou para o carro, depois de pagar o tíquete do estacionamento, Bea já estava ao telefone.

— Eu sei. Sorte a dela. Enfim, achei que você iria querer saber assim que possível.

Heather ligou o carro e deu ré para sair da vaga.

— Não, não se preocupe. Eu ligo pra ela. Disse que ia ligar. — Bea desligou.

— Quem era? — perguntou Heather assim que elas chegaram na estrada.

— Ah, só Colette. — Bea zapeou pelos contatos do celular com o polegar. — Está se sentindo bem agora, querida? — Mas, antes que Heather pudesse responder, Bea já estava segurando o celular contra o ouvido, com o dedo levantado.

— Oi, Clover. Você não vai acreditar. *Benigno! Eu sei.* É a primeira vez que isso acontece *comigo. Eu sei. Pode deixar.* Ah. Você é uma fofa.

Há anos Heather não se preocupava com a própria morte. Aquilo simplesmente não passara pela cabeça dela desde que casou com Guy e teve Maisie. Sofrimento: esse era o seu maior medo. Perder a filha, ou o marido — era isso o que a deixava acordada à noite. E atormentava cada segundo desperto de seu dia sempre consciente. Não podia evitar, ela era quase mórbida a esse respeito. Tinha uma espécie de *scrapbook* mental e, sempre que ouvia alguma história horrível, tipo a daquele rapaz que teve leucemia no berçário ou a daquela família da St. Ambrose cuja filha morreu afogada em Maiorca, ela a guardava ali. Então, quando às vezes não conseguia pegar no sono e já estava se sentindo péssima mesmo, retirava aquelas histórias e as repassava sem parar, imaginando-se nelas, e era capaz de chegar a tal estado de tristeza que ensopava o travesseiro e precisava morder o edredom para não acordar Guy, porque sabia que ele ficaria fulo da vida se descobrisse que ela estava fazendo aquilo consigo mesma. Mas era algo que Heather não conseguia evitar.

De certa forma, aquele fim de semana ofereceu um ângulo completamente novo para a sua fantasia mórbida. Em geral ela levava a si mesma à loucura com imagens de Guy em algum acidente de carro — apesar de ele ser o próprio retrato da prudência atrás de um volante, sempre era um acidente de carro — e policiais vindo até a casa dela. Ou de Maisie numa cama de hospital, com equipamentos de suporte de vida e um botão. Em vez disso, por alguns dias, ela imaginara Guy na pele do viúvo arrasado. E a pequenina Maisie órfã de mãe, vivendo à base de frango assado porque era a única coisa que Guy sabia cozinhar. E começando a menstruar, mas tendo vergonha de dizer a alguém, e ninguém percebendo nada, e aí... Enfim, o bom é que agora ela podia voltar ao normal.

Bea estava sorrindo para Heather, torcendo o nariz, mas não tinha desgrudado o celular do ouvido.

— Agora, vamos para o assunto seguinte. A Gente Não Para! Como vão as coisas para o Cassino Gourmet? Precisa de mais alguém para preparar os pratos? Porque agora Heather tem a tarde livre... — Ela arqueou as sobrancelhas para Heather e assentiu, esperando sua concordância. — Certo, então. Ela vai preparar alguma coisa pra você. Sem problemas. A gente se vê mais tarde. *Pode deixar.*

Desligou de novo e se virou para Heather mais uma vez.

— Todas mandam lembranças. *Sua sortuda.* Agora, quer que eu ligue pro Guy pra você, tendo em vista a maneira com que está dirigindo?

15H. CASSINO GOURMET

Rachel puxou o ingresso do bolso, entrou na fila e se arrastou com todos os outros pelo corredor. O que ela iria arrebatar naquela noite não tinha a menor importância; seria seu jantar, mesmo que Clover o tivesse preparado. As crianças estavam com o pai naquela noite, portanto não haveria nenhum não-gosto-disso e não-gosto-daquilo. E ela estava verdadeiramente empolgada com a noite que vinha pela frente. Iria começar o desenho da Segunda Guerra Mundial para a biblioteca agora que conseguira localizar exatamente onde ficava o abrigo antibombas: mal podia esperar por isso. E quando foi a última vez que Rachel se sentou em casa para comer uma refeição caseira preparada por outra pessoa? Isso simplesmente não era parte integrante da vida de solteira. Simplesmente era impossível de acontecer naquele mundo pós-Chris. Para ser totalmente sincera, nem no mundo com Chris acontecia com a frequência que deveria, mas, pelo menos, naquela época acontecia de vez em quando. E, quando acontecia, era encantador.

Somente agora que não estava mais casada — bem, ainda no meio do processo do divórcio, mas não era algo reversível — é que ela enxergou aquilo com uma pontada de alívio. Como todas as coisas que ela e Chris faziam um pelo outro — tipo preparar um bule de chá de manhã (ele), ou lavar as meias (ela) —, que, na época, não pareciam passar de parte da rotina deles, na verdade eram gestos de amor. Claro que, na época, não pareciam ser isso. Então pareciam não ser nada de mais (o chá) ou um saco (as meias). Mas agora, para ela, eram gestos românticos que, com sua mais pura repetição, reforçavam o laço entre eles, renovavam incessantemente os votos de um jeito prático. Até que, por algum motivo, passaram a não fazer mais isso. E já não existia laço. Mas era apenas daqui, daquele novo mundo frio em que ninguém fazia nada por ela em nenhum momento do dia, que Rachel conseguia enxergar a coisa dessa forma.

E, muito embora a pessoa que tivesse cozinhado o jantar que ela compraria naquela noite não fizesse a menor ideia de que ela o comeria — talvez nem sequer soubesse da existência de Rachel —, nada a impedia de fingir. Esta noite ela voltaria para casa, enfiaria o jantar no forno, sentiria seu cheiro enquanto esquentava e se enganaria dizendo que alguém se dera ao trabalho de preparar aquele prato especialmente para ela.

Todas as mesas de jantar estavam fora, e cada uma se via coberta de pratos com tíquetes de rifa pregados. As crianças ainda estavam na aula, mas o lugar estava lotado, praticamente zumbindo de animação. Rachel abriu caminho até a primeira e viu Heather de pé atrás dela, obviamente no papel oficial de algum mordomo chique de Cassino Gourmet.

— Desculpe por ficar encarando, é que eu conhecia alguém que se parecia exatamente com você. Nossas filhas estudavam na mesma escola. — Balançou a cabeça com tristeza. — Faz séculos. *Tempus fugit*, hã?

— Ai, Rach, mil desculpas! Eu não estava evitando você, juro, estava só... — Os olhos de Heather dispararam ao redor do salão de jantar de um jeito que pareceu a Rachel quase paranoico. — Olha, explico mais tarde. — Ela estendeu a mão por sobre a mesa. — Mas desculpa mesmo. Senti sua falta, Rachel. Senti mesmo.

— Tudo bem. Aguente firme. — Ela se desvencilhou da mão de Heather. — E não precisa explicar tudo pra mim agora, pelo amor de Deus. Preciso me concentrar. Tenho um *rendez-vous* com um norovírus — disse ela com sua voz de Ingrid Bergman. — Não fique no meu caminho.

Rachel seguiu em frente com seu número 86. E ali, na mesa seguinte, estava ela: torta de peixe. Seu coração deu um salto. Siiiiim! Que ótimo! O prato preferido dela, só isso. Rachel demorou um instante, com medo de acabar descobrindo que seu júbilo era quase trágico, mas depois viu que não, que era verdade. Aquela torta de peixe num prato à Nigella, que viera direto da cozinha de Bubba, obviamente feito pelas mãos de fada de Kazia — minha nossa, as batatas no topo eram batatinhas duquesas — era a melhor coisa que havia acontecido com ela em meses. Ali estava um pedaço genuíno de sorte. Ela fizera uma aposta e ganhara. Até que enfim — alô, gente! — a sorte de Rachel Mason estava de volta.

Quando ergueu os olhos do Post-it amarelo, deu de cara com os de Tom Orchard.

— Ah! Oi. Tudo bem com você? — Lá ia ela de novo: intimidade instantânea.

O diretor exibia a expressão inconfundível de um inocente que havia sido recém-condenado à morte, mas que estava conformado.

— Hummm. Sim. Tudo bem, obrigado.

— O que você ganhou? — Rachel virou a cabeça para ler de cabeça para baixo. A etiqueta dizia CHEESECAKE DE CARAMELO. — Ops. — E a letra era de Clover. — Ah, que coisa. — Ela sugou os dentes com empatia.

O rosto dele era a própria expressão da tristeza.

— Pois é. Parece delicioso. Exatamente o que eu estava com vontade de comer. — Ele olhou para o seu prato e balançou a cabeça de novo, lamentoso. — Excelente. Enfim. E você, como se saiu?

— Hã... bem. — Ela não deveria parecer muito triunfante: afinal, nossa, era apenas sorte, e tudo aquilo poderia facilmente ter sido o contrário. — Só, hã, uma torta de peixe. Só isso. — Ela balbuciou um pouco, dizendo aquilo da forma mais casual que conseguiu.

— Hum. — Tom mordeu o lábio. — Parabéns. — Pegou seu prato e se virou para ir embora. Ela achou que os ombros caídos dele eram demais para suportar. Precisava fazer alguma coisa, e rápido. Afinal, para que servem os amigos?

— Espere um pouco! Não vá! Olha! — Rachel correu até ele e segurou a torta de peixe ao lado de seu *cheesecake*. Percebeu que havia gente olhando para eles, mas não deu a mínima. A secretária rabugenta estava de cabeça baixa analisando a mesa seguinte. Era impossível saber se conseguia ouvir alguma coisa, mas, de certa maneira, aquilo pareceu não ter importância. Naquele instante, propriedade não queria dizer nada. E seja como for, a coisa não podia ser mais inocente. Eles eram apenas amigos. — Não percebe? Nenhum desses pratos se sustenta sozinho. Mas, se os colocarmos juntos, bem, teremos uma refeição bastante decente. Nós dois.

O rosto dele se iluminou.

253

— Será que poderíamos...? Quero dizer, perdão, mas você está mesmo dizendo que...?

— Sim! Poderíamos! Estou! É comida para um batalhão, e as crianças nem estão em casa; hoje é dia de pizza com o pai.

As costas da secretária rabugenta se enrijeceram.

— Pensando bem, seria brilhante. Eu estava mesmo querendo conversar umas coisas com você... — Era hora de alguém contar a ele sobre o reinado do terror de Scarlett naquele ano, e ninguém mais se atreveria a fazer isso. — Aaaahh! Já ia esquecendo! Além disso, fiz um monte de desenhos desde a última vez que conversamos. Adoraria mostrar meus esboços pra você!

E com isso, o rosto rabugento se virou depressa para lançar um olhar chocado e horrorizado.

— Os esboços que fiz para a linha do tempo da biblioteca. — Rachel pronunciou aquilo de modo tão claro que todos ao redor tiveram certeza de que ouviram aquilo muito bem.

— Então quero vê-los. Sete e meia. Vamos dividir.

15H15. SAÍDA

Algo quente, afiado e doloroso queimava as costas da jaqueta jeans de Rachel quando ela saiu alegremente do corredor. Ela sabia exatamente o que era sem sequer precisar olhar para trás: a sensação penetrante do olhar hostil da secretária rabugenta não era nenhuma novidade. Ela encolheu os ombros para espantar a sensação enquanto seguia até a entrada. Meu Deus, uma mulher solteira não pode nem mesmo embarcar em um trabalho de arte feito para o bem comum da escola sem reduzir sua reputação a frangalhos? Esse bando de gente na verdade é doente, só pensa em sexo, mesmo quando a coisa não poderia ser mais inocente...

Uma garoa fina começou a cair enquanto esteve apostando pela sua vida ali dentro. Ela parou para ajustar o papel laminado que cobria a torta de peixe — não poderia correr o menor risco com aquelas batatas duquesas — e olhou para o pátio. Georgie estava no meio do pavimento, e no meio dos seus filhos. Kate balançava Hamish no quadril com facilidade experiente, Henry estava nas costas de Sophie, Georgie e Lucy olhavam para os fundos de uma mesma sacola de plástico. Eles sempre chamavam a atenção, os Martins; obviamente porque eram muitos, mas talvez também porque estavam sempre se tocando, conectados: eram a única forma unida em uma página de ligue-os-pontos.

Ela voltou o olhar para o portão e sentiu o aperto na garganta antes de perceber o que estava olhando: Chris e Poppy indo para o carro. Ela jamais estivera presente das outras vezes em que Chris fora apanhar os filhos na escola — e por que estaria? Se era ele que iria buscá-los, então Rachel estaria, claro, em algum outro lugar —, mas era estranhamente fascinante. Como ver uma imagem escaneada de seus próprios órgãos internos: o tecido de seu ser, executando seus procedimentos, como a gente normalmente nunca via. Por um instante, ela ficou fascinada com a sequência de imagens: Poppy segurando a mão de Chris, Chris segurando a mochila de Poppy embaixo do braço, o rabo de cavalo de Poppy balançando enquanto ela não parava de tagarelar. E então Rachel começou a interpretar o que estava olhando: ali não estavam simplesmente duas pessoas, estava todo um relacionamento. E não era um relacionamento qualquer, também: era um relacionamento natural, vibrante, saudável. O diagnóstico era evidente, e bastante inesperado. Era contra as expectativas. Um pequeno milagre. Apesar de todo o trauma que tinha sido infligido nos últimos meses, tudo parecia estar em razoável funcionamento.

Ela ficou parada à porta enquanto Chris entrava no carro e ia embora para buscar Josh. Uma subseção de família — sim, da família dela, por acaso — tinha partido para fazer uma refeição de família subseccionada. Rachel segurou a torta de peixe contra o peito por segurança, se encolheu na chuva e começou a descer o morro em direção a sua casa.

O dia do café de Melissa

8H50. ENTRADA

Pela primeira vez em meses, o sol brilhava sobre a St. Ambrose. A primavera decidira chegar estranhamente cedo, e em apenas uma semana todas as folhas apareceram de repente, como se a natureza tivesse sacado seu melhor kit de Caran d'Ache e colorido tudo ao redor.

Rachel deu um beijo no topo da cabeça de Poppy e observou a filha saltitando pelo portão. Ela também parecia ter sido colorida. As duas haviam jogado tênis no parque pela primeira vez ontem, e sardas apareceram em todo o seu rosto. E agora ela estava rindo muito mais. Uma estação do ano tinha acabado e um dia que havia sido dolorosamente anormal parecia ter se transformado em algo próximo do costumeiro. Rachel respirou uma lufada profunda de ar fresco e verde. Talvez tudo pudesse ficar bem, afinal.

— O que elas estão aprontando? — Georgie estava ao seu lado, segurando Hamish com a testa franzida.

O grupo esportivo, que levava um bastão em cada mão e usava uma bota pesada em cada pé, começou a disparar em passos rápidos na direção do morro. Colette e Jasmine estavam na frente; Heather tinha ficado bem para trás.

— Certo. Não sou nenhuma especialista. Pode ser que eu tenha entendido tudo errado — comentou Georgie em voz alta. — Mas essa gente aí está esquiando?

O grupo arremeteu para a frente.

— Depressa! — ofegou Colette por sobre o ombro. — Tenho uma maldita depilação de virilha às dez. — Heather, que parecia estar pregada no lugar com o taco na mão, ficara muito para trás.

— Isso é normal? Esquiar? — Georgie estava quase gritando àquela altura. — No estacionamento? Na primavera?

Colette nem parou nem virou a cabeça, mas Heather parou perto delas, confusa com uma das faixas do pulso e com o rosto cor-de-rosa.

— Na verdade, estamos praticando caminhada nórdica, Georgie. — Rachel poucas vezes vira Heather tão irritada. — Dizem que é um exercício extremamente bom. Clover? Você vai me esperar?

— Aaaah. — Georgie continuava falando alto, para todo mundo ouvir. — Caminhada nórdica. Entendi. É por isso que elas estão tão loiras. Nórdica. Nossa — berrou ela para Rachel. — Elas falam inglês superbem, não é?

— Ai, meu Deus. — A faixa do pulso de Heather agora tinha se desamarrado completamente e seus olhos estavam se enchendo de lágrimas. — Elas vão embora sem mim.

— Votê naum vai alcançarr elax agorra — disse Georgie numa imitação alegre e cantarolante de sotaque nórdico. — Elax extaum dessscendo u morrr.

Heather atirou os dois bastões no chão de um jeito tão infantil que tanto Georgie quanto Rachel desataram a rir.

— Não é justo! — acrescentou Heather, para aumentar ainda mais o efeito. — Tudo isso por causa do meu caroço. Bea não fala comigo desde então e agora elas estão tentando se livrar de mim, eu sei. É a segunda vez que me deixam pra trás esta semana. — Ela fungou teatralmente.

— Bem, não dá pra culpar Bea, não é, Rach?

— Nah, não dá pra culpar Bea. Caramba, era a manhã de aeróbica dela...

— E era só um caroço benigno. — Georgie arrastou a última palavra com raiva.

Rachel bocejou.

— Que cha-a-ato, tipo...

— Nem um pouco engraçado.

Heather arrastou os pés e veio ficar ao lado das duas.

— Fui uma boba, passando todo o meu tempo com Bea e etc. Sabe, estou começando a achar — ela se inclinou e baixou a voz para um sussurro — que elas nem sempre são pessoas bacanas.

Georgie recuou desajeitadamente com horror, segurando Hamish com força de encontro ao peito.

— Não. Você não pode estar falando sério.

Heather balançou a cabeça.

— Não mesmo, sabe. Georgie, você me perdoa? Posso sair com vocês duas mais vezes? Com o seu grupo?

— Pelo amor de Deus, quantas vezes mais vou precisar repetir isso? — Georgie pegou Hamish e saiu pisando duro até seu carro, gritando por cima do ombro enquanto isso: — Nós não somos um maldito grupo!

Rachel sorriu e gritou:

— Vejo vocês às onze e pouco.

Precisava sair do estacionamento, descer aquele morro e ir para casa para trabalhar um pouco antes do café. Mas seus pés, percebeu ela, tinham se virado para o outro lado — basicamente por vontade própria — e a estavam levando para trás mais uma vez, na direção da diretoria.

Desde aquele dia feliz do Cassino Gourmet, Rachel tinha a impressão de que na maioria dos dias dava uma passada na sala de Tom para bater um papo rápido. Os dois tiveram tantas ideias em relação à linha do tempo enquanto comiam a torta de peixe que a conversa ainda não havia terminado. Nada de grande importância: ela só queria saber mais sobre o Education Act, da época em que a escola foi fundada, e ele pesquisou alguns fatos para ela. Rachel encontrara uma descrição da visita do príncipe de Gales e Tom estava ansioso para ver. Cada ocasião era tão sem importância, trivial e — para ser sincera — inocente quanto a anterior. Quando o vizinho de sua mãe achou o chapéu que usou para ir à escola na época em que a Inglaterra ganhou a Copa do Mundo, bem, claro que os dois tiveram de ir correndo para ver. Tom o adorara — os dois adoraram. O mais engraçado dos chapéus pequeninos, contudo, é que eles pareciam dar cria. Um simplesmente originava outro, e assim sem parar.

Rachel percebeu que o mesmo havia acontecido com Heather, simplesmente por terem ido e voltado juntas da escola naquele ano. Heather um dia embarcou em alguma microconversa boba e sem importância sobre algo besta e inconsequente, Rachel continuou no dia seguinte e, antes que elas se dessem conta do pé em que estavam, já existia um diálogo entre as duas; agora Rachel podia ver tudo, enquanto trotava pelo pátio sob o sol da primavera: um fio que ficava a cada dia mais longo, que ficava a cada dia mais forte e que, ela podia ver, tinha se entranhado no tecido das suas vidas.

Claro que assim que a rotina diária das duas mudasse, aquele fio se partiria. Dificilmente ela continuaria a ser uma boa amiga de Heather pelo resto da vida. Imagine. Para transpor distâncias com alguém era preciso no mínimo algumas macroconversas, e com Heather não era possível partir para o macro. Caramba, era de deixar qualquer um maluco! Por outro lado, agora que ela pensava nisso, deu-se conta de que as únicas macroconversas que tivera ultimamente giraram em torno do tema transa com estagiárias e não foram muito legais... Mesmo assim. Sua amizade com Heather era algo temporário. Como um romance de férias. Sem o romance. E sem as férias.

As salas de aula estavam acabando de se acomodar para mais uma manhã quando Rachel passou por elas em direção à sala do diretor. Em direção ao seu outro não romance, nada importante. Ela queria apenas saber como tinha sido o encontro com os responsáveis pela escola na noite passada, pois sabia que Tom andara preocupado com aquilo. Ele mesmo lhe contara ontem, quando ela foi deixar seu exemplar de *Possessão* na sala dele. Livro que na segunda-feira ele tinha comentado que ainda não lera, quando eles estavam tendo uma microconversa sobre esboços vitorianos para a biblioteca e o assunto poesia veio à tona e...

Rachel sorriu alegremente na direção da Sra. Black — que não olhou para ela e não sorriu — e entrou direto na sala de Tom.

— Bom dia. — Tom a olhou e sorriu.

— Oi. Só queria saber como foi ontem à noite.

— Bacana da sua parte. Acho que correu tudo bem. — Ele pousou a caneta e empurrou a cadeira para trás. Rachel ficou espantada ao perceber o quanto tom parecia mais à vontade agora, depois de quase dois semestres. — Todos pareceram estar de acordo com o orçamento Orchard até agora. Sua mãe é certamente minha maior apoiadora. Ela não parava de assentir e sorrir a cada coisa que eu dizia.

Oh-oh. Rachel teve uma sensação de incômodo instantânea. O que ela estaria aprontando?

— Mas, no fim, a presidente me perguntou se poderíamos ter uma "conversinha em particular". Ela vai dar um pulo aqui hoje mais tarde.

— Pamela? — A sensação aumentou. O que *ela* estaria aprontando? — Você sabe que ela é a mãe da Bea, não é? E avó de Scarlett. — A conversa seria sobre o tema *bullying*, Rachel tinha certeza...

Ele riu.

— Sim. E acho que consigo lidar com isso. Ei. — Ele deu um tapinha no peito. — Medalha de ouro nas Olimpíadas da Coragem, lembra?

Tom parecia tão confiante, ali sentado à luz do sol, com as mãos unidas atrás da cabeça, os pés sobre a mesa. Rachel, entretanto, ficou preocupada. E com razão.

— Olha, vou passar aqui mais tarde, só pra checar se você continua inteiro.

10H. INTERVALO DA MANHÃ

Heather abriu caminho com dificuldade pela multidão e chegou à frente da mesa de bolos. Melissa estava administrando tudo sozinha e cercada de clientes naquela manhã, embora parecesse muito calma, inabalada e elegante.

— Posso ajudar? Deixa eu fazer alguma coisa. Por favor. — Heather sempre preferia ser parte da equipe naqueles eventos: dessa forma, as pessoas eram obrigadas a conversar com você.

— Estou superbem, obrigada. — Melissa de fato sorria com os olhos. Heather adorava aquilo. — Que maravilha você ter vindo. O que posso te oferecer?

Heather olhou para os bolos apetitosos à mostra, e ali estava ele: o bolo de Malteser que literalmente salvara a vida dela no dia do mercado de pulgas. Ela colocou um pedaço sobre um prato de papel.

— Você que fez isso? — Entregou seus 50 pence. — Você é incrível.

— Ora, obrigada. — Ela colocou o dinheiro no frasco. — Antiga receita de família. Que remonta a... oooh... à época da própria descoberta dos Maltesers.

— Uau. — Heather nunca havia notado que os Maltesers eram... Oh. Melissa estava brincando. Tão espirituosa. Heather precisava ficar atenta a isso, se quisesse ser amiga dela.

— Oi. — Colette estava ao seu lado, abrindo caminho a cotoveladas. — Melissa. O que quer que eu faça? Em que posso ajudar?

Heather voltou para o meio dos convidados e para a sala. Ficou sozinha por um instante, com um café em uma das mãos e um prato na outra, e olhou em volta. Havia muita gente ali naquela manhã, é claro. Não era todo dia que a maioria das pessoas tinha a oportunidade de xeretar uma casa como aquela. Nem a maioria dos moradores daquela mesma rua jamais tivera a chance de passar por aquela porta antes. A chegada de Melissa por ali demarcava uma nova aurora.

Nenhuma das garotas da turma tinha chegado ainda. Rachel traria Georgie, portanto provavelmente as duas chegariam atrasadas. Com quem Heather poderia conversar enquanto esperava? Andou na direção da mãe de Ashley — parecia que ela havia perdido alguns quilinhos, uau, ficou tão feliz por ela —, que estava perto da janela com Abby. Então ouviu trechos da conversa: cartas de admissão, treinamentos, uniformes, ônibus. E, ah não, pensou. Não, não, não, muito obrigada. Não A Próxima Escola. Não vamos arruinar esse dia tão feliz falando sobre isso de novo.

Ela temia tanto aquela etapa seguinte que ficou até meio tonta. A estampa do tapete retrô de Melissa começou a saltar aos seus olhos; ela foi obrigada a piscar e dar um tempo para se recompor. Ela tinha medo da etapa seguinte desde que Maisie nasceu. O primeiro dia, sentada na cama do hospital, tinha sido tão feliz que sentiu tristeza quando ele se transformou no segundo dia. Adorava ter um bebê e se preocupava com o momento em que ele virasse uma criancinha. E assim foi dali em diante. Por que ninguém nunca falou nada sobre esse aspecto da maternidade? Que, no fundo, no fundo, ela não passava de uma dor entorpecente pelo que já estava virando passado, aliviada apenas pelo terror completo do que viria pela frente? O presente parecia difícil demais para apreender. Ela mal conseguia olhar para os pais que passeavam pelas lojas no sábado com adolescentes enormes e grosseiros. O simples fato de presenciar a tristeza particular coletiva deles já lhe parecia de alguma forma invasivo. E, quanto aos adultos com filhos adultos... como alguém conseguia suportar? Ela treinara os ouvidos para não escutar quando as crianças cantavam aquele hino ao fim de cada ano letivo. Aquele horrendo "One More Step Along the World I Go". Só de ouvir aquelas palavras já sentia uma tremedeira. Aquilo devia ser proibido, em sua opinião: era explícito demais, brutal demais. Insensível. Quem sabe não devesse dar uma palavrinha com o Sr. Orchard a respeito. Tentar mais uma vez que fosse banido.

Maisie ainda tinha mais um ano pela frente, graças a Deus — então, por que se torturar conversando com essa gente trágica que já estava enfrentando o fim? Parecia aquele dia do verão passado, quando eles estavam no meio das férias na Tunísia. Heather havia saído da piscina um minuto para ir até a recepção verificar se estava tudo bem com as reservas que fizeram para o jantar de gala e descobriu que houvera uma mudança no sistema. Lá estavam todos aqueles outros veranistas — gente que ela só tinha visto de roupa de banho, shorts e vestidos de alcinha — parados na melancolia do ar-condicionado, metidos em jeans, meias, com as camisas enfiadas para dentro da calça, esperando o carro chegar, resignados. Só de ver aquelas malas em carrinhos na recepção ela já teve vontade de se refestelar ao sol como uma louca enquanto ainda podia.

Faria o mesmo ali: circularia sob o sol no chão de pedra da casa de Melissa. Observaria as incríveis obras de arte penduradas nas paredes. Olharia pelas porta-janelas para aquele belo jardim em terreno inclinado. Provavelmente subiria as escadas de fininho até o primeiro andar, só para dar uma olhada... Ah, as outras acabaram de chegar.

— Oi, meninas! — Ela tinha consciência de que sua voz estava um pouco alta demais. — Não é tudo sen-sa-cio-nal?

— Heth. — Georgie se aproximou por um lado, pondo uma das mãos sobre seu braço.

— Por favor. — Rachel se aproximou pelo outro lado. Elas a obrigaram a ir até um canto.

— Estamos muito felizes

— por você ter escapado do Lado Negro da Força.

— Seja muito bem-vinda

— de volta.

— Mas agora, sabe...

— está na hora

— de parar de falar

— como uma completa

— e total

— idiota.

Georgie saiu às escondidas da cozinha procurando um lugar para se sentar ao sol e tirar um cochilo. Tinha exatamente 37 minutos antes de ir buscar Hamish, e planejava utilizá-los com sabedoria. A multidão ao redor de Melissa, sua mesa de bolos deliciosos e seu café de boas-vindas era grande e barulhenta. Aqueles puxa-sacos tomaram conta do lugar e andavam tropeçando uns nos outros e no restante das pessoas em sua ansiedade de ajudar. Ela precisava dar o fora dali antes que fosse esmagada pela turba. Havia um clima de positividade coletiva no evento, e francamente aquilo estava começando a irritá-la.

Entrou no calor e na tranquilidade da bela sala de estar decorada em tons claros que ficava na frente da casa e olhou pela janela para a quietude da Mead Avenue. Apenas um carro solitário subia e descia o morro, desacelerando ao se aproximar da casa de Melissa, acelerando de leve logo depois de virar e retornar. Talvez estivessem sendo vigiados. Talvez Melissa fosse uma magnata das drogas ou terrorista ou espiã russa. Isso seria divertido; se acabassem descobrindo que ela, no fim das contas, era boa demais para ser verdade. Em vez de ser alguém absoluta e tediosamente perfeita.

Georgie virou as costas, caiu nas profundezas do sofá xadrez amarelo, suspendeu o dique que estava represando seu cansaço e o deixou fluir pelos seus ossos. Cada vez era mais extrema que a anterior. Claro, ela acabaria se acostumando, tocaria as coisas, superaria. Sempre conseguia. Mas dessa vez tinha a sensação de que seria um pouquinho mais trabalhoso.

E então a porta se abriu.

— Ah, Georgie está aqui. — Claro. Heather. Nunca a deixariam em paz? Malditos impertinentes. Apenas continuem com esse evento idiota, enquanto algumas pessoas tentam tirar um cochilo... Manteve os olhos fechados e a postura deitada, continuou em modo de espera, com o protetor de tela firmemente ligado.

— Ela já apagou? — Pôde ouvir uma nota de preocupação na voz de Rachel. — Meio cedo, até mesmo para os padrões dela.

— Ah, olha. — Heather agora estava atrás dela. Mexeu nas cortinas, olhou pela janela e deu uma trombada no sofá sem a menor consideração por aqueles que estavam caídos em cima dele. — Aquela lá não é a Bea, dirigindo pra baixo e pra cima? Que estranho, né? Com tanto lugar por aqui... Por que ela não estaciona e entra?

— Eba! É aqui que vocês todas estão se escondendo? — *Et voilà*, elas atingiram o ápice da frivolidade. Georgie tateou em busca de uma almofada bordada e a colocou sobre a cabeça.

— Oi, Bubba. Como vai?

— Bem, pelo menos estou consciente. Pensando bem, ligadona, depois da minha aula de *spinning*. Um cárdio superintenso. Estou literalmente pegando fogo. Ei, vocês acham que ela está bem?

— Georgie? Bom. Não sei direito...

Oh-oh. Rachel parecia pensativa, e começava a sacudi-la para que acordasse. Por favor, que ela guarde a novidade para si e não deixe escapar tudo ali mesmo.

— Psst. Georgie?

— Me deixe em paz.

— Georgie? — Pronto, já era. Tinha deixado escapar. — Você não está... não, não pode ser. — A ficha tinha caído. — Ah, meu Deus. Você está sim. — Rachel bateu nas próprias coxas. — Não é? — Agora havia caído na gargalhada. — Está sim! Está grávida! Mais um!

Georgie abriu um olho.

— Talvez. Bem, tô. Bem, é. — Tirou a almofada de cima da cabeça. — Pode ser que sim. Quem sabe. Tanto faz.

— Ah, *não*. — Bubba tinha coberto o rosto com as mãos, horrorizada. Coisa que Georgie sinceramente achou meio demais, tendo em vista que aquele bebê na verdade era culpa dela, pois foi feito na noite daquele baile idiota. Evento depois do qual, por motivos inexplicáveis, eles não tiveram mais o tempo necessário nem para entrar no banheiro. Para ser sincera, Georgie sorriu consigo mesma, não deu tempo nem de subir as escadas...

— Ca-ram-ba. — Rachel não parava de rir. — Vocês dois, hein! Não vão parar nunca? Qual é o plano? Quão grande vai ser a família Martin, exatamente? Me diga mais ou menos. Vou ser capaz de enxergá-la do espaço, por exemplo? Tipo a Grande Muralha da China, algo nessa escala?

Aquilo animou Georgie. Que imagem linda: a Grande Muralha da China. Como a dinastia Ming, ela deixaria sua marca no planeta; como a muralha deles, a família poderia se estender e subir e descer e subir e descer e viver tanto quanto a terra abaixo de si. Ela sentou e gargalhou também, depois olhou em volta, contente.

E foi então que ela viu, claro como o dia: o motivo pelo qual quisera esconder aquilo que estava bem ali, espalhado no rosto de Heather. A inveja, a fome e a tristeza — as mesmas inveja, fome e tristeza que Heather havia sofrido tão abertamente com cada um dos filhos de Georgie — escritas com todas as letras. E uma camada nova de cansaço se abateu sobre ela. Cansaço ao pensar nos meses à frente tendo de presenciar a dor de Heather, pisar em ovos quando se tratasse desse assunto, fazer um monte de cálculos para saber exatamente quanto poderia lhe contar do que estava vivendo, quanto deveria esconder. E, antes mesmo de admitir para si mesma que não conseguiria enfrentar aquela luta emocional, de que dessa vez simplesmente não tinha forças para lidar com aquela coisa extra, trabalhosa e mesquinha, já estava de pé.

— Enfim. Já chega.

Vasculhou os bolsos da jaqueta.

— Não é da conta de ninguém.

Hora de uma saída espetacular. Foi até a porta, virou-se e, com precisão calculada, soltou uma bomba:

— Vou fumar um cigarro.

Quando Rachel andava pela sala, todos paravam e sorriam para ela. Ah, pensou, que legal. Ela sorria e acenava de volta. Devia ser o sol antecipado de verão daquela manhã, que estava aquecendo todas as mulheres do mundo. O grupo ao redor dos bolos abriu espaço para deixá-la passar. Que encantador. Sharon e Jasmine pareciam estar cuidando das coisas para Melissa, que estava nos fundos em um papel puramente executivo. Rachel escolheu um biscoito com uma colherada de geleia e esperou pela sua vez de pagar.

— Não, não, primeiro você. — Clover se afastou de lado, sorrindo com simpatia. Espere um pouco: isso era estranho. — Ah, e quando você tiver um tempinho, adoraria saber o que Tom acha do material da New Phonics.

Hã?

— São 75 pence, Rachel — cortou Sharon. — Como vai o Sr. Orchard, falando nisso? Aquele remédio deu certo com aquela gripe horrível dele?

Como ela sabia que...? Rachel balbuciou qualquer coisa meio que para si mesma e recuou. Sim, ela tinha ido misericordiosamente até uma Boots para comprar um remédio para ele, e sim, o medicamento tinha funcionado. Mas...

— Um conselho. — Quem diabos era essa? Rachel nunca tinha visto aquela mulher na vida. — Se ele realmente quiser mudar as coisas por aqui, devia primeiro se livrar daquela mala velha da secretária.

Ela olhou em torno, nervosa. Com certeza, disse a si mesma, com certeza ninguém aqui estava achando que eles...

— Destiny a-do-ra as piadinhas do Sr. Orchard. Ela estava me contando que antes de ser nosso diretor, ele era um comediante de stand-up...

Agora claramente ela era o centro das atenções. Era completamente absurdo. Totalmente ridículo. Tinha vontade de gritar para todo mundo: não. Parem. Não existe nada, absolutamente nada, entre nós. Estamos apenas envolvidos no projeto da biblioteca, só isso. Não tem mais nada, absolutamente mais nada além disso... Porém, Rachel percebeu que não era só disso que todo mundo estava falando, como também era disso que todo mundo queria falar.

Apenas Colette, enfiada num canto com o viúvo das gêmeas do terceiro ano e um pedaço generoso de pão-de-ló, parecia ter outras coisas em mente.

Bubba estava de pé no meio da sala ao lado de Heather, com a incômoda desconfiança de que as duas juntas pareciam ligeiramente ridículas. Ela era muito mais alta e — bem, como dizer? — *mais estreita* do que a mulher baixinha e atarracada ao seu lado. Havia a possibilidade preocupante de que, recortadas contra a luz clara do sol que entrava pela janela do jardim, as duas pudessem ser confundidas com certa dupla cômica sem graça e horrenda de uma época jurássica. Nomes aleatórios começaram a vir à cabeça dela: Laurel, Hardy, Morecambe, Wise — ela não conseguia afastá-los — Cannon, Ball — precisava se controlar de algum jeito antes que, não, tarde demais, ali estava: Schwarzenegger, DeVito. Droga. Bubba nunca gostou de comédias. Jamais conseguiu *entender* metade delas.

Olhou para baixo, para a cabeça de... espere um pouco, Heather seria o palhaço ou o cara certinho? Ela nunca conseguia perceber a diferença, basicamente porque nunca entendia as piadas; enfim, a questão era, ela olhou para baixo, para a cabeça de Heather, e não conseguiu deixar de perceber que as raízes do cabelo dela tinham crescido de um jeito chocante. E depois viu que, embora Heather tivesse tentado — *que bonitinho* — passar rímel, seus cílios precisavam de tintura. E suas sobrancelhas precisavam ser limpas. E seu lábio superior estava meio... E: a-há, pensou Bubba. Porque pouca coisa escapava dela afinal, ela era uma mulher que entendia as pessoas. Portanto, percebeu que todas as coisas que Colette fizera por Heather estavam vencidas, *não tinham sido refeitas*. Coitadinha, pensou enquanto elas sorriam uma para a outra: elas abandonaram Heather semanas atrás.

— Ei, vocês duas. Que bom que consegui encontrar vocês. — Jasmine estava na frente delas, segurando um pratinho e uma caneca. — Só queria dizer que sinto muito, sabe. Por hoje à noite.

— Tudo bem — disse Bubba. Estava grata pela presença de uma pessoa de altura mediana, para ser sincera. Não importava muito sobre o que ela estaria falando.

— O que tem hoje à noite? — perguntou Heather.

— Bom, vocês sabem, a festa da Izzy. De certa forma, não estou nem um pouco feliz por ela ter convidado a turma inteira menos Milo, Maisie e Poppy. Mas o caso é que Scarlett bem que avisou...

— Avisou? O quê? — Heather tinha ficado branca.

— Bom, você sabe, que se eles contassem para o diretor sobre as laranjas, ninguém mais ia querer saber deles.

15H15. SAÍDA

Rachel entrou correndo no pátio, com a cabeça baixa, olhando para o concreto ao atravessar a porta da escola. Precisava ver Tom antes que as crianças saíssem. Enquanto ainda não havia muitos pais por ali sem ter mais nada o que fazer além de esperar, encarar os outros e juntar dois com dois e somar um googolplex. Ela simplesmente não fazia ideia de que os dois estavam sendo alvo de tanta atenção. Precisava esclarecer as coisas. Chega de conversas sobre os esboços. Chega de encontros para discutir o assunto. Chega de dar uma passada para assistir a um DVD quando as crianças não estavam em casa. Apesar de tudo aquilo ser tão inocente quanto poderia ser — meu Deus, eles apenas gostavam dos mesmos filmes, só isso

—, ela diria para Tom: chega. E de quebra descobriria o que aquela fofoqueira da Pamela estaria aprontando dessa vez.

Correu, furtivamente, como o Esquilo sem Grilo, pelo corredor, dobrou a esquina e se preparou para enfrentar a boa e velha cara de poucos amigos mais uma vez. No entanto, mesmo antes de chegar à sala de Tom, percebeu que havia algo de errado. Parou e torceu o nariz. Podia sentir o cheiro: perigo. Perigo, com um toque de Floris. A primeira coisa que registrou foi que a secretária mal-encarada já a vira e a esperava, parecia, sorrindo. Estava *sorrindo*.

— Lamento — entoou ela numa vozinha cantarolante. — Lamento muito, Sra. Mason, mas receio que o Sr. Orchard esteja ocupado.

— Isso mesmo, Rachel. — Então ela se virou e viu Pamela, sua silhueta ampla diante da porta de Tom. Seus dedos gorduchos, terrivelmente apertados por anéis que foram presenteados a seu eu mais jovem e atraente, tinham se apossado da maçaneta. — O Sr. Orchard está *muito* ocupado. Quando está nas instalações da escola. Muito ocupado, realmente. Você precisava vê-lo? Com urgência? Para falar de algum assunto relacionado *especificamente ao bem-estar educacional de sua própria filha*? Se é o caso, por favor, sinta-se à vontade para marcar um horário com a Sra. Black aqui.

A Sra. Black agitou uma caneta em uma das mãos e uma agenda gigante na outra, exalando a expressão radiante de uma mulher que até que enfim gozava de um único dia de felicidade em toda uma vida árida e sem alegrias.

— Veremos — cantarolou ela — se conseguimos encaixar você.

A cabeça de Rachel nadou em uma tormenta. Encheu-se com a visão de Tom, retorcendo-se amarrado na cadeira de rodinhas diante da sua mesa, mordendo a mordaça presa em sua boca. Ouvindo-a. Incapaz de lhe dizer alguma coisa...

Pelamordedeus, mulher, controle-se.

— Hã. Tudo bem. — Ela recuou até a porta. — Nada urgente, creio. Pouco com que se preocupar. — Ela virou as costas. — Mas com certeza isso pode esperar.

Saiu andando pelos corredores mais uma vez, depois para o sol, e escolheu um lugar contra a parede pré-fabricada onde poderia ficar sozinha e pensar. Os últimos dois meses pareciam bastante diferentes agora, refratados pela luz da certeza de que todos estiveram espionando cada minuto de seu dia. Ela reviu suas ações e percebeu como tudo poderia ter parecido à Polícia Secreta da St. Ambrose, que a observava por trás de seus espelhos de duas direções. O modo como ela entrava saltitante na sala dele todos os dias, como se fosse dona do pedaço. O encontro entre eles — caramba, que ritual exótico de acasalamento aquilo devia ter parecido! — no Cassino Gourmet. O domingo passado, após a tal Corrida Divertida, quando eles foram tomar um café na cidade... sozinhos. E, ela precisava admitir, a Polícia Secreta nem precisava ter se dado ao trabalho de usar espelhos de duas direções. Rachel tinha ajudado muito as coisas desfilando por aí como se ninguém estivesse vendo nada.

Que espetáculo devia ter sido. O rosto de Rachel ficou quente. A boca, seca. Precisava pegar Poppy, ir para casa. Mudar seu nome. Deixar crescer uma barba. Imigrar.

— Rachel. Preciso falar com você. — Heather estava tremendo e obviamente furiosa.

— Escuta, não tem Nada. Acontecendo. Entre...

— Só acho extremamente ridículo que Georgie tenha mais um filho agora. É tanta irresponsabilidade. O planeta... — Ela balançou a cabeça com um gesto leve de repulsa. — Mas fumar. É simplesmente terrível. Não consigo tirar isso da cabeça. E pensar que aquele pobre feto... Tecnicamente é abuso infantil, você sabe disso. Precisamos fazer alguma coisa. Precisamos agir. Deveríamos...

Rachel sentiu que era a gota d'água.

— Heather, pare com isso. Agora. Já chega. Guarde tudo para você. Pela primeira vez, pra variar. Tente apenas pensar sem dizer nada. Eu também não concordo, mas acho que não tenho nada a ver com isso. Georgie é uma adulta responsável que conseguiu criar uma família maravilhosa sem a ajuda de ninguém até agora. Então, por favor, você e todas as outras enxeridas por aqui não poderiam... Ir. Cuidar. Da. Própria. Vida?

— Tudo bem. — Heather inclinou o queixo para a frente e a olhou direto no olho. — É o que vou fazer. E aqui vai o cuidar da minha vida: quando você ia me contar que a minha filha, MINHA FILHA, não foi convidada para ir à festa de hoje à noite? UMA FESTA! UMA FESTA, caramba! Quando — a voz de Heather agora estava fina e tensa, os lábios e as mãos não paravam de tremer — estava planejando me dar essa notícia?

— Bem, antes de mais nada, vamos nos lembrar do que estamos tratando aqui: exatamente disso, uma festa. De uma festa de criança. Não de uma vaga em Oxford. Nem da cura do câncer. Nem do último lugar em um bote salva-vidas. Uma porra de festa de criança. E talvez eu tivesse comentado o assunto com você se elas estivessem minimamente preocupadas com o assunto. Mas, por acaso, elas não estão dando a mínima.

Ah, lá estavam as meninas. Pareciam meio preocupadas. Ai, meu Deus, pensou Rachel: por favor, meninas, por favor, não me venham dar a mínima agora... Então Maisie começou a dizer:

— Fale...

E Poppy respondeu:

— Posso...?

E Maisie assentiu como se sua cabeça pudesse cair no chão. E Poppy respirou fundo e perguntou a Rachel:

— É verdade que você vai se casar com o Sr. Orchard?

— O quê? Ah, minha querida. Não. Não. Escute, vamos conversar sobre isso em casa. Desculpe...

— É que Destiny disse que quer ir, porque Kylie vai vir pra cá especialmente para a festa.

TRIMESTRE DO VERÃO

O primeiro dia de aula

7H30. CAFÉ DA MANHÃ

Rachel estava de pé junto à janela de sua sala, comendo torrada e observando a rua. Não tinha muita certeza do que estava acontecendo ali, mas podia intuir que a rotina e a ordem da família Mason estava começando a desmoronar. O acordo era, e sempre foi, que nas noites em que Chris ficava com as crianças, ele mesmo os levava para a escola no outro dia de manhã. Rachel não gostava daquilo — cada manhã em que ela acordava na casa vazia achava, pelo silêncio, que tinha morrido à noite —, mas funcionava. Funcionava porque fazia a escola de álibi entre os dois pais e as duas casas. E também porque assim os encontros entre ela e Chris eram mantidos a um mínimo saudável.

Sendo justa com Chris, ele obedecia às regras e às regulamentações do sistema do mesmo modo como obedecia as datas de validade: religiosamente. Só que, na noite passada, ela recebeu uma mensagem de texto dele avisando que iria trazê-los antes do combinado. Depois outra dizendo que não iria. E às sete da manhã Josh ligou para avisar que eles estavam a caminho. Rachel estava com saudades dos filhos, mas não pôde deixar de perceber que havia alguma espécie de turbilhão caótico acontecendo ali. E, com seu chapéu de são Francisco de Assis — ou seria ele mais um cara dos capuzes? —, ela sabia que coisa boa não era.

O carro estacionou, as crianças e sua miríade de coisas saíram, mas até Rachel sair pela porta e chegar ao asfalto, o carro já havia partido novamente. Josh deu um beijo na bochecha dela e depois começou a andar em direção a casa.

— Ah — disse Rachel, beijando Poppy. — Papai está com pressa?

Poppy estava parada observando a fumaça do escapamento sumir.

— Hummm. Acho que talvez ele esteja atrasado para as Olimpíadas dos Rabugentos.

— Ah. — Elas entraram pela porta da frente, onde Josh estava construindo uma pilha de mochilas.

— Ela tá falando sério — disse ele, enquanto equilibrava a mochila da escola no topo. — E por acaso eu sei por quê. — Rumou para as escadas e então se virou. — É porque ela deu um pé na bunda dele. — E subiu ruidosamente até o quarto.

Uau, pensou Rachel com orgulho, observando o filho se afastar. Essa foi de longe a fala mais longa de Joshua Mason em todo o ano acadêmico.

8H50. ENTRADA

Heather dobrou a Beechfield Close para subir o morro e caminhou sob o sol da manhã. Aquele sempre foi seu trimestre escolar favorito: meias soquetes brancas, saias rodadas xadrez, grama, jogos de *rounders*... Suspirou fundo, cheia de expectativas. Ah. Mal podia esperar. Maisie precisou correr para alcançar a mãe.

— Cadê a Poppy? Mãe? A gente não vai mais com elas?

— Acho que não, meu amor. Mamãe está com pressa hoje. E pense em todas as suas outras amigas bacanas que você vai encontrar agora. Vai ver Scarlett, Kate e...

— Mas...

Lá vamos nós de novo. Maisie sendo difícil.

— Nada de *mas*. Você viu Poppy todos os dias das suas férias e vai vê-la de novo daqui a cinco minutos. E nesse trimestre terá um monte de amigas diferentes, não apenas... Ah.

Rachel estava ao seu lado, mas Heather não desacelerou. Continuou marchando enquanto as meninas ficavam para trás.

— Oi — disse ela, ainda olhando para a frente. — Como vai?

— Hã, não sei bem, pra ser sincera. Não era para eu levar Poppy à escola hoje, o que é bom, sabe, porque não falo com Tom desde... bom, você sabe. Mas, agora, aqui estou. E tudo por culpa do Chris. Então agora talvez eu seja obrigada a ver o Tom. Só que não existe nada entre a gente, você sabe, não sabe? Você sabe que não tem absolutamente nada...

Para ser sincera, Heather não conseguiu entender nem a metade daquilo, e pensou que, além disso, seria ótimo se Rachel parasse de ficar tagarelando sem parar sobre si mesma. Só para variar.

— Bem, eu vou bem, muito obrigada. Sim, superbem. Tentando chegar um pouco mais cedo na escola esse trimestre. — Melissa sempre deixava as crianças cedo. Heather faria o mesmo dali em diante. Era claramente muito melhor, em todos os sentidos. — Como foram as suas férias? — Ela manteve o tom de voz deliberadamente frio.

— Hum. Deixa eu ver... Não vi ninguém. Não fiz nada. Fiquei sentada à minha mesa desenhando ilustrações bobas que nunca ninguém vai olhar sobre o que aconteceu na escola ao longo do tempo, enquanto as crianças sumiam para ir fazer suas próprias coisas... Pois é. Uma droga.

Bem, é nisso que dá ficar gritando para as pessoas cuidarem da própria vida, Rachel Mason. Você acaba sozinha, sem ninguém com quem conversar. E indo para a escola em um dia perfeito de verão embaixo de uma nuvenzinha preta particular.

— Mas hoje... — continuou.

— Bem, as minhas foram ótimas, obrigada. — Heather achou por bem simplesmente pontuar aquilo. Não que alguém fosse educada o bastante para perguntar. — Muito divertidas. — Ela não tinha percebido antes como Rachel andava devagar. Ela sempre foi esse zumbi? — Como vai Josh?

— Josh? — Rachel arrastou os pés um pouco mais. — Hã. Bem. Meio...

— Ah, que pena...

Lá vamos nós de novo. Esse era o problema de gente assim: sempre arrastava você para baixo junto consigo.

— Bem. Não. Pena nenhuma. Acho que não. Sabe, ele só...

O negócio com Melissa é que ela estava sempre tão para cima. Com tudo. Sempre que você ficava ao lado dela, se sentia para cima também. E era aí que Heather queria estar: para cima. Bem para cima.

— Ah — disse ela rispidamente enquanto se abaixava para beijar Maisie. — Tudo vai melhorar em breve, tenho certeza. Até mais.

Lá estava Melissa, parada perto da grande faia. Heather se afastou de Rachel e caminhou até ela, depressa. Bem depressa mesmo. Apesar de suas pernas simplesmente desejarem correr.

— Bom dia! — Melissa estava radiante. Parecia um dia de verão: um dia de verão em forma humana. — Você por acaso não tem tempo para um cafezinho rápido, tem?

— Uau! Sim, claro. Seria ótimo. — Heather retribuiu o sorriso radiante. — Adorei seu vestido. — Ela estava, podia perceber, no limiar de um mundo novo.

— Georgie! — cantarolou Melissa até o outro lado do pavimento. — Que tal um cafezinho?

— Tsc, não vai dar. Desculpa. — Georgie nem sequer se virou, o que foi um alívio. Ela e Heather não se falavam desde, bem, desde... Heather não queria que Georgie ficasse à espreita no limiar do mundo novo. Com um cigarro horroroso na mão.

— Certeza? — insistiu Melissa. — Jo vai vir...

Georgie parou.

— Jo? Minha Jo? — Andou até onde Heather estava. — Jo, cujos filhos acabei de trazer para a escola e que não me disseram nada?

— Isso mesmo, não é fantástico? Ela decidiu tentar voltar para a rotina nesse trimestre e achei uma ideia brilhante. Mas quer que todo mundo aja o mais naturalmente possível, e não de um jeito ah-que-horrível-deve-ser, dando conselhos para lidar com a dor, certo? Ah, aliás, a partir de amanhã ela mesma vai trazer os filhos para a escola.

Milo Green passou por perto, arrastado por Martha.

— Tenham um bom dia, queridos! — gritou Bubba para os filhos. A voz dela era alegre, mas seu rosto estava retorcido de preocupação. Nossa, como ela envelheceu desde que chegou aqui, pensou Heather. Parece ter uns 90 anos.

— Venha tomar um café com a gente, Bubba — convidou Melissa, com simpatia.

Aquilo começava meio a que se transformar na festa da uva, pensou Heather irritada. Estava ficando um tanto lotado, o limiar do seu mundo novo. Uma vassoura até que cairia bem, para dar uma bela varrida no excesso. A única pessoa que não estava à espreita era Rachel Egoísta Mason; graças a Deus que existem essas pequenas bênçãos.

Heather olhou em torno. Para onde Rachel tinha ido, falando nisso? Ah, estava sozinha, ali no canto, longe da faia... parada, imóvel, olhando o Sr. Orchard. E lá estava o Sr. Orchard, na escadaria da frente da escola, com as mãos nos bolsos, também olhando para ela. O engraçado é que nenhum dos dois parecia disposto a se mexer — nem para ir conversar um com o outro nem para parar de se encarar, o que aliás seria educado, porque, como todos sabem, é falta de educação ficar encarando os outros.

Então Melissa gritou:

— Rachel, vamos tomar um café! — E, com isso, o feitiço se quebrou e Rachel de repente estava bem ao lado delas.

— Uau. Vocês se importam, quero dizer, tudo bem se... — Heather pensou em como Rachel agora parecia carente e em como, sinceramente, aquilo estava começando a irritá-la. — Tudo bem se eu for com vocês?

9H15. REUNIÃO

Georgie foi a última a chegar ao Copper Kettle, depois de deixar Hamish na escolinha. Naquele trimestre ele estava indo duas manhãs por semana, e, pela primeira vez em uma década, uma pluralidade de horas sem crianças se estendia à frente dela. Graças a Deus que havia outro bebê a caminho para colocar um ponto final naquilo, durante algum tempo.

Os sininhos soaram seu timbre melancólico quando ela fechou a porta para o sol da manhã e se virou na direção da escuridão. Lá estavam elas, sentadas a uma grande mesa oblonga perto da única janela do café. Georgie trançou entre os clientes — algumas mães da St. Ambrose trocando apressadamente novidades das férias; e senhoras, mais velhas, com um ar mais relaxado de tenho-todo-o-tempo-do-mundo — e abriu caminho até as amigas. Jo — magra, branca, corajosa — estava à esquerda de Melissa; Heather estava à direita — perto demais, quase abraçando-a. Rachel estava sentada sozinha do outro lado, de frente para as três, como uma candidata numa entrevista de emprego. Bubba estava na ponta. Georgie se inclinou para dar um beijo rápido e um apertão em Jo — "Você está bem, querida?" —, depois sentou-se. Rachel empurrou um bule de chá em sua direção:

— Pedi um *lesbian* pra você.

A conversa era esporádica, meio estranha. Enquanto esperava que o gelo se quebrasse, Georgie serviu-se de um chá de camomila e tentou ouvir a conversa da mesa que ficava próxima à porta. Quatro mulheres — na casa dos 50 e muitos? Sessenta e poucos? — estavam trocando novidades. As notas A de alguém eram iminentes; não era filho de nenhuma delas, era talvez um vizinho ou sobrinho-neto ou afilhado de um afilhado, mas, mesmo daquela distância genética e emocional, todas elas estavam desesperadamente interessadas. Sim, é verdade que Georgie tinha chegado naquele estágio da gravidez em que era capaz de chorar por qualquer coisa, desde uma notícia no telejornal até uma propaganda de Clearasil, mas mesmo assim ela sentiu vontade de chorar.

Gostava de ver as coisas crescerem, sempre gostou: de marcar a altura das crianças na parede da cozinha, de amarrar as vinhas dos tomates em outro arame acima do anterior na estufa... Sempre havia uma profunda satisfação pessoal em ajudar alguma coisa, qualquer coisa, a aumentar um pouco mais sem se romper, ou a desprender um broto. Isso, para Georgie, era uma afirmação da vida.

E as amizades não eram exceção. Quanto mais duravam, mais ela as valorizava. Por que outro motivo suportaria toda uma eternidade de bocejos ao lado de Heather Senhora Inteligência Carpenter, pelo amor de Deus?

— Enfim. — Rachel arriscou puxar conversa. — Alguém aqui leu o novo McEwan?

— Tsc. — Jo exibiu sua expressão de irritação e tédio. — McEwan é um idiota.

E aquelas mulheres obviamente se conheciam há uma eternidade ainda maior. No entanto, continuavam juntas: eram exatamente como Georgie, Rachel, Jo e Heather, só que dali a 15 ou vinte anos. É assim que seremos, pensou. Continuaremos falando e nos importando não apenas com nossos próprios filhos mas também com toda uma nova geração. Porque, afinal, como poderiam parar, depois de tantos anos juntas? Desde pequena, Maisie sempre foi uma extensão da família de Georgie. Heather segurou no colo cada filho dos Martins assim que nasceram. Desde a morte de Steve, ela via os filhos de Jo todos os dias. Só naquele ano, elas atravessaram juntas um divórcio e um suicídio, e sabe-se lá o que mais a vida iria trazer pela frente. Agora ela jamais conseguiria dar para trás. Seria o mesmo que abandonar um livro excelente depois de ter lido somente até o capítulo quatro.

— Vocês já pararam para pensar — tentou Rachel mais uma vez —, quando veem todas essas velhas assim, onde estarão os homens? O que eles devem estar fazendo e que é muito melhor?

— Não. — Melissa deu de ombros e sorriu. O sol começou a entrar pela janela e o cabelo dela foi iluminado por trás. — Nunca. Quero dizer, nem paro pra pensar onde eles estão, nem suponho que o que estejam fazendo seja, de alguma maneira, melhor.

Então Georgie de repente enxergou tudo aquilo em nova dimensão: viu que ali havia mais do que uma reunião de amizades distintas, longas e separadas. Outra coisa, diferente, crescera a partir daquilo. Agora ali havia um grupo — uma rede de pessoas bem unida e coesa, que se importava com ela e com seus filhos, e que sempre se importaria. Pessoas que, ela sabia, sempre estariam ávidas por qualquer notícia ou desdobramento; que os receberiam, os considerariam e os passariam adiante com cuidado. E também percebeu, lá no fundo, que, quanto mais gente se importasse com suas notas A, ou com seu qualquer coisa, melhor para você. Que se importar com os outros era a argamassa, o adesivo, que unia todas as coisas. E, graças àquele trançado, àquele rendado das suas amizades, elas construíram isso entre elas: um suporte poderoso para seus filhos para mantê-los a salvo, uma moldura firme na qual eles poderiam crescer.

Enxugou uma lágrima dos olhos, virou-se de novo para a mesa e se recompôs.

— Engraçado, né? — indagou-se Heather, olhando para um canto. — Aquela mesa ali era onde Bea e a turma costumavam se sentar. Toda manhã. Até ela arrumar um emprego...

Georgie olhou para onde ela apontava.

— Hummm. O Algonquin sem Dorothy Parker...

— Não é bem assim, você sabe — comentou Jo.

— É. Eu sei. Foi uma espécie de piada...

— Não. Eu quis dizer que não é bem um emprego. — Jo continuava dando a impressão de estar bastante entediada e irritada. — O que Bea anda fazendo. Não é o que eu chamo de emprego, pelo menos. Ela conheceu um chef no início de carreira e meio que grudou nele. Declarou que seria sua empresária, que cuidaria da RP, coisa e tal. Ele nunca pediu isso a ela...

— Espera um pouco. — Georgie mal conseguia acreditar no que estava ouvindo. Sua cabeça zumbia. Sua garganta tinha um nó. — Calma aí. Mais devagar. Isso é importante. Fatos. Por favor. Jo. O que exatamente você está alegando aqui?

— Bem, ele não está pagando nada para ela, no começo, nem um centavo, e acho..

— O quê? — interrompeu Georgie, eletrizada. — Não brinca. Eu sabia! — Ela agarrou Rachel. — Rachel Mason, está ouvindo o que eu estou ouvindo?

— Bom, ora vejam só — Rachel deu um murro na mesa — se não é um EDM.

— Um EDM! — repetiu Georgie. — Ela tem um EDM! Meu Deus, eu devia saber. — Ela afundou na cadeira, bateu a própria testa.

— Como diabos a gente não viu isso antes? — Agora a voz de Rachel era um guincho agudo.

Georgie segurou as mãos de Jo por sobre a mesa.

— Meu Deus, como senti sua falta. Um EDM de merda. Você me fez ganhar o dia.

— O *que* é um EDM? — perguntou Melissa.

— Um emprego de mentira — entoaram todas em uníssono. — É um emprego de mentira.

— E isso — explicou Georgie — é um caso para estudo. Olha. Existem mulheres nesse mundo, como a Jo aqui, Rachel, e, é claro, você, Melissa, que estão ganhando dinheiro fazendo coisas que precisam ser feitas e que as pessoas querem que sejam feitas. Existem mulheres como eu e Heather que escolheram ficar em casa e cuidar da família e que não estão nem um pouco a fim de fingir o contrário...

Heather assentiu.

— E eu estou no RH — lembrou Bubba para a mesa. — Isso é apenas um afastamento temporário da carreira.

— E existem os empregos de mentira. Gente que diz que faz coisas e que fanfarroneiam um espetáculo a respeito e fazem pose de ser o tal e olham os outros de cima para baixo, mas que não estão fazendo nada que necessita ser feito nem ganhando dinheiro nenhum também.

Rachel acrescentou:

— A gente percebe logo esse tipo, porque eles sempre vão para Norfolk ou algo do gênero por seis semanas no verão e ninguém dá a mínima.

— Tipo a tal Abby — arrematou Georgie.

— Ah, mas ela está no ramo da propaganda — interveio Heather, com tom respeitoso.

— Não, ela dá a opinião dela sobre produtos de uso doméstico em *focus group* uma vez por mês, isso sim. E aquela tal de Liz, que está na área editorial e revisa uns livros de vez em quando.

— A mãe da Destiny é a minha preferida. — Rachel sorriu, afetuosamente. — Aaah, ela é tããão ocupada com sua carreira na política...

— Ela foi angariar votos certa vez para o UKIP — concluiu Georgie. — Ah, que máximo. — Ela levantou seu chá de camomila para a mesa. — Um EDM. Este é realmente um dia muito especial pra todas nós.

— A questão é que, mesmo assim — disse Bubba —, a gente precisa ser um pouco compreensiva, não é? Quero dizer, se seu marido ganha *rios* e mais *rios* de dinheiro, de modo que você *não precisa* trabalhar, mas você *quer* fazer alguma coisa, só pra poder dizer... — Bubba estava aquecendo a conversa até abordar o tema, remexendo-se na cadeira como alguém no *Question Time*. — Quero dizer, aí é muito difícil. Entendem? É o que gosto de chamar de "Armadilha da Riqueza"...

Surpreendentemente, com um humor benévolo, Georgie deu um tapinha na mão de Bubba para que ela se calasse.

— Se eu fosse você, guardaria isso só pra mim — aconselhou, depois se virou novamente para Jo. — Me conte, me conte. Como você descobriu?

— A sogra dela está no nosso asilo agora — respondeu Jo. — Bea e Tony a despejaram lá, venderam a casa dela, dizem que a mulher está gagá. Mas garanto a vocês que quando o assunto é Beatrice ela é sempre bastante lúcida.

— Enfim — disse Melissa, com firmeza. Ela nunca ficava muito à vontade quando alguém estava sendo queimado numa boa e velha fogueira. Georgie já tinha notado isso antes. Era uma pena; ela era ótima, se não fosse por isso. — Vocês vão formar uma equipe para o quiz?

— Deus do céu, não — zombou Georgie.

— Não somos um bando de perdedoras, sabia? — acrescentou Jo.

— O quiz — explicou Rachel pacientemente como uma monitora gentil para um aluno do primeiro ano — é apenas para quem não tem nenhum amigo.

— Bem, eu vou — declarou Melissa. — Com Colette, Sharon, Jasmine e os maridos delas.

Georgie zombou:

— Pff. Boa sorte com esse pessoal...

— Bem, o que importa não é ganhar, é parti...

— Ei, mas essa é a equipe da Bea! — Heather estava chocada. — Elas sempre estão na equipe da Bea! Desde sempre! — Ela agarrou a mesa como se fosse a única certeza em um mundo incerto.

— Não este ano. Este ano Bea comentou a elas que iria vencer, e não queria nenhum peso de porta — disse Melissa. — Elas foram descartadas...

— Ah, é. — Jo voltou à vida mais uma vez. — Isso é outra coisa. Parece que Bea está toda cheia de si porque com certeza está com o quiz no papo. Roubou três jogadores da equipe vencedora do ano passado e recrutou uma arma secreta.

— É? — Georgie não tinha certeza do que estava acontecendo consigo. Seriam os hormônios? Seriam as revelações daquela manhã? Com certeza não era aquele mijo de chá *lesbian*. — É mesmo? Bem, veremos então. — Ela olhou ao redor para a mesa. — Meninas. Só tem uma saída pra isso. Desculpe, mas aqui vão palavras que nunca pensei ouvir de mim mesma. Não temos escolha. — Ela engoliu em seco, abriu as mãos para as outras, levantou-se até o limite máximo de sua altura limitada e fez sua voz de técnico de time de futebol. — Vamos ter que montar uma equipe.

— O quê? — grunhiu Jo.

— Sério? — acrescentou Rachel.

— Na verdade — disse Bubba —, sou ótima em quizzes.

Heather bateu palmas de alegria.

— Sempre quis participar do quiz, sempre, mas nunca ninguém nos chamou. Ah, Georgie, você é brilhante. — Ela esticou a mão por cima da mesa, com lágrimas nos olhos. — E me desculpe de verdade. Por favor. Me perdoa?

— Acho que sim. — Georgie piscou para ela. — Pelo quê?

— Por não estar falando com você. Faz um mês inteiro que não falo com você.

ATA DA REUNIÃO DO COMITÊ (COSTA)

Local: Sala do diretor
Presentes: Sr. Orchard (diretor), Beatrice Stuart (presidente), Clover, Colette, Sharon, Angie, Melissa
Secretária: Heather

O DIRETOR: Deixe-me começar dizendo, Heather, que a ata que você preparou para a última reunião estava fantástica, extraordinariamente detalhada.

HEATHER: Fico muito feliz pelo senhor ter gostado. Às vezes me empolgo um pouquinho...

O DIRETOR: Mas acho que desta vez não precisamos de um relatório tão explícito, palavra por palavra. Poderia apenas listar os tópicos abordados, digamos, e anotar suas impressões generalizadas do andamento da discussão, além de oferecer uma lista rápida do que foi decidido na conclusão? Isso já seria o suficiente. Não poderíamos esperar mais do que isso.

1. ANDAMENTO DA ARRECADAÇÃO DE VERBAS

Tudo vai indo muito, muitíssimo bem, e não apenas por causa dos eventos organizados pelo COSTA, ou pelo menos foi isso o que O DIRETOR disse, mas tive a impressão generalizada de que BEA não ficou muito satisfeita em ouvir isso — ela fez aquela coisa de erguer a sobrancelha para ele. Aparentemente, a CORRIDA DIVERTIDA angariou um monte de dinheiro — no mínimo tanto quanto o rodízio de almoços e o Cassino Gourmet e tudo o mais. E foi bastante divertida, além do mais. Nisso todos concordamos. Menos BEA, que não foi, mas não disse por quê. Todo o restante deu um jeito de comparecer. ~~Tive a impressão generalizada de que ela não está tão em forma quanto antes. Na verdade engordou bastante, está até com uma papada, ou melhor, não exatamente, mas com certeza um pouco mais gorda ao redor da mandíbula, ou melhor, para os padrões de BEA, e fiquei pensando se ela deixou de ir para a CORRIDA DIVERTIDA porque sequer corre?~~

Além disso, alguns dos pais vão correr a maratona — o que é superinspirador porque, afinal de contas, isso é algo muito, muito difícil — e contam com um patrocínio gigantesco que vai fazer o vermelho subir até o topo daquele negocinho do termostato se eles conseguirem terminar a corrida. Então, dedos cruzados para eles no domingo. Isso também não tem nada a ver com BEA. Pensando bem, ela nem sabia que estava programado. Ela ergueu a sobrancelha ao ficar sabendo disso, também.

2. O QUIZ

Tudo está pronto para a próxima quinta à noite, às 19h30, no Coronation Hall. BEA garantiu aos PRESENTES que seria um tremendo sucesso. A SRA. WRIGHT, coordenadora pedagógica, preparou as perguntas. O apresentador será O RENOMADO CHEF DE TV MARTYN PRYCE, coisa que Bea chamou de muito empolgante, ~~apesar de eu ter ficado com a impressão generalizada de que os presentes não ficaram tão empolgados assim. Ninguém parecia saber direito em que canal ele aparece ou se para assistir é necessário ter algum aparato especial, tipo um box ou app ou algo assim. E ninguém nunca ouviu falar nele. Colette murmurou alguma coisa como "Volte, Andy Farr, nós o perdoamos". Enfim.~~ Até agora quase cem ingressos já foram vendidos e o bar licenciado já foi escolhido. A ideia é que cada mesa traga seu próprio piquenique e que O RENOMADO CHEF DE TV MARTYN PRYCE então julgue o melhor e este ganhe um prêmio. Tive a impressão de que BEA está esperando vencer nisso aí. Também vai haver uma RIFA, e BEA disse que no total o QUIZ vai arrecadar mais dinheiro do que todos os outros eventos juntos.

OS PRESENTES então discutiram que tipo de ajuda seria necessária antes da grande noite e quem poderia se oferecer para ajudar BEA. Infelizmente não houve nenhum voluntário porque todo mundo estava ocupado demais, menos CLOVER. Aí CLOVER disse a todos que ela e BEA poderiam terminar todos os preparativos desde que BEA dedicasse a eles um dia inteiro e fosse até a casa de CLOVER para fazer o que falta. Tive a impressão generalizada de que BEA também não ficou muito satisfeita com isso.

3. DECORAÇÃO DA BIBLIOTECA NO MEIO DO TRIMESTRE

O DIRETOR disse que a ideia era finalizar a decoração da BIBLIOTECA até o meio do trimestre, para que ela esteja concluída a tempo da CERIMÔNIA OFICIAL DE ABERTURA no fim do trimestre, talvez no DIA DOS ESPORTES com UMA BÊNÇÃO DA REV. DEBBIE e coisa e tal. Para guardar verba para os livros e os móveis, O DIRETOR decidiu que vai abrir mão de suas férias naquela semana para pintar todo o interior. RACHEL MASON concordou em pintar uma linha do tempo ilustrativa da história da escola como um friso ao redor do topo, acima das estantes. O DIRETOR não sabia se a SRA. MASON estaria livre para pintá-la na mesma ocasião, ~~mas tive a impressão de que ele estava nervoso demais para pedir, por causa de toda a fofoca maldosa e dos boatos que aconteceram antes da Páscoa, o que foi uma superinjustiça com eles, e tive a impressão de que as pessoas deveriam tentar cuidar da própria vida.~~

MELISSA disse que RACHEL com certeza estaria na cidade naquela época porque as crianças iriam passar as férias com o pai e que ela certamente poderia pintar a linha do tempo na ocasião. Ela garantia isso pessoalmente. O DIRETOR pareceu encantado com isso. ~~Pensando bem, tive a impressão de que ficou felicíssimo. Seus olhos meio que se encheram de lágrimas e começaram a brilhar como uma espécie de sopa brilhante.~~ Aí ele perguntou se haveria algum outro voluntário disposto a ceder tempo de suas férias para ajudar na pintura, mas ninguém se ofereceu. Tive a impressão de que as pessoas quiseram se oferecer — COLETTE, SHARON, JASMINE e EU também, até —, mas, quando a gente ia levantar a mão, MELISSA olhou carrancuda e balançou a cabeça. Por isso não nos oferecemos. Ficamos ali sentadas em silêncio. E O DIRETOR pareceu ficar ainda mais feliz. BEA levantou a sobrancelha para isso também.

CONCLUSÃO

1. Incluindo a maratona e O QUIZ, as verbas foram arrecadadas e o objetivo foi alcançado
2. O QUIZ será organizado por BEA e CLOVER.

3. A decoração da BIBLIOTECA será feita no meio do trimestre pelo DIRETOR e por RACHEL MASON. Sozinhos. Sem ninguém mais por perto. Enquanto a escola está fechada e quieta.

<u>A REUNIÃO</u> se encerrou às 13h15.

Heather estava acabando de pegar seus arquivos de cima da cadeira quando Tom Orchard tocou seu braço.

— Ah, Sra. Carpenter. — Bea, reparou Heather, parou para ouvir a conversa. — Se importa de ficar mais um pouco para que eu possa ter uma palavra...?

— Vejo você depois — disse Heather com firmeza para Bea, que então de fato saiu da sala. Heather mal conseguiu acreditar em seu poder sensacional. — Espero que esteja tudo bem com Maisie?

— Ah, sim. Maisie é perfeita.

— Dificilmente.

— Não é isso, de modo algum. — O Sr. Orchard sentou e pôs os pés sobre sua mesa, um de cada vez. — Tenho uma proposta para fazer a você. Olha, isso por enquanto é confidencial, não falei com ninguém ainda a respeito, e receio que terei que te pedir para manter a coisa estritamente em segredo por algum tempo...

Caramba, alguma coisa assim tão empolgante já tinha acontecido na vida de Heather antes? Ela se empertigou contra as costas do assento — era importante que não desmaiasse nem tivesse um ataque do coração justamente naquele momento e ficasse sem saber o que era o tal assunto, isso seria bem típico.

— A Sra. Black, a secretária da escola, vai nos deixar no fim do trimestre.

— Ah — disse Heather. Bem, era a melhor notícia desse mundo.

— Lamento saber disso.

— Não sei como conseguiremos viver se ela — declarou o Sr. Orchard, sorrindo enquanto atirava uma caneta para o alto e depois a apanhava. — Mas simplesmente precisaremos seguir em frente e encontrar outra pessoa.

— Hummm. — Heather estava se esforçando para lembrar se alguém jamais havia pedido seu conselho em alguma coisa dessas antes... Era a melhor sensação que se podia ter. Pela primeira vez, se deixou apenas fluir, refestelar-se naquele momento. Ahhhh. Bem, o que é mesmo que ele estava dizendo? Ela não podia perder o que era, se iria ser uma conselheira e aconselhar...

— Talvez você não esteja muito interessada, claro, e por favor não se preocupe se for mesmo o caso, mas: eu adoraria indicar alguém que já nos conhece, e que poderia ser amiga das crianças, dos pais e da própria escola. Eu estava conversando com Melissa Spencer e ela achou que você seria a pessoa indicada para isso, e devo dizer que, quanto mais penso no assunto, mais concordo com ela. Realmente acredito que você seja exatamente a pessoa de que precisamos. Será que eu poderia convencê-la? De algum jeito, a se candidatar? O que você acha?

15H15. SAÍDA

Rachel chegou no pátio alguns minutos mais cedo que o normal. Simplesmente não havia conseguido resolver nada o dia inteiro. Um pé na bunda, não parava de repetir a si mesma. Pé na bunda. Pé na bunda. Ora, ora, ora. Aquele que deu o pé na bunda acabou levando um.

Mas, por mais que dissesse isso a si mesma, não parecia fazer a menor diferença em sua vida. Ela ficava enviando aquela mensagem para suas profundezas, como um sonar, esperando que a explosão atingisse a superfície. Porém nada acontecia. No outono, aquilo teria significado alguma coisa: ele poderia voltar, eles poderiam tentar novamente. Mas agora, depois de tudo que ela havia passado, não significava absolutamente mais nada. O divórcio estava em andamento. Chris não se sentira estimulado a conversar com Rachel naquela manhã. E ela, por sua vez, não tinha muita certeza do quanto teria a dizer a ele. Duas pessoas que receberam um pé na bunda não somavam lá grande coisa, no fim das contas.

Sim, ela se sentira só no feriado da Páscoa, e sim, com certeza existia um buraco em sua vida. Havia um monte de buracos: ela andara evitando a mãe. Tinha esgotado a paciência com Heather. Não tivera nenhuma de suas conversas inocentes com Tom Orchard desde o dia em que Pamela a abordou com a truculência de uma mafiosa, e precisava admitir que sentia saudade. Muita. Apesar de não estar acontecendo nada entre eles...

Além disso houve uma grande mudança em seus filhos. Até então, as atividades deles sempre fizeram com que Rachel precisasse se conectar com o resto da raça humana várias vezes por dia — na entrada da escola, na saída, em passeios, por aí. Mas nas últimas duas semanas e meia Poppy estivera pela primeira vez no banco do motorista de seu próprio destino pessoal: saía pelo bairro com Maisie, as duas tomavam sol, faziam suas coisas. Rachel tinha sido relegada a funções secundárias, presente apenas para o caso de emergências, dando um tempo no acostamento da vida como um guarda de trânsito numa estrada que deveria estar mais movimentada do que estava. Era meio chato.

Entretanto, quanto mais ela a segurava entre as mãos, a trama esfarrapada e rasgada que lhe fazia as vezes de vida, não conseguia encontrar um só buraco que fosse particularmente do formato de Chris. Nem esquecer o pé na bunda. A melhor coisa do dia de Rachel foi aquele gostinho de companhia humana adulta no Copper Kettle naquela manhã. Agora estava faminta — esfomeada, para falar a verdade — querendo mais. Foi encontrar Heather.

— Sabia — começou ela — que depois do furacão de 1987, essa faia foi o única coisa viva que ficou de pé em milhas e milhas?

Heather nem se incomodou em esconder um bocejo. Rachel sentiu uma nova pontada aguda de solidão. Tom Orchard teria adorado aquela pérola. Olhou na direção da diretoria. Podia ver a silhueta dele, inclinada sobre a mesa. Era exatamente o tipo de coisa que ela teria corrido para lhe contar, e sobre a qual ele teria caído em cima deliciado. E então eles poderiam ter conversado sobre o assunto horas a fio...

Ela se recompôs e, ao fazer isso, viu pela primeira vez que Heather parecia completamente diferente. Mudada. Radiante. Como se tivesse passado a tarde inteira na cama com um garoto bem mais novo, ou então...

— E aí, como foi seu dia?

— O meu? — Heather olhou em torno. — Está perguntando pra mim? — Ela piscou, momentaneamente pega de surpresa, depois deu um sorriso largo. — Ah, está sendo absolutamente fantástico. Tivemos a reunião do COSTA na hora do almoço, que foi completamente, totalmente sensacional, e depois, de tarde, fui até a casa da sua mãe.

— Ora vejam só se você não é uma piadista... Espera um pouco... Você foi até a casa da *minha mãe*?

Aquilo era meio chocante, muito embora de um jeito menos significativo. Meu Deus, era só Heather e sua mãe, afinal de contas. Mesmo assim, ela não fazia ideia de que elas se viam. Aquilo passou completamente despercebido para Rachel. Talvez ela nem sequer estivesse dando um tempo no acostamento certo da vida...

— Hummm. Bem. Enfim, Guy estava lá, montando a estufa dela, e ela queria uma ajuda com as abelhas.

Rachel gemeu.

— Não passo lá há semanas. Ela falou alguma coisa?

— Sim, falou. Uma ou duas vezes. É muita coisa pra ela cuidar, ali, sozinha.

— Bem, ela não deveria ter assumido essa responsabilidade, né? Sinceramente. Tanto drama por causa daquelas abelhas... Tudo por uns potinhos de mel.

— Compro mel no supermercado Lidl. — Jo havia se juntado a elas. — Não tem nada de errado.

— Exatamente — concordou Rachel, com firmeza. — Por que ela precisa fazer isso, hein?

— Bem — interveio Melissa, acabando de voltar do hospital. — É importante, sabem, a apicultura. Não é só por causa do mel. Elas por acaso fazem o planeta funcionar como se deve, enquanto o preparam...

— Eu sei. Ela me contou. — Os olhos de Heather estavam brilhando. — Achei sensacional.

— "Sem abelhas, a humanidade só poderia sobreviver por mais quatro anos" — citou Georgie, entrando na conversa com Hamish no colo. — Einstein, né?

— É? — disse Jo, entediada, irritada. — Em que equipe ele está?

— Unidos da Ciência — devolveu Melissa na mesma hora.

Rachel observou enquanto elas faziam *high-fives* e riam juntas. Mais uma relação que tinha acontecido no ponto cego de Rachel. Jo estava domada. Completamente domada.

— Ah, sim, muito engraçado, com certeza — comentou Georgie, com impaciência. — Nossa, somos ou não somos umas anti-intelectuais hilárias? Agora escute aqui, cambada. Não é com essa atitude que vamos ganhar O Quiz. Já chega. Nenhuma de vocês vai desapontar a equipe. Daqui em diante, chega de fingir ser burra.

— Mas, Georgie... — protestou Heather. — Eu nunca fingi ser burra.

Então o sino tocou.

O dia do quiz

8H50. ENTRADA

Bubba estacionou seu Range Rover ao lado do sabe-se-lá-o-quê de Georgie. Seria aquilo alguma espécie de veículo utilitário? Com certeza não de classe A, seja lá que classe for. Ela segurou a mão de Martha enquanto esperava que as crianças dos Martins escorressem de cada porta do carro e se espalhassem ao redor de sua mãe destruída e com aparência de completamente exausta.

— Oi. — Georgie parecia bastante animada, apesar de ser difícil saber o motivo para tamanha animação. — Milo não vem hoje?

Elas caminharam juntas em direção à escola.

— Ele tem consulta com o psicólogo às dez, não fazia sentido trazê-lo agora.

— Nossa. Ele não foi ao psicólogo recentemente? Hamish, venha aqui.

— Nós literalmente *vivemos* indo a consultórios de psicólogos. Nem me diga. Esse deve ser o quinto. É um emprego em tempo integral, ter um filho como o meu. — Bubba deu um sorriso enorme, como se estivesse gostando daquela história de Ser Mãe de Um Menino Dotado, embora na verdade estivesse começando a achar aquilo tudo um pouquinho *cansativo*... — Essa última foi recomendada por Tom Orchard. Ele tem sido maravilhoso, aliás. Muito paciente. Descobriu essa história boba do *bullying* de um jeito brilhante. *Meu*

Deus, que coragem ele teve de desmascarar a Terrível Scarlett daquele jeito! Agora todos na nossa família estamos em *dívida eterna* com ele. Ele continua bastante disposto a fazer a coisa certa e acertar os ponteiros para que Milo possa começar a desabrochar aqui, em vez de ser feito de bobo e aterrorizado. Mas a mulher a quem ele me encaminhou foi uma completa. Perda. De. Tempo.

— Ah, que pena... Lucy, pega ele. Por quê?

Bubba riu. Era para rir mesmo, senão era de chorar.

— Ótimo diagnóstico. Com um ar tão profissional. Custou uma fortuna, aliás, se quer saber. Tudo para dizer, basicamente, só resumindo em termos leigos — Bubba parou para encarar Georgie de frente e enfatizar com força total a completa maluquice da conclusão da psicóloga —, que Milo não é *nem um caso para crianças especiais nem superdotado*.

Porém, justamente quando Bubba começou a gargalhar, coisa que esperava — torcia — que Georgie fosse fazer também, percebeu que todos os Martins já estavam sumindo pela porta de entrada principal da escola.

10H. INTERVALO DA MANHÃ

— Obrigada por vir, querida. — Rachel e a mãe caminhavam juntas lado a lado pelo jardim, em direção à colmeia.

— Sem problemas — disse Rachel, segurando o portão para a mãe passar. — Eu também estava com vontade de dar uma espiada, confesso.

— Ah, só preciso ver o que está acontecendo aí dentro. — Sua mãe verificou o estado da rede de proteção diante do rosto antes de abrir a parte superior da colmeia. Rachel, perto dela, espiou lá dentro. A mãe retirou um módulo e se inclinou para observá-lo melhor. — Sim. Olha. Ali estão.

— Ali estão o quê? — Rachel observou o módulo cheio de favos. Quase todas as células estavam cheias.

— Isto são as larvas — explicou a mãe. — A rainha colocou ovos aqui, e as operárias os estão alimentando com mel. Mas veja estas outras. — Com o dedo, apontou para quatro células do lado exterior, que tinham o dobro do tamanho das outras, estavam fechadas no topo, eram grandes e possuíam uma aparência importante. — São as células para as novas rainhas. Como pensei, elas estão pensando em coroar outra.

— Quem está pensando? As operárias?

— O que acontece é o seguinte, veja. — Ela recolocou a moldura e deslizou outra. — As operárias é que decidem. Quando acham que a antiga rainha está meio velha, escolhem algumas células, alimentam-nas com geleia real em vez de mel e produzem novas rainhas.

— Elas produzem suas próprias rainhas?

— Não disse que as abelhas eram fascinantes? O único exemplo vivo de monarquia democraticamente eleita. — Ela retirou uma bandeja de metal parecida com uma grelha ou cerca. — Isso é o separador de rainha. Faz com que ela fique apenas em um dos lados da colmeia. Ela deve estar por aqui em algum lugar. A-há! — apontou para um inseto na multidão que até Rachel foi obrigada a admitir ser bastante superior mesmo.

— Mas o que vai acontecer com ela, quando as novas estiverem prontas? — Rachel sentiu uma pontada de empatia, olhando para a rainha ali. Confiante. Ocupada. Mal sabendo que estava prestes a ser destronada por uma nova. Pode acontecer com qualquer uma de nós...

— Bem, ou ela irá levar um pequeno grupo de abelhas para começar uma nova colmeia em algum outro lugar... é quando se cria um enxame de abelhas...

Sua mãe recolocou o último módulo de volta à colmeia e prendeu o topo novamente para fechá-la.

— Ou então...? — Rachel a acompanhou pelo portão. — Quais são as outras opções?

Elas estavam de volta ao jardim, arrastando-se em direção a casa.

— Hummm? — Sua mãe retirou as luvas e abriu o zíper do capuz.
— Ah, assim está bem melhor! — exclamou, balançando a cabeça ao
ar fresco. — Ah. Caso contrário elas apenas a matam com ferroadas.

Rachel olhou para a colmeia com espanto. Balançou a cabeça.

— Impressionante. — E então tirou o macacão. — Obrigada.
Mesmo. Ah, falando nisso. — Aquilo iria cair bem. Era exatamente o
tipo de coisa que a mãe adorava ouvir. Ela ficaria satisfeita. — Hum.
Enfim. Hã. Então. — Rachel ficou surpresa, entretanto, ao perceber
que ainda conseguia se engasgar com as palavras como um gato com
uma bola de pelo. — Vou participar do Quiz hoje à noite, na escola.

A mãe parou o que estava fazendo e virou a cabeça de repente
na direção dela.

— É uma reunião *tão* divertida!

Ã-hã, pensou Rachel, hora de ir embora.

— Vou fazer a contagem dos pontos, na mesa de contagem, com
Pamela.

Rachel colocou o macacão sobre as costas da cadeira do jardim
e pegou sua jaqueta jeans.

— Não se esqueça de ouvir bem as perguntas...

Ela deslizou os pés para as sapatilhas enquanto vestia a jaqueta.

— ... verifique bem a folha antes de entregar...

Pegou a bolsa e sacou as chaves do carro.

— ... não posso te pedir nada além de...

Então rumou até ele.

— Então até, mãe.

— ... que faça o seu melhor.

19H. ABERTURA DAS PORTAS

Georgie estacionou, saltou do carro e disparou na direção do corredor. Seu coração estava acelerado, seu cérebro elétrico com a tensão
pré-jogo, seu corpo inteiro tenso de expectativa. Ela entrou como um
furacão porta adentro, como Henrique V indo ao campo de batalha...
e viu apenas algumas pessoas arrastando mesas.

— Georgina Martin! — berrou Clover. — Vejam só. O que diabos está fazendo aqui? Chegou meia hora adiantada.

Ah.

— Hahahaha — riu Colette. — Por enquanto só estão as pessoas organizando as mesas! Não me diga que você é uma delas.

Sharon e Jasmine estavam cada uma em uma das pontas de uma toalha e a esticavam com cuidado. Bubba e Kazia erigiam o que parecia ser o cenário de *Heidi*. Bea vagava ao redor, enquanto Pamela desenhava o placar com uma régua.

— Eu me confundi com o horário — murmurou, enquanto recuava porta afora. — Meu Deus. Não vim ajudar vocês. — Ela se virou, exibindo sua pequena barriga de grávida de perfil. — Que bom. Tenho tempo pra fumar um cigarro. Talvez dois. — E voltou para o estacionamento.

Sacou o maço e um isqueiro da bolsa. Qual o problema com ela naquela noite? Ela estava se empolgando demais.

Inclinou-se contra a cerca e observou a fumaça se enrodilhar graciosamente da ponta de seu cigarro, subindo em direção à noite clara, e determinada a ficar ali do lado de fora até o resto de sua equipe chegar. Bateu a cinza no pavimento e notou a chegada de alguém, que saía do escuro.

Era Melissa, segurando uma bandeja grande com lavandas e ervas em potinhos.

— Ah, Georgie. — O sorriso dela era simpático e confiante. Ela não desacelerou o passo. — Olha só para você. Seus filhos sabem que você na verdade não fuma?

— Hã? — Georgie não acreditou no que havia acabado de ouvir. O tom de Melissa era tão casual, tão cotidiano. Como se ela estivesse dizendo "oi" e "linda noite". Ao mesmo tempo, tinha um tom de... Ela bateu as cinzas mais uma vez, basicamente para poder olhar para baixo e para o outro lado. — O quê? Não sei do que você está falando. — Ai, ai. Seria aquilo sua personificação de adolescente rabugenta? Como a coisa chegou a esse ponto?

— Venho observando. — Melissa estava à altura dela agora, mas continuou caminhando, ainda parecendo ligeiramente desinteressa da, com a cabeça em outras coisas. — Você acende os cigarros. Bate as cinzas. Joga fora. Mas nunca fuma mesmo.

— Você é doida, isso sim. Completamente doida.

— Então para que é isso? Está se escondendo atrás da fumaça? — Ela agora tinha chegado à porta, mas sua voz continuava baixa, como se ela estivesse apenas pensando alto.

— Típica psiquiatra...

— Psicoterapeuta. — Ela se virou para abrir a porta com sua bunda bem-feita.

— ... louca como uma cobra.

— Ou será que faz isso para afastar as pessoas? — Agora ela estava no corredor, mas continuava bastante audível. Como conseguia fazer isso? Aquela mulher era de dar calafrio.

— Não me diga — berrou Georgie para ela — que você é paga para dizer esse tipo de bobagem!

Mas a porta já havia se fechado.

19H30. DRINQUES

Na sua época, Rachel comparecera a diversos eventos no Coronation Hall, cada um mais moribundo que o anterior. Por isso, foi pega de surpresa ao atravessar a sólida porta de carvalho e descobrir que o local estava pulsando de vida. Que bonitinho, pensou. Os perdedores e as pessoas sem amigos, todos animados para sua grande balada... por que invejá-los? Olhou o relógio de pulso. Vamos torcer para isso não demorar muito. O melhor resultado possível desta noite seria chegar em casa às dez e meia, se enfiar na cama e assistir a *Newsnight*.

Ficou perto da entrada e correu os olhos pelo salão. Sua mãe e Pamela estavam perto do placar. Se não se enganava, Pamela estava com o mesmo *headset* que Bea tinha usado no Mercado de Pulgas. As duas estavam uma de cada lado de — ah, meu Deus, ela não o via há semanas — Tom Orchard. Rachel ouvira dizer que ele ainda não estava participando de nenhuma equipe. Iria cobrir algum lugar vazio onde fosse necessário. Por enquanto, naquele exato momento, estava ali parado de pé enquanto as duas velhas faziam um cabo de guerra por ele. Obviamente que cada uma tinha ideias firmes sobre onde ele deveria ficar. Certo, pensou Rachel: seja lá o que estiver acontecendo ali, é melhor evitar chegar perto.

Ela se virou na direção das mesas e ficou espantada com a visão à sua frente. A definição de "piquenique" de Rachel era "sanduíches de queijo e tomate e um pacote de batatinha frita". Tinha inclusive ansiado por aquilo — poderia ter trazido um Twix —, até Bubba lhe dizer para não se preocupar, porque ela e Kazia já tinham tudo sob controle. Agora, percebia que havia um significado completamente diferente para aquela palavra.

A mesa de Bea estava coberta com uma toalha de linho branco, cintilava de pratarias e uma gama de candelabros. A própria Bea estava usando um vestido de alcinha fúcsia, com o enfeite adicional de uma tiara que, Rachel sabia, era de Scarlett; Tony Tarado — ainda mais gordo e vermelho do que no Natal — estava espremido dentro de um smoking; enquanto os convidados de ambos os rodeavam bebericando champanhe. O nome da equipe — os régios campeões — estava acomodado em um arranjo de flores e se destacava como um dedo médio apontado para o restante da sala.

Clover, com um sombreiro, estava sentada atrás de uma mesa decorada com cactos e rodeada de professores. Ai, ai, pensou Rachel. Comida mexicana preparada por Clover: toda a equipe da escola estaria baleada amanhã, vomitando sem parar. A mesa de Melissa era a mais bonita, daquela distância. Toalha de mesa verde xadrez, com vasinhos de flores do campo e legumes cultivados em casa: Os Jardineiros Fiéis, chamava-se a equipe.

E então Bubba, com uma fantasia de tirolesa completa, o cabelo em duas tranças, acenou para ela de um cenário alpino.

— E aí, o que acha? — perguntou ela, sorrindo, radiante. — Fondue! — Ela entoou um rápido yodel. Georgie, que já estava sentada, revirou os olhos. — Vou te contar, foi terrível encontrar o *edelweiss*. — Jo estava ligeiramente afastada, de braços cruzados e cara irritada. Guy Carpenter parecia pálido e desesperançado.

— O problema — murmurou Heather para Rachel — é que ele não pode comer nem queijo nem pão.

Mark Green serviu uma taça de *glühwein* para Rachel.

— Não se preocupe, meu bem. Tudo isso já vai ter acabado antes mesmo de a gente perceber. — Ele baixou a voz para um sussurro. — Por via das dúvidas, tomei a precaução de agendar um problema de trabalho para as nove horas.

Rachel olhou furtivamente mais uma vez para Tom Orchard. A briga entre as mães pela pessoa dele continuava a todo vapor.

— Então, quem é a tal da arma secreta? — Georgie olhou para a mesa de Bea. — A gente devia fazer nossas apostas.

— Meu dinheiro vai para Wittgenstein — disse Rachel.

— Ah — começou a dizer Heather —, por acaso ele mora em...? — Então percebeu o olhar de Georgie. — Desculpa. Estou fazendo aquilo de novo, né?

— Heth, depois de trinta anos de estase, acho que finalmente posso dizer que você está progredindo — retrucou Georgie. — Aposto em Melvyn Bragg.

— E aquele cara das camisas horrorosas de *Eggheads*? — sugeriu Jo. — Alguém um dia viu esse camarada na nossa Waitrose...

A porta se abriu e Chris entrou. Ficou no umbral, olhou em torno, viu Rachel e lhe deu um aceno simpático. Que diabos, pensou ela, ele está fazendo aqui? Sentiu um calafrio se espalhar pelo corpo inteiro. Aconteceu alguma coisa com as crianças? Josh pôs fogo na casa. Está morto numa sarjeta... Foi então que viu Bea se levantar para dar as boas-vindas a ele. Não, disse Rachel a si mesma. A arma secreta não pode ser Chris. Não, Chris não. Ela não seria capaz de fazer isso. Nem ele. Eles não iriam se unir contra ela daquele jeito. Não eram assim tão malignos...

Viu Bea dar um beijo caloroso em cada uma das faces de Chris, Tony Tarado lhe dar um tapinha nas costas e Chris apertar a mão dos outros Régios Campeões.

Como ousavam? Aquele era território de Rachel agora, não dele! Ele, segundo seu entendimento, tinha partido atrás de novos pastos, e podia muito bem se mandar de volta para eles. A raiva começou a aumentar dentro dela. Rachel estava a ponto de se levantar quando sentiu um olhar suave e fixo vindo da mesa ao lado. Virou-se, olhou nos olhos de Melissa e, ao fazê-lo, outro ponto de vista completamente distinto nadou diante de seus olhos: pensando melhor, não é bom que Chris esteja aqui?, perguntou a si mesma. Afinal de contas, ele não deixa de ser pai de uma das alunas... Então, tornou a sentar.

— Fantástico! — comentou Georgie, caindo na risada e trocando um *high-five* com Jo.

— Não podia ser melhor! — Jo estava rindo, o que era incomum.

— Bem, claro que percebi que com certeza é algo bom — disse Rachel, que começava a se sentir enjoada, fisicamente enjoada. — Óbvio. Só que não acho nenhuma graça.

— Não acha mesmo? — perguntou Georgie, enxugando as lágrimas de riso. — Não, provavelmente não mesmo. — Ela tossiu, recompôs-se, deixou a expressão séria. — Escuta aqui, meu bem, uma hora você vai precisar saber a verdade, e agora é um momento tão bom quanto qualquer outro. É o seguinte: Chris... — Ela parou. Engoliu em seco. Tentou de novo: — Sabe o que é, Chris... é... Bem, Chris...

— Eu já disse a ela — interrompeu Jo, com firmeza. — Chris é um bunda.

— Isso. Obrigada, Jo. Precisava ser dito. Que ótimo esclarecer esse assunto. Chegou a hora de perceber, Rachel, que você era o cérebro daquele casamento.

— E Chris — reiterou Jo — era a bunda.

— Isso mesmo. E, obviamente, isso significa o seguinte: que, se é contra ele que vamos jogar, se ele é realmente a arma secreta mortífera de Bea, então o jogo está quase no papo.

— Bem, você que está dizendo isso — atalhou Bubba. — A verdade é que ainda temos apenas sete jogadores, sabe.

— É — concordou Heather, mordendo o lábio. — E um deles sou eu...

É mesmo, pensou Rachel, cujo ser corpóreo agora estava consumido pela vontade de ganhar, uma vontade maior do que qualquer outra que ela tinha sentido havia anos em relação a qualquer coisa. E outro é seu marido idiota. Ah, e tem ainda o Mark-Sou-Um-Mafioso-Com-Orgulho-Green.

— Cadê o Will?

— Em casa. Não conseguiu arrumar uma babá.

Ai, ai. Que Deus nos ajude...

— Bem, eu sou muito boa nisso — declarou Bubba, em tom encorajador. — Meu forte são as artes, principalmente. E qualquer coisa que exija, sabem, inteligência *emocional* e *empatia*...

— Minha nossa — disse Georgie. — Dedos cruzados para que venha uma rodada de empatia.

O microfone chiou.

— Boa noite a todos e sejam bem-vindos ao Quiz Anual da St. Ambrose — começou Martyn Pryce.

Todos se viraram para a frente.

— Ele é tosco — comentou Jo, num tom bastante alto.

— Primeiro, o mais importante: todas as equipes precisam de um nome...

Georgie se virou para a mesa.

— Isso já foi resolvido — disse ela. — Somos Os Forasteiros.

— ... e de um capitão.

— Eu! — Georgie levantou a mão antes de qualquer pessoa. — Eu, eu, eu! Sou a capitã! — Balançou os dedos no ar. — Eu mesma!

Naquele instante a mãe de Rachel atravessou apressada o salão, arrastando um tímido Tom Orchard pela lapela.

— Ah — exclamou. — Por aqui, Sr. Orchard. Finalmente. Uma mesa com um lugar vago. Quem sabe não poderemos espremer o senhor aqui, hein? — Ela puxou a cadeira vazia ao lado de Rachel, sem soltar o paletó do diretor. — Estou vendo que esta equipe está com um jogador a menos. Aqui vai um jogador extra pra vocês. — Obrigou Tom a sentar empurrando seus ombros para baixo. — Pronto, Tom. Isso vai servir. Um lugar tão bom quanto qualquer outro. — Empurrou a cadeira dele com firmeza para dentro da mesa. A coxa dele roçou na de Rachel. — Só para que o número de participantes fique equivalente. — E lá se foi ela apressada, mais uma vez.

Primeira rodada: conhecimentos gerais

— É melhor o senhor ser o escriba, Sr. Orchard — disse Georgie, empurrando a folha de respostas na direção dele.

— Certo — respondeu Tom. — Mas, por favor, me chame de Tom.

— Ok — berrou Martyn Pryce. — Lá vamos nós. Aqui vai a primeira pergunta do quiz da St. ambrose, e é a seguinte: St. Ambrose é o santo padroeiro de quê?

Todos sabiam a resposta. Era a primeira imagem na linha do tempo que Rachel desenhara: o santo e sua colmeia.

— Bom começo — disse Tom. — Onde estão os lápis?

— Bea que os trouxe. Ela não deu nenhum pra gente? — perguntou Georgie. — Não acredito. Quão baixo essa mulher está planejando chegar, hein? Quem aqui tem uma caneta? — Ninguém disse nada. — Sensacional. Dois malditos fondues e um ramo de *edelweiss*, mas nenhuma maldita caneta.

— Eu trouxe a minha caixa de giz de cera — disse Rachel, abrindo a bolsa. — Mas são meus preferidos. Tomem cuidado...

Georgie os agarrou da mão de Rachel e os entregou a Tom.

— Pronto, Sr. Orchard. Tom. Agora, gente, se concentrem. Favo ritos, pois sim. Pode fazer a gentileza de se concentrar logo, droga.

— O que ou quem está no logo da starbucks?

— Ahhhh! — Bubba deu um pulinho e sussurrou a resposta. — Esqueci o café. Eu sei *muito* sobre.

— Quantos dentes tem um cágado?

Heather soltou um gritinho agudo:

— Aimeudeus! — Sussurrou a resposta para Tom. — É o único animal ao qual Guy não é alérgico. — Bateu palmas de triunfo. — É por isso que eu sei.

— Onde ficava a primeira escada rolante da Grã-Bretanha?

Bubba sabia a resposta mais uma vez.

— E varejo! — Ela disse aquilo desenhando as palavras em silêncio, movimentando os lábios de jeito exagerado. — Sou *fa-bu lo-sa* em varejo!

— Qual é o planeta mais quente?

Todos sabiam essa.

— DE QUAL CACHOEIRA CAIU SHERLOCK HOLMES?

Rachel e Tom se uniram para confabular.

— QUE CONTRIBUIÇÃO O DR. WALLACE CAROTHERS PRESTOU À INDÚSTRIA TÊXTIL E À INDÚSTRIA ANGLO-AMERICANA?

— Eu! Eu sei! — anunciou Bubba com um gritinho agudo. — Tecidos também; sou *brilhante* quando o assunto é tecidos!

Ora, ora, ora, pensou Georgie. Olhe só para nós. Uma equipe como se deve, que funciona. Quem poderia imaginar? Lançou um olhar furtivo na direção do inimigo. Bea e Tony estavam brincando com as bebidas. Os três competidores obtidos de modo desonesto estavam encurvados gananciosamente sobre a folha de respostas, enquanto Chris ficava ali sentado sorrindo. Georgie conhecia aquele sorriso. Era o sorriso de alguém que não faz a mínima ideia de nada, mas finge o contrário. O sorriso de um idiota que se aperfeiçoou na arte de posar de intelectual; o sorriso, segundo sua experiência, de um bunda. Sentiu não pela primeira vez um frisson de fúria por ele ter tido a cara de pau de largar Rachel.

— QUE PUBLICAÇÃO TEM UMA SEÇÃO INTITULADA "O PASTOREIO DE ANIMAIS APÓS O PÔR DO SOL"?

Guy deu um pulo para a frente e disse a resposta a Tom.

— Então deve ser *The Highway Code* — sussurrou Heather. — É a única coisa que ele já leu na vida.

— A RESPEITO DE QUEM CHAUCER ESCREVEU: "E APRENDIA ALE-GREMENTE, E ALEGREMENTE ENSINAVA"?

— Deixem essa comigo — disse Tom.

— QUEM INVENTOU O SR. CHIPS?

— Essa também. — Ele sorriu.

— E ONDE NA GRÃ-BRETANHA ESTÃO ENTERRADOS OS RESTOS MORTAIS DE SÃO EDMUNDO?

Rostos inexpressivos ao redor.

— Droga — disse Georgie. — A gente estava se saindo bem até agora.

Então Rachel sussurrou alguma coisa no ouvido de Tom e apertou o corpo contra o dele quando ele lhe sussurrou algo de volta. Aí ela cobriu a boca com a mão enquanto dizia alguma outra coisa para ele e ele disse que ela era brilhante e ela falou que ele havia chegado à resposta primeiro e os dois se curvaram, juntinhos, rindo, sobre a mesa, enquanto ele anotava a resposta. Aí quando ele se levantou os dois ficaram ainda mais juntinhos. E ora, ora, ora, ora, pensou Georgie, ao olhar para os dois.

Ora, ora, ora.

Segunda rodada: palavras e números

— Se existe alguma coisa de que a St. Ambrose pode se orgulhar é que todas as crianças saem daqui com uma base excelente no letramento e na aprendizagem de números. — Houve murmúrios de aprovação. — Mas e seus pais? É o que queremos saber. Portanto essa rodada diz respeito a vocês e o que sabem sobre números. Lápis a postos.

Rachel afundou na cadeira. Não precisava testar seu conhecimento sobre números, mas muito obrigada mesmo assim. Ninguém iria vencer nada com o conhecimento dela sobre números. Porém, Georgie, Tom e Mark pareciam ter isso sob controle. Principalmente Mark.

— Quantas dúzias existem em 1.140?

Caramba. Ele era incrível. Tom se remexeu de leve na cadeira e sua perna se encostou na de Rachel mais uma vez.

— Quantos quadrados existem em um quarto de tabuleiro de xadrez?

Mark sussurrou a resposta antes mesmo de Martyn Pryce terminar a pergunta.

— Quantos números inteiros se dividem de modo exato em 2.431?

Ele era tipo o Rain Man.

— Meu forte são as artes — murmurou Bubba para a mesa. — As humanidades. Coisas assim...

— As perguntas seguintes são sobre a língua inglesa.

Tom entendia de pronomes de modo previsivelmente confiável, percebeu ela com alegria. Não havia necessidade de ajuda ali.

— SE COMBINARMOS UMA FORMA DO VERBO "TO BE" COM O PARTI
CÍPIO PASSADO DE OUTRO VERBO, O QUE TEMOS?

Mas então Rachel tornou a dar um pulo para a frente, e sua coxa pressionou a de Tom. O restante da equipe abriu caminho feliz para os dois responderem. Não era surpresa. Pois quem por ali poderia saber mais sobre a voz passiva do que ela? Ei, ela vinha trabalhando duro naquilo ultimamente, quebrando a cabeça de verdade: ela foi deixada por Chris; foi abandonada por Bea; foi zombada naquele baile medonho. Sim, foi paquerada, por um breve — e bastante feliz, olhando para trás — momento. Depois foi enxotada por aqueles dois dragões.

— SOLETREM AS SEGUINTES PALAVRAS: MILLENIUM.

Tom a soletrou.

Caramba, ela podia disputar as Olimpíadas da Voz Passiva. Não tinha a menor ideia do que Bea e Chris estavam aprontando ali, com os Régios Campeões, mas de uma coisa sabia: que ela fora colocada em uma situação difícil. E que naquele momento a estavam forçando a compreender que agora chega.

Bem, dali em diante, ela começaria a tomar as rédeas das coisas.

— MEDICINE.

Tom a soletrou.

Dali em diante, seu pronome pessoal estaria na frente de cada verbo ativo que ela fosse capaz de imaginar.

— E POR ÚLTIMO, AQUI VAI UMA PARA OS JARDINEIROS ALI PRESEN
TES: ESCHSCHOLZIA.

Ele sabia até mesmo aquela.

— Ah, Sr. Orchard... — disse Rachel. A calidez do toque dele se irradiava pela coxa dela e começou a se espalhar pelos seus membros inferiores. — Você soletra maravilhosamente bem.

Terceira rodada: esportes

— ALGUÉM AQUI É FRACO NOS ESPORTES? — perguntou Martyn Pryce.

— Ah, não! — exclamou Georgie para a mesa. — Que merda! Eu estava torcendo pra que não viesse algo assim pela frente. Alguém aqui sabe alguma coisa sobre qualquer coisa?

— Ã-hã. Eu. Passe essa folha pra cá. — Jo agarrou um giz de cera, curvou-se sobre a folha de respostas e se transportou a um mundo próprio.

— Ora vejam — disse Georgie, com aprovação —, isso é o que eu chamo de trabalho em equipe.

— QUE PAPEL O CYCLOPS DESEMPENHA NO ESPORTE MODERNO?

Os outros não tinham mais nada o que fazer além de bater papo baixinho e mordiscar fatias de *schnitzel*.

— QUANTAS VEZES O RED RUM VENCEU O GRAND NATIONAL?

— E aí, há quanto tempo vocês são amigos? — perguntou Tom. — Vocês parecem se conhecer há séculos.

— Bem, Heather e Georgie se conhecem desde os 11 anos — respondeu Rachel.

— Ah, antes disso — corrigiu Heather, alegremente. — A gente se conheceu quando era escoteira.

— Shhh, Heather — disse Georgie. — Jo está tentando se concentrar.

— QUANTAS VEZES GARY LINEKER FOI ESCALADO PARA A SELEÇÃO EM TODA A SUA CARREIRA?

— Não brinca! — Rachel soltou um grito agudo. — Georgina Martin, você não foi escoteira!

Georgie se remexeu incomodada e deu um chute ligeiro em Heather por baixo da mesa.

— Ah, foi sim — falou Heather novamente, orgulhosa. — Ela era uma ótima escoteira. Supercomprometida. Com insígnias pelo braço todo. — Ela sorriu para todos ao redor. — Georgie era a líder do meu grupo. Eu a idolatrava.

— Cale a boca, Heather — sibilou Georgie.

— EM QUE TIME JOGAVA ROY OF THE ROVERS?

— Aaaahh sim, cale a boca, Heather — imitou Rachel. — O que acontece aqui...

— Bosta — vociferou Georgie.

— ... fica aqui.

— BOSTA! — Ela não conseguiu se controlar. — É UMA PORRA DE BOSTA!

— Emlyn Hughes jogou pela Inglaterra 62 vezes. Quantos gols ele marcou?

Bea estava olhando para eles com a sobrancelha arqueada.

— Pronto — interrompeu Jo, empurrando a folha de respostas para o meio da mesa. — Acho que nos saímos bem. Tenho quase certeza. Se alguém aqui quiser dar uma conferida...

— Jo, você é demais. Eu não fazia a menor ideia de nenhuma dessas respostas. Você salvou a pátria.

— Salvou mesmo — acrescentou Rachel. — Vamos lá, líder, entregue uma insígnia pra ela.

— Na verdade — disse Jo —, acho que todos vocês deviam agradecer a Steve. Eu não saberia de nada disso se não fosse por ele. — Ela se levantou. — Vou sair pra fumar um cigarro.

— Certo. Folhas de resposta, por favor — pediu Martyn Pryce.

— A líder não entrega insígnias. — Georgie segurou a folha de respostas por sobre o ombro para conferir. — Isso fica a cargo da Brown Owl, a monitora adulta. — Então ela sibilou, bem baixinho, o mais baixo, o pior insulto que conhecia: — Seu *espectro*!

Quarta rodada: entretenimento

— Ótimo. Venham, equipe. — Georgie sacudiu o punho fechado sobre a mesa. — A gente é forte nesse assunto. Estou sentindo. Temos nossa melhor chance agora. Precisamos da nossa melhor forma.

Rachel não tinha muita certeza do que havia acontecido com a Georgie que ela conhecia e amava, mas certamente não reconhecia aquela ali.

— De quem foi o primeiro casamento da realeza a ser transmitido em cores pela televisão?

Georgie sussurrou a resposta e soltou um "Yesss!" bem alto para o salão inteiro ouvir. E ali estava aquele punho erguido novamente.

— Quem atirou em JR*?

Heather sabia. A animação de Georgie estava aumentando.

---

*Frase que ficou famosa na campanha de marketing da CBS para a série de televisão *Dallas*, na década de 1980: "Who shot JR?". (*N. da T.*)

— Diga o nome de todos os Teletubbies, dando a cor de cada um.

Como Rachel poderia não saber a resposta? Ou Chris? Josh era obcecado pelos Teletubbies quando pequeno. Uma era inteira tinha girado em torno da Teletubbyland. Eles moraram no Home Hill. Sabiam cada fala de cada episódio. Dipsy, Lala e seus amigos gordos estranhos eram os ícones principais da história da família Mason. Ela lançou um olhar furtivo para Os Régios Campeões, preparando-se para o momento em que os olhos de Chris fossem encontrar os dela, protegendo-se contra um brilho de reconhecimento, um momento de intimidade... Ele continuava tagarelando com Tony Tarado. A pergunta, ao que parece, não tinha mais nenhuma importância para ele. Os Teletubbies agora não passavam de história antiga. E Chris nunca viu nenhum sentido em história antiga.

— Como Lady Bellamy morreu?

Ela e Tom sabiam aquela.

— De que cidade americana verdadeira Carchetti é o prefeito fictício?

E aquela também. A primeira vez em que ele foi até a casa dela foi na noite do Cassino Gourmet. Tom analisara a prateleira de boxes de séries e filmes da casa dela enquanto Rachel preparava uma salada para acompanhar a torta de peixe. Tinha ficado evidente que o gosto televisivo dos dois não era simplesmente compatível, era idêntico.

— Quem tinha 720 anos quando o conhecemos, dois corações e vinha do planeta Gallifrey?

Rachel olhou para Chris mais uma vez. Outra filha, outra paixão... Ele estava olhando para o BlackBerry.

— De que filmes são as seguintes frases: "Amanhã é outro dia"?

Aquela rodada realmente estava caindo muito bem para eles. Georgie estava quase com o corpo metade para fora da cadeira de tanta empolgação.

— E a última: "Quando você percebe que quer passar o resto da vida com alguém, quer que o resto da vida comece o mais rápido possível"?

Rachel sussurrou a resposta para Tom. Tom sorriu ao anotá-la.

E aquilo foi a gota d'água para Georgie. Ela não pôde mais se conter. Ela se levantou.

— Oh, yeah, oh yeah!

Começou a saracotear, girar em torno da mesa.

— Fo-ras-tei-ros! Fo-ras-tei-ros!

A fazer um movimento de mexer esquisito com os braços.

— Oh, yeah, oh yeah. FORASTEIROS. YEAH!

21H15. INTERVALO DO JANTAR

— Melhor eu ir cumprimentar algumas pessoas antes do jantar — anunciou Tom, levantando-se. — Com licença.

— Ele parece ótimo — comentou Georgie, enquanto ele se afastava. — Bom jogador.

— É — concordou Jo. — Só que não contou nenhuma piada, né? Sei lá. Os meninos não param de falar que o cara é um gênio da comédia, mas não dá pra dizer que morro de rir quando estou perto dele...

— Pois é! — concordou Heather. — Às vezes Maisie fica sentada rindo sozinha porque se lembrou de alguma Piada Engraçada do Diretor. Que pra gente não tem nem pé nem cabeça...

— Enfim — cortou Georgie. — Vamos voltar a assuntos mais importantes: estou muito orgulhosa hoje. Orgulhosa do nosso desempenho. Orgulhosa do jeito como a gente conduziu as coisas. Na primeira metade da competição tivemos um jogo consistente, com um ou outro toque de gênio...

— Ah, foi pura sorte, sabe, por causa daquela pergunta sobre varejo e depois aquela do café — interveio Bubba, enquanto se preparava para acender os fogareiros das panelas.

Georgie continuou:

— Pelo placar, estamos numa forte posição. E ainda não usamos nossa carta surpresa. Portanto...

— Por que ela não para de falar? — perguntou Jo. — Cala a boca, Georgie. Estou morrendo de fome.

Hora de outro grande momento: fazer todo aquele queijo borbulhar. Bubba sacou os fósforos e estava prestes a acender um deles quando, do nada, a mãe *horrenda* de Bea caiu em cima deles — como um enorme monosseio gigante saído direto de um, sei lá, filme de terror de monosseios — e arrancou a caixa de suas mãos.

— Não, não, não, não, nem pensar! — ribombou Pamela. — Saúde e segurança! Saúde e segurança! Quantas vezes vou precisar repetir SAÚDE E SEGURANÇA? Você por acaso ficou MALUCA? NÃO É PERMITIDO NENHUM FÓSFORO NESSE EDIFÍCIO!

Todo o salão agora se virou para olhar.

— Mas... vamos fazer um fondue. É o nosso tema — Não era justo: Bea tinha acendido todas aquelas velas dos candelabros. Onde estava Mark? Ela olhou em torno alucinadamente. Por que ele estava indo para a porta? — Querido? Volte...

— Desculpa, meu amor — gritou ele do outro lado do salão, agitando o celular. — Não dá. Problema. De. Trabalho. Preciso ir.

O monosseio continuou ribombando sem dar trégua. Não dava a mínima para o tema de Bubba. Dava a mínima, isso sim, para o risco de incendiar a escola. Iria confiscar os fósforos. E lá se foi ele, aquele monosseio trovejante e confiscador, para arruinar mais diversão em algum outro lugar.

Rachel estava lá fora no estacionamento, tomando várias lufadas do muito necessário ar fresco da noite. Tinha sido incapaz de se acalmar desde que Tom saiu da mesa, não sabia por quê. Estava com calor, apesar de suas pernas de repente parecerem frias. E agitada. Nervosa. Precisava se acalmar.

— Oi. — De repente Chris apareceu ao lado dela. — E aí, como vai sua equipe?

— Boa noite. — Era estranho. Apesar de nos últimos seis meses ela ter visto Chris duas vezes por semana, aquela era a primeira vez que os dois ficavam de fato a sós um com o outro. — Estamos indo. E vocês?

— Bem, acho. É fácil demais, né? — Seria aquilo desdém? Era. Ele estava com ar de desdém. — Tem uns *geeks* na nossa equipe que parecem estar levando a coisa a sério, por isso estou deixando que eles respondam a maioria das perguntas. Só dou pitaco quando eles ficam empacados. Não quero roubar a glória de ninguém.

Rachel não confiava em si mesma para responder.

— Sei que hoje não é um dos meus "dias", mas pensei em dar um pulo em casa depois. Já que estou por essas bandas. Dar um beijo nas crianças. Talvez a gente pudesse tomar um drinque antes de dormir.

— Claro — disse Rachel. Boa ideia. Somos os pais deles, então, obviamente seria bom se... Mas, enquanto sua cabeça lhe dizia tudo aquilo, seu coração continuou a afundar por conta própria.

— Ótimo. — Ele lhe deu um tapinha na bunda. Ela encolheu o corpo. Ele não percebeu. — E que vença o melhor, hã?

Os Forasteiros encaravam melancolicamente a toalha de mesa tirolesa. Georgie apanhou um cubo de pão e o mastigou com tristeza.

— É isso aí, então — declarou Jo, com a cabeça enterrada nas mãos.

— Ai, ai. Coitados de vocês. — Melissa de repente apareceu ao lado delas. — Posso oferecer um pacote de comida emergencial? Somos um jardim abundante. — Enquanto ela apontava, Sharon e Jasmine se levantaram, ergueram dois pratos e os trouxeram para elas.

— Tem torta de queijo de cabra com tomilho, menta e legumes de verão — disse Melissa sorrindo enquanto encontrava um lugar à mesa. — Tudo cultivado pelas nossas mãos de fada e delicioso. E os primeiros morangos da estação... o melhor sabor do ano, não acham? Cheios de promessas para o futuro.

Jasmine entregou ainda duas saladas: uma verde, outra de batatas.

— Se quiserem mais — disse Melissa —, é só gritar.

Bubba as observou cair em cima da comida de Melissa como se fossem coadjuvantes de *Os miseráveis*. Que pareciam bem mais ou menos na sua opinião, e nem de perto dentro do tema. — Cubinhos de pão para acompanhar? — ofereceu ela.

Manteve os olhos baixos. Não pôde ver a mesa de Bea, mas eles estavam rindo da cara dela, ela sabia.

Colette passou por elas a caminho do bar, sorrindo radiante e empurrando um homem à sua frente como um carrinho de supermercado. Piscou para todas.

— Ei — disse Rachel. — Não é o mesmo cara, é? Esse aí é diferente, não? Pssst, Colette! Esse aí não é o mesmo camarada que foi à Corrida Divertida, é?

Colette deu um risinho e se inclinou para a mesa.

— Por acaso, é outro. No momento, eles são como os ônibus da linha 19. Aparecem todos de uma vez. — Ela deu de ombros, contente, e continuou o caminho gingando o corpo.

Georgie se virou para Heather.

— Achei que ela estivesse saindo com o pai das gêmeas.

— Agora passou para o namoro na internet. — Ela olhou carinhosamente para o *derrière* de Colette, que se afastava. — Ainda bem. Está tão mais feliz. Nos dias de semana à noite ela encomenda homens na web, e aí, quando as crianças estão com o pai no fim de semana, ela manda entregá-los. É tão bonitinho.

— Argh, pelamordedeus — vociferou Georgie, furiosa. — Isso é nojento. Eles não estão aparecendo ao mesmo tempo como ônibus da linha 19! Essa é uma analogia completamente enganosa. O que acontece com os ônibus da linha 19, Sr. Orchard Tom — disse ela, inclinando-se na direção do diretor —, é que eles só aparecem quando querem. Entende?

Tom serviu-se de outra fatia de torta e assentiu.

— Agora, namoro virtual é uma coisa completamente diferente. É como chegar na estação de ônibus e dizer ao gerente: "Quero contratar uma frota de ônibus da linha 19 e quero que eles parem na frente da minha casa de acordo com a minha conveniência."

— E, depois que eles chegarem, transar com eles — completou Jo com um olhar de soslaio maldoso.

— Isso é bem típico de Georgie — explicou Rachel a Tom, enquanto dava garfadas em uma salada de nastúrcio. Sentia-se melhor agora, após comer. E de voltar a sentar ali. Ao lado dele. — Não dá a mínima para o que as pessoas fazem na vida particular, mas abuso gratuito de uma metáfora? Em público? — Soltou um assobio baixinho. — Inaceitável...

— Preciso confessar — disse Tom, rindo — que é bem divertido estar na sua equipe. Mesmo que a gente não ganhe.

— Bem, também gostamos de ter o senhor entre nós, Sr. Orchard Tom. — Georgie fez uma reverência com a cabeça. — Mas saiba que a gente — ela deu um soco na mesa — VAI GANHAR ESSA MERDA!

Quinta rodada: novelas e celebridades

— Argh! — exclamou Georgie mais uma vez, batendo a cabeça contra a mesa. — Se eu pudesse voltar no tempo, não teria feito aquela dança da vitória quando a gente só estava na metade da competição.

— É pra se arrepender mesmo — concordou Jo.

— Esse é nosso calcanhar de aquiles — explicou Rachel a Tom. — Você é bom em celebridades?

— Sou um completo inútil — retrucou ele. — Com orgulho.

— Ei, eu sou ótima! — disse Bubba, com impaciência. — Passe a folha pra cá. — Ela apanhou a folha de respostas. — Deixa comigo.

Se Bubba precisasse ser totalmente sincera, teria de admitir que estava se sentindo meio para baixo. O negócio do fondue foi um golpe, um golpe forte. Porque, sério, sem o fondue, para que *edelweiss*? Ou roupa tirolesa? Na qual ela estava começando a se sentir meio idiota. Bem que viria a calhar um sucesso pessoal, para animar as coisas. Tinha sentido muita inveja de Jo na rodada de esportes. Ela deveria se sair bem em novelas e celebridades; afinal, escutava a radionovela *The Archers* religiosamente há, sei lá, meses agora. E *Downtown Abbey*, claro. Ficava absolutamente *grudada...*

— COMO SE CHAMAVA O GATO DE MINNIE CALDWELL?

Hummm. Não era o melhor dos começos. Quem ou o que era uma Minnie Caldwell? Ela simplesmente não fazia a menor ideia, mas quem faria? Invente qualquer coisa. Qualquer nome bobo de animal de estimação. Talvez desse sorte... Tiddles? Ou algo mais exótico? Ajudaria saber se era um gato de raça ou não... Ai, ai. Parece que ela tinha perdido outra pergunta.

— EM QUE BAIRRO DE LONDRES FICA A ALBERT SQUARE?

Estranhíssimo. Isso não era geografia? Nunca foi um dos fortes de Bubba, geografia... O Memorial com toda certeza fica em Kensington & Chelsea, então provavelmente a praça... Ai, ai. Será que perdeu outra pergunta?

A próxima *tinha* de ser sobre *The Archers*. Vamos lá. Vamos lá...

— EM QUE NOVELA ACONTECEU O PRIMEIRO BEIJO ENTRE LÉSBICAS?

Hum. Bem. Tem a Shula, certo? E Peggy? Com certeza elas nunca... Enfim, isso não seria incesto também? Ou será que ela estaria se confundindo com Jill...?

— Como vai indo, Bubba? — interrompeu Georgie. Que estava levando aquilo *muito* a sério. — Está conseguindo responder alguma coisa?

— Ah, claro! — chilreou Bubba. Por quê? Por que ela falou daquele jeito, com a voz tão aguda? Droga, acabou de perder outra pergunta. Esse tal de chef vai rápido demais. Calma. Você não está na cozinha agora, sabia? — Tudo sob controle.

— CERTO. AGORA O ASSUNTO É CELEBRIDADES.

Ela se sairia melhor. Audrey Hepburn, Lady Di — Bubba chegou a conhecer uma prima dela, se quer saber — Angelina Jolie etc. e tal. Manda...

— DIGAM O NOME DE DOIS KARDASHIANS QUAISQUER.

Hã? Perdão? Que... Quem é um... QUE PORRA é um KARDASHIAN?

— Ai, ai — disse Bubba, levantando-se subitamente. — Me deem licença. Acho que de repente estou sentindo um enjoo *terrível*.

Então atirou o giz de cera sobre a mesa e saiu voando do salão.

Sexta rodada: história e política

— Ah, não! Política! — berrou Georgie aos quatro cantos do salão. — Não temos a menor chance na política. Não com a mãe de Destiny. Só me resta tentar chatear um pouco outra pessoa — explicou ela baixinho para a mesa. — Agora a gente está lascado, mesmo. — Correu as mãos pelo cabelo. — Meu Deus, por que fomos confiar nela? Ela é uma louca total. Não marcamos nenhum ponto! Uma rodada inteira sem marcar nem um ponto sequer! Acabou. Já era. Nunca mais vamos nos recuperar. E Chris sabe sobre política. A noite, meus amigos, está perdida. — Ela afundou na mesa com a cabeça entre os braços, inconsolável.

— CONTRA QUEM O PEEPING TOM ABRIU O BICO?

— Pare com isso, Georgie — disse Tom com firmeza enquanto escrevia a resposta sem consultar ninguém. — Somos uma equipe boa e essa rodada vai ser boa para nós. Só acaba quando termina, e você não pode desistir agora.

— QUEM DISSE "NON" NO DIA 14 DE JANEIRO DE 1963?

Georgie ergueu a cabeça de suas próprias mãos enquanto Tom respondia sozinho outra pergunta. Rachel olhou para o papel e sorriu: com timidez, adoração.

— COMPLETE A SEQUÊNCIA: LINCOLN, GARFIELD, MCKINLEY...

— Alguém? — perguntou Tom para a mesa. Mas, antes que Georgie pudesse responder, ele já havia anotado a resposta.

— DIGA O NOME DO PRIMEIRO-MINISTRO BRITÂNICO QUE ESTUDOU EM UMA ESCOLA PÚBLICA.

— Interessante... — comentou ele.

— Bem — disse Rachel, e sussurrou em seu ouvido.

— Claro! — concordou Tom enquanto escrevia.

— O HÁBITO DO MARECHAL MONTGOMERY DE TOMAR UM FARTO CAFÉ DA MANHÃ ANTES DE CADA CAMPANHA MILITAR ORIGINOU QUAL EXPRESSÃO POPULAR?

Georgie sabia aquela, mas havia algo na atmosfera em torno de Tom e Rachel que dava a impressão de que se intrometer seria impróprio.

— O QUE SIGNIFICA O S EM HARRY S. TRUMAN?

Dizer a resposta agora seria o mesmo que dizer alguma coisa a um quarto com a porta fechada. Melhor deixar os dois fazerem o que tinham que fazer. Se ela lhes desse espaço, eles acabariam chegando à resposta no final; só precisavam tatear um pouco para encontrar o caminho, explorar. E aí... sim. Ótimo. Eles descobriram.

— Que presidente norte-americano do século XX jamais ganhou uma eleição para presidente ou para vice-presidente?

Aquilo era descaradamente para um quiz o que as preliminares eram para...

— Ao atravessar que rio Júlio César provocou uma guerra?

Georgie se abanou com uma folha extra de papel. Não dava para saber daquela distância, mas esperava que Chris estivesse olhando.

Sétima rodada: geografia, ciências e natureza

— Pronto — declarou Georgie. — Eu falei que era o fim.

— Brown Willy é o ponto mais alto de onde?

— Esperem um minuto — disse Heather orgulhosamente enquanto Guy desenhava a resposta em silêncio com os lábios. — Vocês estão se esquecendo de uma pessoa importante.

— Onde fica Bitter e onde fica Disappointment?

— Essa área é a especialidade de Guy, sabem — disse Jo com uma risadinha irônica, mas Heather a ignorou. Era o grande momento dela, e não deixaria nem que Jo nem que ninguém o arruinasse.

— Que área marítima e região climática se situa a oeste de Malin?

— Ele é um gênio em regiões climáticas, né, amor?

— Que cidade é sede do Serviço Nacional de Meteorologia?

— A gente não fez um passeio para lá? No aniversário dele? Fascinantes, todos aqueles instrumentos...

— Você tem à sua frente cinco símbolos da Ordnance Survey. — A mesa gemeu. — Por favor, identifique-os.

— Oh, Guy... — derreteu-se Heather. — Não podia ser melhor! Esses mapas são seus favoritos absolutos de todos os tempos.

Ele parecia um homem diferente agora, ali sentado, trabalhando com seus símbolos. Mais largo, mais forte, mais saudável. Tão másculo. Tão confiante.

— Olhem só pra ele — comentou Jo, tão espantanda quanto os demais. — Ele é incrível. Metade homem, metade máquina. É como ver Messi chutando pro gol.

— QUE NOME SE DÁ A UMA LINHA QUE UNE LOCAIS DE MESMO ÍNDICE PLUVIOMÉTRICO?

Guy agora estava no controle do papel e do giz de cera. Atirava as respostas ali sem dizer nada; com uma atitude casual, assertiva, arrogante.

— DE QUE PERÍODO GEOLÓGICO SÃO OS FÓSSEIS QUE PODEM MAIS PROVAVELMENTE EXIBIR EVIDÊNCIA DE QUE A TERRA ERA HABITADA POR PLANTAS E INSETOS?

— Ele sempre teve uma queda por fósseis. — Heather sorriu, sonhadora. — Né, amor?

— QUE NOME SE DÁ AOS 12 DEDOS DO INTESTINO DELGADO?

— Essa ele sabe por sofrimento próprio — anunciou ela para a mesa, com o rosto retorcido de intenções. Ao que Guy tirou os olhos do papel e declarou:

— De hoje em diante, prefiro que você se abstenha de contar ao mundo inteiro os segredos do meu aparelho digestório.

Oitava rodada: literatura

Georgie agitou a carta surpresa no ar.

— Certo, minha gente. Está acabando. Última rodada. Estamos empatados com Os Régios Campeões e apenas dois pontos à frente dos Jardineiros Fiéis. Não podemos nos dar ao luxo de cometer nenhum erro.

— Nem vamos cometer — garantiu Tom. — Confie em nós. Essa é nossa noite.

— QUEM, EM 1941, FOI O PRISIONEIRO CIVIL BRITÂNICO NÚMERO 796 EM TOST, NA SILÉSIA?

— Os Campeões são bons em literatura? Alguém sabe?

— Bem, Chris... — ia dizendo Rachel, mas foi interrompida por Georgie.

— Chris é um bosta. É só um falastrão, que gosta de se mostrar. Confie em mim.

— Que romano do século I a.C. Wilfred Owen citou ao escrever "Aquela velha mentira, *Dulce et decorum est pro patria mori*"?

Rachel sussurrou a resposta para Tom. Georgie manteve os olhos grudados no inimigo.

— Eles não fazem a mínima ideia — disse ela por cima do ombro.

— Onde mora Mr. Saucepan?

Rachel deu um pulo e depois começou a rir quando viu que Tom já havia lembrado antes dela. Ele deu de ombros e sorriu timidamente de lado.

— Meio fácil? Uma vez que é o melhor livro já escrito...

Ela retribuiu o sorriso. Tentou com todas as forças não chorar. Pois aquela talvez fosse a coisa mais romântica, comovente e bela que já tinha ouvido. Rachel se beliscou. Era importante verificar o que exatamente estava acontecendo ali, naquele momento, naquele salão, naquela noite. Estaria ela realmente sentada ao lado de — estariam suas coxas nuas pressionadas contra o jeans desbotado macio — daquele que provavelmente era o homem mais perfeito do mundo? Era isso que estava acontecendo?

— Que poema, celebrando a beleza da Inglaterra, foi escrito em e sobre Stoke Poges?

Ela o observou escrevendo o título com sua caligrafia comprida e solta, no melhor Vermelho Cereja dela. Até o cabelo cair sobre seu rosto e Rachel já não conseguir enxergar a página. Precisaria erguer a mão e prendê-lo atrás da orelha novamente, mas sabia que se fizesse isso perderia aquela proximidade com ele, aquela conexão física se quebraria. E não tinha certeza se seria capaz de suportar. Então, com muito cuidado, ele pousou o giz de cera. E se virou na direção dela. Com ternura, ele segurou a mecha solta, passou-a para trás do ombro de Rachel e alisou o cabelo nas costas dela.

— Os *geeks* parecem ter acertado essa — declarou Georgie do posto de vigia.

— EM QUE CIDADE FICTÍCIA O INSPETOR WEXFORD COMBATE O CRIME?

Rachel se aproximou mais ainda para dizer baixinho para Tom o que ele já sabia. O pé dele roçou o dela, seguiu adiante; ela teve vontade de gritar: pare. Volte aqui. Mas aí ela sentiu: o pé voltando de novo. Por livre e espontânea vontade. Devagar, sedutoramente, em torno do calcanhar do sapato de Rachel, e acomodando-se justamente ali, entre as pernas dela. Ela sufocou um grito espantado. Estava vermelha, sabia que estava. Alguém percebeu? Ela se importava?

— QUAL O NOME DE BATISMO DO IRMÃO BRONTË?

Claro. Algumas coisas simplesmente estavam além das palavras.

— QUE LOJA FICAVA NA PORTSMOUTH STREET, EM KINGSWAY?

Eles agora chegaram momento raro e especial — de uma rodada sobre literatura, de um quiz, de uma noite, de uma vida — em que o mundano se torna o sublime. Quando um relacionamento de repente alça voo, transcendendo toda expressão comum, e entrega o controle apenas à pele, às terminações nervosas, ao encontro de mentes. Quando a comunicação não precisa de mais nada além de um olhar...

— Isso mesmo — disse Georgie.

— O QUE ESTAVA INSCRITO NO BROCHE USADO PELA PRIORESA DE CHAUCER?

... de um toque...

— EM *FIM DE CASO*, EM QUE RESTAURANTE OS AMANTES COMEM CEBOLA FRITA?

... ou de um sorriso.

— Siiiiim.

— QUAL, EXATAMENTE, É A ÚLTIMA FRASE DO ROMANCE *JANE EYRE*?

Até chegarem àquele instante, o fim, quando nenhum dos dois conseguia mais suportar. E, naquele desejo urgente e irresistível de dar a última resposta correta para a última pergunta da última rodada daquela noite, ambos, em um único momento, caíram sobre o papel. Juntos. Triunfantes. Plenos.

— YES! — Georgie esmurrou a mesa. — YES! — Colocou-se de pé em um pulo. — YES. YES. YESSSSS!

— E ESSA — declarou Martyn Pryce — FOI A PERGUNTA FINAL. PODEM POR FAVOR CONFERIR AS RESPOSTAS E ENTREGAR AS FOLHAS PELA ÚLTIMA VEZ.

Rachel se atirou de volta à sua cadeira, e Tom à dele. Expirou profundamente. Será que ela sequer respirou nos últimos dez minutos? Não saberia dizer. Tom lutou com a gravata, abriu o primeiro botão da camisa e atirou o giz de cera sobre a mesa.

— Pronto. — Enfiou as mãos nos bolsos enquanto esticava as pernas. — Fizemos o melhor que pudemos.

— Pra mim foi ótimo — declarou Rachel, soprando o cabelo do rosto.

— Ã-hã — concordou o Sr. Orchard Tom. — Na verdade, foi sensacional.

22H15. VOLTA PARA CASA

Georgie e Jo ainda estavam com as mãos levantadas no cumprimento da vitória. Guy e Heather continuavam agarrados nos estertores de um abraço apaixonado de vitória. No calor do momento, o Sr. Orchard tinha passado o braço ao redor dos ombros de Rachel em um meio abraço vitorioso educado. Georgie, entretanto, percebeu que, embora aquele momento já tivesse passado, o braço dele continuava lá.

A mesa dos Forasteiros foi tomada por gente que veio cumprimentá-los, e eles não iriam voltar para casa apressados. A Sra. Wright estava encantada, a mãe de Rachel enxugava lágrimas. Melissa, Sharon e Jasmine — extasiadas por terem ganhado o prêmio de Melhor Piquenique — foram generosas na derrota. Chris, que parecia ter virado a casaca, agora estava sentado na cadeira vazia de Bubba, recebendo graciosamente os cumprimentos em honra da equipe inteira. Georgie sentia vontade de estapeá-lo.

Somente Bea estava à parte e sozinha. Seus *geeks* tinham voltado para debaixo da pedra de onde saíram. Tony estava bebendo em outra mesa com o homem da vez de Colette. Pamela limpava o placar; de costas para a sala, sua própria postura berrava descontentamento.

— Estava pensando — começou Georgie, alto o bastante para Bea ouvir. — Que tal se a gente fizesse umas pulseirinhas da vitória? Algo com as palavras "Forasteiros" e "campeões". O que me diz, time?

Bea estava apagando as velas, mas sua sobrancelha estava erguida.

— Foi uma noite sensacional — disse Chris, levantando-se. — Mas adoraria ir para casa ver se Josh ainda está acordado. Rachel? Vamos?

As pessoas que vieram parabenizar a equipe começaram a se afastar. Georgie, Jo e Heather assistiam a tudo aquilo boquiabertas. Houve um minuto de silêncio antes de Rachel dizer:

— Tudo bem. — Ela se levantou e se desvencilhou do abraço de Tom Orchard. — Você precisa ver as crianças.

A voz dela era robótica, o passo lento e deliberado ao se afastar da mesa e sair pela porta.

— Espera aí — disse Georgie. — O que acabou de acontecer agora?

— Sei lá — respondeu Jo —, mas seja o que for não gostei nem um pouco.

— É fofo, né? — comentou Heather, feliz. — Que pai bom. Tem sido ótimo com as crianças agora que está tudo resolvido. Mudando de assunto, a gente vai mesmo fazer pulseirinhas, Georgie? — Heather estava abraçando o próprio corpo, deleitada.

— Claro que...

— não — terminou Jo.

— Não... — começou Georgie.

— ... seja idiota.

Rachel estava de pé diante da geladeira aberta, procurando em vão alguma coisa branca e doce que por acaso estivesse dando sopa por ali e pudesse com sorte ser considerado um "drinque", quando Chris voltou para a cozinha.

— Todos dormindo — declarou ele.

— Bem, sim, afinal é uma noite de dia de semana. — Ela tornou a fechar a geladeira, visto que agora Chris iria embora. — Tudo bem, você vê os dois no fim de semana.

Chris abriu a geladeira de novo.

— O que você tem aqui? Não muita coisa, pelo visto. Pensei em — disse ele, não para Rachel, mas para o compartimento de laticínios — talvez passar a noite aqui. Ver os dois pela manhã. Eles gostariam disso.

— Desculpe. Perdão, mas você não é aquele cara de quem eu me divorciei outro dia mesmo...?

— Bem, sabe. — Agora ele se virou, olhou-a e caminhou direto para Rachel. Uma coisa ela precisava admitir: não havia nem sinal de vergonha ou timidez ali. — Ainda tem alguma coisa entre a gente, né. Mesmo agora.

— E ignorar seria um desperdício, é isso o que você quer dizer?

— E-xato.

— O quê? — Ela deu um passo para a frente e fechou a geladeira com o que, esperava, fosse o gesto final. — Como se eu fosse uma maldita costeleta de porco?

— Rach, Rach. — Ele pousou as mãos no quadril dela. — Você, sempre tão dura consigo mesma... — A campainha tocou. — Quem será, a essa hora?

— Outro ônibus da linha 19, suponho. — Ela lutou para se soltar das mãos dele e foi até a porta. — Minha nossa. — Pelo olho mágico, viu as costas de um blazer de linho azul-escuro. — E é mesmo. — Ela abriu somente uma fresta da porta. Tom Orchard se virou e a olhou fundo nos olhos. A pequena parte isenta e sã de seu cérebro registrou que, se ela flexionasse os joelhos para trás, impediria que eles amolecessem de vez, mas também percebeu que aquilo exigiria um esforço considerável.

— Oi. — Ele deu um passo à frente, apoiou-se no batente da porta. Ela não recuou. O rosto dele estava bem perto. Muito perto. Com o dedo indicador, ele inclinou o queixo dela para cima, na direção dele. Rachel entreabriu os lábios. Então Chris apareceu no corredor.

— Que espécie de estabelecimento você está administrando aqui, Rach? — O tom dele era bastante jovial. — Talvez eu pudesse pensar em voltar para cá se... — A expressão dele se alterou. — Opa!

Enfiou a cabeça por cima do ombro dela, de modo que os três ficaram apertados uns contra os outros, como três adolescentes na mesma cabine de foto automática, desejando capturar um momento.

— Espera aí. Pera lá. — O rosto de Chris agora estava bem na frente do de Tom. — Você. Você é o diretor.

— Acho que ele já sabe disso, Chris. — Rachel empurrou o ex-marido para longe. — Mas obrigada mesmo assim.

Chris, porém, voltou à mesma posição.

— Ah, nem pensar, Sr. Chips. Nem pense que você pode andar por aí fazendo esse tipo de coisa. Não se você é o diretor. — Ele balançou a cabeça, enfiando o dedo no peito de Tom. Rachel mergulhou por trás dele, apanhou a bolsa, puxou sua chave da prateleira atrás do aquecedor. — Isso, meu chapa, está bem acima do seu salário. Esse tipo de comportamento é do Nível Chips. — Agora ele estava aos berros. — O cidadão britânico que paga seus impostos, as famílias decentes e trabalhadoras que moram nessa cidade decente e honesta, não estão pagando você para vir bater na porta de mulheres casadas...

Rachel estendeu a mão por trás de Chris e tirou a jaqueta do cabideiro.

— Certo, poupe a gente da sua política barata. — O coração dela estava martelando contra as costelas. — E só para esclarecer, Chris, não sou mais casada. Lembra?

Ela guiou Tom escada abaixo, seguiu-o para o jardim e se virou.

— Ah. Mais uma coisa. Você tem razão. Quanto a passar a noite em casa hoje. É uma ótima ideia. Você devia mesmo. As crianças vão adorar.

Ela começou a fechar a porta. Sorrindo, enfiou a cabeça de lado pela abertura.

— Então vamos combinar assim. Volto de manhãzinha, ok?

E terminou de fechar a porta na cara de Chris.

Lá fora, na noite agradável, Rachel e Tom ficaram de pé frente a frente na trilha da entrada da casa.

— Então... Hã... Oi. — A risada dela era baixa e estranha.

— Hum. Oi. — Tom levantou a mão esquerda. — Vim dar uma passada para te entregar isso de volta. — Ele estava segurando a caixa de giz de cera. Os preferidos dela. — Você esqueceu na mesa.

Ah não, pensou ela. Não, não, não. Isso não está acontecendo.

— Você disse que eram especiais. Senão, é claro que eu não teria me incomodado... — Ele deu ombros.

Ela havia acabado de deixar os filhos em casa por causa de um cara que só tinha vindo lhe devolver seu giz de cera. Tom não era um ônibus da linha 19, não estava nem sequer em funcionamento. Mas, mesmo assim, tinha pulado para dentro. Minha nossa, ela fazia Colette parecer uma freira.

— Achei que você pudesse precisar deles de manhã.

Rachel sentiu que poderia desmaiar. Para ser sincera, estava desejando desmaiar mesmo, assim não precisaria falar nada. Apesar de que o melhor curso de ação agora seria o suicídio. Ela olhou em torno do jardim esparso de sua casa em busca de algo adequado para isso — cicuta, digamos, ou uma víbora conveniente.

— Espera que o fato de eu ter vindo aqui não tenha criado nenhum... você sabe... nenhum problema na sua casa.

— Hã...

— Quero dizer, eu odiaria se...

Ela olhou para ele. Ele estava sorrindo.

— Espera um pouco. É isso? Esse é o famoso Senso de Humor do Diretor em ação? Essa era uma verdadeira, uma genuína Piada Engraçada do Diretor?

Ele deu um passo à frente e a abraçou.

— Fico feliz por ter gostado. Foi uma das minhas melhores, concordo.

— Foi um LIXO. — Ela não era abraçada há quase um ano. O choque da proximidade fez sua carne se liquefazer. — Seu canalha. — Mesmo assim, conseguiu se aninhar um pouco e deu um soco de brincadeira nele.

Ele a beijou. Rachel tinha gosto de tomilho. Menta. Morangos da estação. Promessas para o futuro.

— Seu canalha horrível, horrendo, sem graça. — Ela lutou para se desvencilhar dos seus braços, mas não conseguiria encontrar a força necessária para se soltar nem se quisesse. Ele voltou a beijá-la, dessa vez mais longamente. Ela ficou na dúvida se Chris estaria vendo tudo da janela. Torceu para que sim. E que ele pudesse ouvir quando ela disse:

— Vamos. Vamos embora.

Rachel o enlaçou pela cintura com os dois braços e entrelaçou as mãos com força.

— Mas você continua sendo um canalha sem graça — murmurou no tecido do blazer dele.

— Não sei como você pode dizer isso... — O braço esquerdo de Tom envolveu os ombros dela; a mão direita encontrou a esquerda. — Depois do meu recente triunfo... — Ele aninhou a cabeça de Rachel na direção da dele e beijou o topo de seus cabelos — ... na Maldita Olimpíada de Comédia.

E, andando no mesmo ritmo, eles desceram o morro em direção à casa do diretor. Juntos. Unidos. Uma única forma sólida recortada contra o céu claro da noite de verão.

Dia dos esportes

6H30. MUITO ANTES DA ENTRADA DA ESCOLA

Já havia calor no sol que atravessava a fresta das cortinas de ilhós e se espalhou pelo rosto adormecido de Rachel. Ela soltou um grunhido de protesto, virou-se para o outro lado, esticou a mão e percebeu, com um estalo, que não havia ninguém ao seu lado.

— Onde...? — Ela se apoiou sobre um cotovelo, com o lençol sobre o peito, enquanto Tom entrava no quarto.

— Bom dia, linda. — Ele sentou ao lado dela na cama, beijou-a na boca e colocou uma caneca na mesa de cabeceira.

— Caramba. — Rachel tornou a afundar no travesseiro, piscando os olhos para olhá-lo através do cabelo. — Esse horário é ingrato, mas mesmo assim você parece estar vestido. — Ela tomou um gole do chá de limão com gengibre e fez uma carranca. — Você é um esquisito mesmo.

— Só estou *carp*ando o bom e velho *diem*. — Ele passou a gravata em uma volta ao redor do pescoço. — Um grande *diem* pra mim, ao que parece. O clímax do meu primeiro ano.

— Humpf. — Rachel fez um beicinho.

Tom sorriu e a beijou mais uma vez.

— O clímax profissional do meu primeiro ano. — Levantou-se. — Preciso escrever um discurso, é por isso que vou chegar mais cedo. Senão você vai me atrapalhar.

— Aaaaah, um discurso. Entendi. Cheio das Piadas Engraçadas do Diretor, espero. O que você vai dizer? Vamos lá, me dê uma dica. Devo ter os meus direitos...

Ele foi até a cômoda e encheu os bolsos.

— Bem, bastante coisa. Sobre a biblioteca. E a linha do tempo maravilhosa. Depois preciso dar alguns avisos. — Ele fez um ar superior de brincadeira. — Para seu governo.

— Avisos? — Ela ronronou e cruzou as pernas embaixo dos lençóis. — Nossa, que sexy. Grr. Adoro avisos.

— Sim. Sobre os novos representantes do alunado, masculino e feminino.

— Feminino será Poppy, sem dúvida. — Ela tomou outro gole do chá. — Afinal, o que você acha que estive fazendo aqui? Não perdendo meu tempo, espero que não.

— Uau. Essa é a sua ideia de Piada Engraçada de Mãe? — Ele assobiou enquanto passava um pente pelo cabelo. — Porque você é doente, malvada e...

— É. Verdade. Todo mundo sabe que vai ser a Scarlett.

— É mesmo? E todo mundo sabe também quem é a nova secretária da escola, por acaso?

— Aimeudeus. Não me diga que teremos uma nova secretária! Isso é mais do que um corpo só pode aguentar. Me conta, me conta, me conta. Antes que eu exploda de ansiedade — implorou ela com sua voz de beldade sulista. — Diretor. Por favor. Quem é a nova secretária da escola?

— Não. — Ele lhe atirou um beijo no ar. — Você vai ter que esperar pra saber.

Ela o ouviu descendo as escadas, bater a porta da frente e seguir pela calçada. Então sorriu, espreguiçou-se e aproveitou o silêncio feliz. Engraçado, pensou enquanto terminava seu chá. Antes ela costumava odiar as noites de quarta-feira e os fins de semana alternados. Engraçado, porque agora os adorava.

9H. LOGO DEPOIS DA ENTRADA NA ESCOLA

Rachel dobrou a esquina da Mead Avenue com um passo firme e pesado. Dali até sua casa era uma descida. Haveria tempo para tomar uma chuveirada e trabalhar um pouco antes de ir para a escola para o grande *diem*. Sorriu ao pensar em Tom — era difícil não sorrir sempre que pensava nele — enquanto inspirava fundo e expirava com força. Quase na mesma hora, ouviu o zumbido do aparador de sebe. Eles nunca eram silenciosos, os aparadores da Mead Avenue? Cortavam o ar em torno deles como balas voando sobre o Somme. Eles nunca descansavam? Nunca haveria um momento em que os pobres arbustos da Mead Avenue não estivessem sendo aparados? Inspirar fundo e expirar com força...

A casa de Melissa estava começando a surgir, à esquerda. Parecia que pelo jeito era novamente o aparador dela, mais uma vez... Rachel dobrou a esquina, e ao fazer isso o último trecho de Leylandii na frente daquele jardim tombou. O barulho parou. A bela casa de pedra foi revelada, e, diante dela, brandindo o maldito serrote e usando protetores de ouvido, estavam Sharon e Jasmine.

— Oi, Rachel — gritou uma delas.

— Jardineiros em ação! — cantarolou a outra.

— Está treinando para a corrida das mães?

— Meu Deus, não! — ofegou Rachel, correndo sem sair do lugar. — Só estou correndo um pouco! — Embora, pensando melhor, ela em geral não saísse para correr. — Uma corrida perfeitamente normal! — Há anos. — Claro que não estou treinando!

Melissa veio caminhando pelo gramado.

— Uau! Ficou *muito* melhor — gritou ela, encantada. — Obrigada, meninas. Finalmente! Agora sinto que finalmente faço parte do bairro.

— Muito bem-vinda — disse uma.

— É um prazer — cantarolou a outra.

As duas pousaram seus apetrechos de jardinagem e retiraram as luvas.

— Agora, em que...

— ... podemos ajudar?

— Ah, que gentil. — Melissa enfiou as mãos nos bolsos e sorriu.
— Eu adoraria um café.

10H. REUNIÃO

Georgie ficou onde estava, do outro lado da cerca verde, balançando Hamish ritmadamente em seu carrinho. Podia ver claramente
o pátio, e os barracões que agora eram a biblioteca. Por isso, ficaria
ali mesmo para observar os procedimentos. Os professores estavam
conduzindo as crianças para fora, já de short vermelho, camisa
polo branca, tênis e boné. Estavam tão empolgadas para o Dia dos
Esportes que Georgie não conseguia imaginar como iriam se conter durante uma assembleia ao ar livre na qual estariam presentes
todas as mães, os pais, os responsáveis pela escola, a reverenda, o
prefeito... Porém, sinceramente, esperava que se contivessem, pelo
bem de Tom Orchard.

— Ainda fingindo que está fumando, aí enfiada no seu lugar de
fumar... — disse uma voz perto do seu cotovelo.

— Hã? Ah, você de novo. — Georgie estivera tão imersa em
pensamentos que não notara Melissa aterrissando atrás dela. — É.
Estou aqui. E isso é profundamente significativo. Algo a ver com
a minha mãe? E o penico? Deve ser algo desse gênero, mesmo. —
Por que ela estava agindo assim? Fez terapia na maioria dos anos
entre os 20 e os 30. — Mas basicamente estou aqui porque Hamish
precisa tirar um cochilo.

A cerimônia estava prestes a começar. O Sr. Orchard estava se
dirigindo ao microfone. Georgie esperou que Melissa deslizasse
para longe a fim de se juntar aos demais, mas ela não foi.

— Hummm. Conheço Hamish e seu sono poderoso. Ele é bem
difícil de acordar.

Os discursos estavam começando, mas mesmo assim Melissa
não arredou pé.

— Que escola mais calorosa — murmurou ela, olhando em torno. — Uma grande família feliz.

Georgie fez um muxoxo.

Melissa continuou:

— Uma gente tão legal.

— É. Beleza — concordou Georgie. — Individualmente são ok. A maioria. Com algumas notáveis exceções.

— Coletivamente não? — Era o tom de voz vago de Melissa, como se estivesse pensando em voz alta.

— Sim, em pequenos grupos. Pequenas células. Separadas. Subdivididas. Aí são perfeitas.

— Mas todas juntas não? — murmurou ela. — A comunidade como um todo?

— Como um todo? — zombou Georgie. — Como um todo? Olhando de fora assim, aquela enorme massa de gente fervilhante? Meu Deus, não. São totalmente aterrorizantes!

— Então quem sabe não seja hora de você mudar de ponto de vista? Por que não tentar olhar de dentro, então?

Antes que ela se desse conta do que estava acontecendo, a mão direita de Melissa estava segurando seu cotovelo, enquanto a esquerda assumia o controle do puxador do carrinho.

— Venha. — Juntas, elas andaram pelo pavimento do pátio. — Vamos entrar lá no meio. — E encontraram um lugar no centro da multidão.

Como o Sr. Orchard havia conseguido criar um discurso tão generoso sobre a antiga secretária era algo que Heather não sabia. Nem tinha certeza de como ele conseguiu arrecadar dinheiro suficiente para aquele balcão de trabalho adorável que as crianças estavam lhe ofertando. Ele era um cara tão bacana que provavelmente acabou comprando aquilo do próprio bolso.

Agora lá vem ele, pensou ela. Meu grande momento. Ai, ai. Provavelmente vai dar errado.

— ... e, no ano que vem, haverá um novo rosto amigo para recebê-los na secretaria.

Heather tinha ido ao Barracão Sei Lá o Quê do Serenity Spa naquela manhã e estava toda arrumada — penteada, tingida, depilada. Mesmo assim, sentia-se muito nervosa. E se ninguém a quisesse? Ou algo a desmerecesse?

— Depois de analisar um grande número de candidatos...

Isso era algo que sempre acontecia, gente desmerecendo-a.

— ... e de muita consideração...

Heather jamais desfrutara de um momento de valorização na sua vida antes que alguém ou algo viesse roubá-lo dela. Guy, ao seu lado, segurou sua mão e a apertou.

— Tenho o prazer de anunciar que Heather Carpenter concordou em se juntar a nós.

E então, subitamente, todos começaram a bater palmas. E Rachel soltava urras. Jo fazia assobios altíssimos. Georgie gargalhava, parecendo impressionada. Heather achava que nunca havia impressionado Georgie antes em sua vida — pelo menos, não de um jeito bom. E viu Maisie, na fileira do quinto ano, recebendo tapinhas nas costas, sorrindo radiante de orgulho. E então viu que a escola inteira estava sorrindo para ela. Pronto. Ali, agora, na escola, à luz do sol: seu momento de valorização. E nada o estava empatando.

— Ótima notícia, de fato — continuou o Sr. Orchard, voltando ao microfone. — Temos um último assunto a tratar. Esta manhã a equipe da escola se reuniu antes de os senhores comparecerem à escola. Seus preguiçosos. — As crianças deram risadinhas. — Não se preocupem, sabemos onde os senhores estavam: na Fenda do Biquíni com o Bob Esponja. — Todas riram histericamente. — Conversamos sobre quem achamos que devem ser nossos representantes para o ano que vem.

Heather se desligou por um instante. Guy ainda estava segurando sua mão, não a soltava. Ela se sentia tão segura, com ele segurando-a assim e rodeada pelos seus amigos. Nossa, pensou — pela primeira vez em anos ou provavelmente pela primeira vez na vida: tenho tanta sorte.

— ... gostaríamos de pedir que Felix Spencer fosse nosso representante masculino...

Ah, é o Felix da Melissa. Heather aprovou aquilo. Um rapaz encantador. Ótimo contraponto a Scarlett, que poderia trazer encrenca...

— ... e Maisie Carpenter como representante feminina.

Maisie Carpenter? Haveria alguma outra Maisie Carpenter? Qual Maisie Carpenter? *NOSSA MAISIE CARPENTER*? Agora todos estavam dando vivas por Maisie, e todos os pais olhavam para Heather novamente. E para Guy. E para Guy, Heather e Maisie. Os três: subitamente, eles pareciam estar no próprio centro de toda a escola.

— ... antes de a reverenda inaugurar as novas instalações da biblioteca da escola, vamos cantar juntos o número um-quatro-oito-três de seu *Songs of Fellowship*: "One More Step Along the World I Go".

Ah, pensou Heather, entrando em pânico. Típico. Então a música começou a tocar no piano elétrico portátil, e as crianças se levantaram e dividiram os hinários umas com as outras. E Maisie olhou diretamente para ela, sorrindo, antes de começar a cantar. E Heather percebeu que, pensando melhor, estava tudo bem consigo.

> "From the old things to the new,
> Keep me travelling along with you."*

Ela olhou ao redor, para as famílias com quem em breve estaria lidando todos os dias, no próximo ano letivo. E para a equipe com quem estaria trabalhando. As cartas que estaria digitando, os boletins que estaria enviando... Meu Deus. Seu coração deu um pulo de alegria. Boletins! Será que ela poderia dar uma olhadinha antes de enviá-los? E pensou também nos pequeninos que ainda não estavam ali. Que provavelmente estavam se divertindo em alguma piscina inflável em algum lugar, ou aninhados gostosamente para um cochilo à tarde, mas que em setembro colocariam seus uniformes ásperos e seus sapatos novos ainda por lacear e viriam se juntar a eles. Também eles precisariam de Heather, em algum momento, para uma coisa ou outra — grande ou pequena.

---

* Em tradução livre: "Das coisas antigas às novas, guia-me pelo caminho." (*N. da T.*)

"All the new things that I see,
You'll be looking at along with me."*

E, sim, pensou ela, enquanto eles se lançavam ao refrão uma vez mais. Vá. Cante. Você pode suportar. Não lhe incomoda mais tanto assim.

"Give me courage when the world is rough,
Keep me loving though the world is tough."**

Então os avisos do Sr. Orchard eram algo e tanto, no fim das contas. Dava para dizer que, em pequena escala, no escopo limitado daquela escola primária, representavam o equivalente a uma multidão. Grrr, Rachel pensou. Adoro avisos.

"Leap and sing in all I do,
Keep me travelling along with you."***

Ela correu os olhos pelas pessoas ao redor, enquanto cantavam. Lá estava Heather, e não parecia nem trágica nem acanhada, mas perfeitamente radiante. Era nada menos do que uma metamorfose o que havia acontecido com ela naquela tarde. Então seus olhos localizaram Georgie, que, ao contrário de seu costume, estava no meio da multidão. E Jo, ali perto, parecendo tão melhor. Ainda não recuperada, óbvio — e alguém podia se recuperar de algo assim? —, mas definitivamente melhor. Parecia à vontade, segura na multidão.

"And it's from the old that I travel to the new,
Keep me travelling along with you."****

---

* Em tradução livre: "Todas as coisas novas que eu vir, tu as estarás olhando comigo." (*N. da T.*)

** Em tradução livre: "Dá-me coragem quando o mundo for cruel, mantenha-me amoroso embora o mundo seja difícil." (*N. da T.*)

*** Em tradução livre: "Que eu salte de alegria e cante em tudo o que faça, guia-me pelo caminho." (*N. da T.*)

**** Em tradução livre: "Pois é do velho que rumo para o novo, guia-me pelo caminho." (*N. da T.*)

A multidão agora estava maior: mais pais chegaram. E densa: todos precisaram se apertar. Engraçado, pensou Rachel, somos pessoas bastante quietas, na verdade. Tanto os adultos quanto as crianças: bem-comportados, com boas maneiras, pessoas comuns que levam vidas quietas, educadas, ordeiras. E contudo parecemos tão fortes nesta tarde, cantando as mesmas palavras, lado a lado. No pátio inaugurado um século atrás pelo último príncipe de Gales, parados no mesmo lugar onde o Sr. Stanley se dirigiu a toda a escola, exatamente onde se localizavam os abrigos antibombas. Ela virou o rosto na direção do sol cálido e observou um avião desenhar uma curva perfeita no céu de verão. Eles devem estar nos vendo dali de cima, pensou: somos, afinal, uma massa tão sólida de indivíduos — todos fazendo a mesma coisa, lado a lado. Unidos pelas mesmas raízes. Não poderiam deixar de nos ver. Somos uma força grande demais para passar despercebida.

— Há duas coisas que adoro em nossa nova biblioteca. A primeira é: ela tem livros.

As crianças rugiram com hilaridade incontrolável.

— E a segunda é: cada pessoa aqui presente contribuiu com alguma pequena coisa para que ela se tornasse realidade. Esta é, de fato, *nossa* biblioteca. E isso faz dela um lugar muito especial. Agora temos uma placa aqui com uma citação em latim que Freddie irá traduzir para os senhores — ele estalou os dedos — em um segundo.

Todos, incluindo Freddie, caíram na gargalhada mais uma vez, dessa vez mais alto. Bubba estava se esforçando para entender as piadas. Bem que seriam úteis legendas quando o Sr. Orchard se dirigisse às crianças.

— E nossa presidente do comitê de responsáveis pela escola, uma senhora muito importante, irá apresentá-la para nós. Infelizmente, a biblioteca é tão especial quanto pequena, portanto não conseguiremos entrar todos de uma vez. Para a apresentação, gostaria que o comitê de responsáveis e o comitê da escola entrassem primeiro.

Bubba se arrependeu de ter vindo com um chapéu tão grande por dois motivos: o primeiro é que ninguém mais estava usando chapéu, e o segundo é que era um pouco grande demais para passar pela porta da biblioteca. Ela deu um jeito de passar, logo atrás de Bea, na frente de Colette, e ainda estava ocupada amaldiçoando suas decisões de vestuário — isso acontecia com tão pouca frequência que Bubba odiava errar — quando parou, olhou para cima e registrou o que estava ao seu redor.

A nova biblioteca da St. Ambrose era simplesmente um dos lugares mais encantadores em que Bubba já havia colocado o pé na vida. E ela sabia uma coisinha ou outra sobre lugares encantadores. Os velhos barracões e depósitos construídos por aqueles velhos vitorianos fervorosos pareciam ter um incrível feng shui. Quem imaginaria que eles praticavam feng shui naquela época? A derrubada de todas as paredes internas criara um espaço hexagonal com livros que cobriam todas as paredes e bancos organizados como as pétalas de uma flor. Tudo estava pintado em um tom quente de amarelo. Além disso, a linha do tempo de Rachel, sobre a qual ela tinha sido tão tediosa, sinceramente — era tudo gente velha, gente pobre, gente ferida, gente morta; o negócio é que Bubba era alguém muito mais do *aqui* e *agora* — ... enfim, o fato é que no fim das contas ficara absolutamente, completamente encantadora.

Enquanto Bubba a observava mais de perto, teve a sensação de que estava aprendendo alguma coisa. Ou pelo menos pensando nas coisas praticamente pela primeira vez. Imagine só, os meninos e as meninas tinham de entrar por portas separadas... Não era uma má ideia. Milo provavelmente teria sido *muito mais feliz* naquela época, separado da cruel Scarlett. Uma coisa bastante legal, emocionante, até, era ver a faia ao longo do tempo: de quase um graveto enfeitado com bandeirolas para o Jubileu de Diamante da Rainha Victoria para uma árvore maior, cada vez maior — nossa! Olhe só um Concorde sobrevoando aquela ali, que inteligente —, até se tornar a coisa monumental e majestosa que era agora. Bubba percebeu, ao chegar ao final, que Rachel deixara espaço para ser preenchido com o futuro. Gostou daquilo: Bubba era muito mais uma pessoa do *futuro*, também. Em seguida, não conseguiu conter uma fantasiazinha de imaginar um dia a imagem de Milo naquele espaço vazio: recebendo um Oscar, entrando pela porta do número 10 da Downing Street... Ela ansiava muito por saber: aonde seus dons especiais, seu gênio, se assim quiser chamá-lo, o levariam?

Seu devaneio foi interrompido por Pamela, o Monosseio, que marchou até o paninho que estava cobrindo a placa e se preparou para erguê-lo. Bubba se emocionou. Porque, sério, como era extraordinário que todos aqueles almoços horrendos, e vendinhas mixurucas, e aquela corrida infernal em que tinha certeza de ter aprontado algo terrível com seu metatarso — Jo disse que talvez nunca mais fosse jogar futebol profissional novamente —, e o... bem, melhor pular toda aquela besteira do Baile Paradisíaco... Enfim. Aqui estava o que eles realmente estiveram fazendo todo aquele tempo: construindo essa nova biblioteca. E eles a tinham construído para todos. Tom Orchard estava de pé ao lado da parede, sorrindo com orgulho. Realmente, aquele era o grande dia dele. Que bom. Bubba, Bea, Colette e Clover assumiram posições na fileira da frente. Ela não tinha certeza de quem mais estaria ali nem se poderiam ver a...

Então, Pamela, o Monosseio, esticou a mão, puxou o pano e revelou a placa que bem poderia exibir uma citação em latim, que Freddie traduziria. Porém, a única coisa que Bubba e qualquer um da primeira fileira pôde ver de imediato foi uma tinta cor de laranja berrante e a legenda:

FODA-SE

13H30. OS ESPORTES

— Quem está ganhando? — perguntou Rachel, sentada no banco. Perdera a maioria das corridas: no fim, quem acabou limpando a placa antes que alguma das crianças chegasse perto e registrasse aquela imagem foram ela e sua mãe. De fato, Milo é quem devia ter sido obrigado a limpá-la sozinho, mas Mark Green o arrancou dali antes que qualquer um pudesse pôr as mãos nele. Provavelmente foi melhor assim, também: não havia como prever que forma exótica de castigo corporal Pamela poderia infligir a ele, se tivesse tido a mínima chance. Ela ainda estava andando agitada pelos corredores, berrando: "Cuidados especiais? Cuidados especiais? Eu vou dar a ele os cuidados especiais..."

— Ashley está chegando em primeiro em tudo — respondeu Heather. — Ela é impressionante. Imbatível.

— Sabe-se lá como. — Clover estava brava. Claro, Clover sempre estava brava, mas nada a deixava mais brava do que tocarem no assunto de que a mãe gorda da Ashley havia produzido uma lenda dos esportes. — Olhem para ela — vociferou. — Não parou de comer a tarde inteira. Sempre que Ashley vence, ela abre outro pacote de batatinha. — Nem a natureza nem a nutrição pareciam ter dado alguma contribuição discernível para aquilo, entretanto a rabugenta da Ashley continuava acelerando, independentemente disso. Era uma violação direta de todas as crenças arraigadas de Clover em relação à criação dos filhos.

— Vamos, Ashley! — berrou Rachel.

— Pronto. Conseguiu. — Heather se inclinou sobre o programa e acrescentou o resultado a uma lista comprida.

— Heth... — Rachel começou a dizer.

— Hummm? — Ela havia desenhado, Rachel pôde ver, colunas separadas para Primeiros, Segundos e Terceiros lugares. E uma subseção para *Recordes da escola*.

— O Que. Você. Está. Fazendo?

— Só anotando os resultados. Senão não consigo manter o registro.

— Do que, exatamente?

Heather olhou para ela. Ainda brilhava, ainda estava rosada.

— Ora essa, de qual casa está na frente! — Sorriu. — Sua boba...

— Aaah! — Colette se levantou num pulo. — Agora é a corrida das mães! Vamos, meninas. Vamos deixar você de fora este ano, Georgie.

— Que bom pra vocês — zombou Georgie, que nunca havia participado mesmo. — Hã, Rach? Talvez não tenha percebido, mas parece que você está indo também. Por engano?

— Hum — disse Rachel, mordendo o lábio. — Hã. — Tirou os sapatos. — Eu meio que estava pensando, sabe, que eu poderia só, sei lá... hã... talvez... participar?

Ela se virou e trotou lentamente até a linha de partida.

— Rachel! — gritou a mãe dela, alegre.

— Vou participar, mãe! — cantarolou ela, ao passar. — Só isso!

— Todos prontos? — perguntou Tom, segurando o apito.

Rachel gostava de vê-lo com um apito. Apitos, percebeu ela, também eram uma coisa sexy. Assim como os avisos. E as piadas sobre Bob Esponja. O que acontece é que havia todo tipo de coisa sexy ao redor. Quando se sabe o que se está buscando.

— Cadê a Bea? — perguntou uma.

— Bem, não podemos começar sem ela — acrescentou outra.

— Todos a postos?

Houve muito empurra-empurra na linha. Tinha gente que ainda estava com suas roupas normais, só que descalça, como Rachel. Essas se viram abrindo espaço para quem estava com roupas normais, mas por acaso tinha trazido tênis. Colette, Sharon e Jasmine, é claro, tinham os cascos ferrados para a ação. Assim como Melissa.

— Espere, Sr. Orchard, ainda não estão todas aqui.

Rachel sentiu um cotovelo afiado na lateral do corpo e Bubba se espremendo ao seu lado. Ficou atônita. Bubba obviamente viera para dar apoio a Martha, o que era nada mais que justo. Mesmo assim, Rachel teria imaginado que, depois de seu filho ter sido arrastado após tamanho desastre público espetacular, qualquer pessoa normal teria preferido ficar na sua. Contudo, ali estava Bubba, no meio da multidão, desfilando para todo mundo ver. E tinha colocado uma roupa de ginástica completa.

— Tudo bem com você? — perguntou Rachel em seu ouvido, compreensiva, enquanto se alongava. Claro que, no fundo, Bubba devia estar vivendo um inferno.

— Hummm. Meu metatarso está um *pouquinho* avariado, mas vou tentar mesmo assim...

Certo. Então a coisa é oficial, pensou Rachel. A mulher é insana.

— Agora. Todos prontos?

— Ah, vejam. Lá está ela.

Bea chegou correndo, com shorts de corrida, rabo de cavalo, faixa de cabeça, Reeboks.

— Desculpem por atrasar vocês. Obrigada por esperarem. Eu voltarei bem aqui. — Ela fez um gesto para a próxima formação. — Vou dar minha tradicional vantagem aos outros competidores.

— Tem certeza de que quer fazer isso? — gritou Melissa, com preocupação genuína e simpática.

— Todos a postos?

— Sim, obrigada. — A voz de Bea parecia um tanto ríspida em comparação. — Sempre faço isso. É justo. Todos sabem.

— Já!

Rachel nem disparou na frente com a linha dianteira nem ficou desgraçadamente para trás; permaneceu firme e forte no meio do campo com a maioria das corredoras. Onde descobriu, para sua surpresa, que estava se divertindo. A tarde estava deliciosa. O campo de esportes parecia mais um paraíso. O vento soprava em seus cabelos, sentia a grama entre os dedos. A cabeça estava clara. A mente, límpida. E ela estava numa posição perfeita para notar três coisas muito importantes, uma depois da outra.

A primeira: alguém, no meio da corrida, esticou o pé para fazer Bubba tropeçar. Ela caiu de modo espetacular, sem a menor graciosidade, e ficou esparramada na pista na frente da escola inteira.

A segunda: Melissa ganhou por milhas de vantagem. Já bebia água de uma garrafa antes mesmo que o restante tivesse sequer conseguido alcançar algum ponto perto da linha de chegada.

E a terceira: Espera aí. Não pode ser. Bea está ofegando e suando sozinha lá atrás. Ficou para trás de todas nós.

Havia uma bela quantidade de pessoas dando os parabéns a Melissa. Rachel estava esperando sua vez quando sua mãe chegou correndo, desesperada.

— Muito bem, querida. Preciso ir correndo. As abelhas! Formaram um enxame!

— Nossa. Quer ajuda?

— Não se preocupe — gritou ela, por cima do ombro, a caminho do estacionamento. — Tom virá me ajudar depois que terminar por aqui.

É mesmo? Rachel sorriu para si mesma enquanto enxugava o suor do rosto e bebia água.

Então Bubba chegou.

— Estou indo embora. Já chega. Desisto. — Tagarelava sem parar, perturbada, mancando. — Por favor. Leve Martha de volta pra casa por mim. Eu simplesmente não consigo mais aguentar. — E, sem esperar resposta, ela saiu mancando em direção ao estacionamento também.

A multidão ao redor de Melissa estava rareando, e Rachel foi até lá se juntar a ela.

— Quer dizer que temos uma nova campeã. — Melissa fez um gesto com a mão, de um jeito tímido. — Vamos precisar perguntar a Heather se você quebrou algum recorde da escola.

Naquele momento ouviu-se um estrondo, um guincho, um arranhar horrendo de metal e um grito terrível.

— O que foi isso?

— Ai, meu Deus.

Todos correram na direção do barulho. O Range Rover de Bubba estava caído num ângulo estranho. A traseira do Fiat da mãe de Rachel estava esmagada. Elas devem ter dado ré ao mesmo tempo e pou, batido uma na outra. E — meu Deus — parece que tinham atropelado alguém...

Sim. Lá estava Bea, caída no cascalho. Seu cabelo estava sobre a terra, seu enorme molho de chaves fora atirado para um canto. A camisa polo tinha subido e a barriga estava à mostra. Somente Clover se ajoelhou ao lado dela, todos os outros ficaram recuados.

— Ah, meu Deus. — Rachel ouviu alguém sussurrar.

— *Pois é!* Como ela está *gorda* — sibilou outra em resposta.

Por um instante, elas apenas ficaram ali, juntas. Congeladas. Imóveis. Sem saber exatamente o que deveriam fazer. Então o grupo se abriu. Melissa deu um passo à frente. E, com silêncio e calma, assumiu o controle.

TRIMESTRE DO OUTONO

REUNIÃO DO COMITÊ EXTRAORDINÁRIO DE ARRECADAÇÃO DE VERBA DA ESCOLA ST. AMBROSE

Local: Residência do diretor
Presentes: Sr. Orchard (diretor), Melissa, Colette, Sharon, Jasmine, Georgie e Jo
Secretária: Heather
DESCULPAS: BUBBA enviou uma carta de resignação, com grande pesar, mas tem certeza de que O COMITÊ irá entender, uma vez que agora seus filhos estão no internato e ela retornou a seus compromissos profissionais. Manda abraços a todos, e a mensagem de que, em seu ponto de vista, o internato era a melhor escolha educacional para crianças de 7 ou 8 anos e que as dela estavam desabrochando como trífides e que...

O DIRETOR considerou que OS PRESENTES entenderam o quadro geral.

CLOVER e BEA chegaram à reunião pedindo desculpas pelo atraso.

CLOVER solicitou que o ACESSO A DEFICIENTES fosse colocado na pauta, pois trazer BEA para cá com próteses ou muletas era uma luta e tanto.

A primeira questão foi a eleição de um novo presidente. Após uma rápida eleição, MELISSA foi devidamente escolhida.

O DIRETOR propôs que o projeto especial daquele ano fosse a criação de um jardim ecológico dentro da escola, para fornecer ovos e legumes da estação para as cozinhas. Isso foi devidamente aprovado.

MELISSA sugeriu que todas as atividades para arrecadação de verba naquele ano incluíssem as crianças e que as reuniões fossem feitas na escola, para que eles ouvissem suas ideias de como arrecadar dinheiro. Todos concordaram.

A REUNIÃO se encerrou às 20h15.

— Só isso? — perguntou Clover. — Todo esse auê pra trazê-la pra cá e é só isso? Vou dizer uma coisa — ela levantou Bea da cadeira e a acomodou em suas muletas —, não desejo a vida de enfermeira a ninguém. É um inferno completo. — Ela manobrou Bea pelas portas, sem parar de falar. — Foi chocante, não foi, você ter sido excluída da presidência assim? — E continuava perfeitamente audível enquanto elas caminhavam pelo corredor. — Todas votaram em você no ano passado, eu bem me lembro. — Ouviram o som da tranca da porta se abrindo. — Mas, este ano, todas votaram contra... Todo mundo. O que você fez pra elas, hein, na sua opinião? — A porta se fechou.

— Adorei o que você fez aqui, Tom — elogiou Sharon, olhando ao redor.

— A gente tinha razão, né? — acrescentou Jasmine. — Sobre derrubar as paredes...

— Afinal, no fim das contas você bem que precisou desse espaço extra.

Então a esposa do diretor enfiou a cabeça pela porta.

— A reunião já acabou? — Ela sorriu. — Bem, não vão embora correndo. Deixe eu lhes servir alguma coisa. Levanta a mão quem quer um chá? Café? *Lesbian*?

Então todas disseram:

— Tudo bem, então.

E ficaram batendo papo alegremente durante horas.

AGRADECIMENTOS

Em primeiro lugar e mais do que tudo, gostaria de agradecer a Rosalind Wiseman pela observação perspicaz sobre o comportamento social feminino e seu paralelo com o funcionamento de colmeias. Seu livro *Queen Bees and Wannabes* é um manual essencial para pais que se preocupam com suas filhas. Sua obra mais recente, *Queen Bee Mums and Kingspin Dads*, que escreveu com Elizabeth Rapoport, é tão útil quanto; mas para que os pais repensem a si mesmos.

Jonn Corne e Elise Payne, da Newbury and District Beekeepers' Association, abriram suas colmeias para mim e foram extremamente generosos em compartilhar seu tempo, seus conhecimentos e seu mel. Quaisquer falhas de representação do mundo apiário se devem inteiramente a mim.

Sou extremamente grata à minha agente maravilhosa, Caroline Wood, pelo olho afiado e apoio intenso: este livro não teria existido sem ela. Também gostaria de agradecer às equipes da Little, Brown dos dois lados do Atlântico. Antonia Hodgson e Reagan Arthur foram editores entusiasmados, gentis e inteligentes.

Muitos amigos me ajudaram, de tantas maneiras diferentes. Gostaria de agradecer a todos, mas especialmente a Catherine Bennett, Belinda Giles, Jo Love e Amanda Posey.

E, por fim, agradeço a Margaret Hornby e Holly, Charlie, Matilda, Sam e Robert Harris: obrigada, por tudo.

Este livro foi composto na tipologia Palatino
LT Std, em corpo 10,5/15, e impresso em
papel off-white no Sistema Cameron da
Divisão Gráfica da Distribuidora Record.